T3-BSC-166

精裝版
出版緣起

「精」者，指其質地而言。「裝」者，則是意旨形容而言。

在後資本社會裡，「美」是理所當然，無庸置疑的基本原則。在本體上，閱讀的根本逼視著人生，由此盤根錯節。枝葉不妨豐美，讓象徵的載體琳琅滿目。精裝版系列，即是希望透過精緻的文化工作，體現當代閱讀行爲的優質取向。

我要向在寫這本書期間給予我協助的所有人致謝。特別是以下幾位：

我的版權代理人莎拉・麥古（Sara Menguc）和她的助理喬治亞・克魯福（Georgia Glover），謝謝他們爲我所作的努力和種種的設想。

泰洛森（Thorsons）出版公司的每一個人，尤其是愛瑞卡・史密斯（Erica Smith）在我寫作期間所提供的建設性評語和企圖心；以及爲本書手稿擔任編輯工作的菲歐納・布朗（Fiona Brown）。

還有不斷鼓勵我寫作並且一直是我靈感來源的母親，以及引導我、鼓勵我的父親，和我愛的家人與朋友。

最後——我的妻子凱倫（Karen），她同時也是我最貼心的朋友和編輯，她對我及我的工作總是充滿了信心，再多的言語也無法表達我對她的愛。

目錄

人生的四大祕密

☆☆愛的祕密　001
序　幕　002
婚禮上的客人　004
相　遇　007
祕密一◆思想的力量　018
祕密二◆尊重的力量　030
祕密三◆給予的力量　039
祕密四◆友誼的力量　051
祕密五◆接觸的力量　059
祕密六◆捨棄的力量　067
祕密七◆溝通的力量　076
祕密八◆承諾的力量　085
祕密九◆熱情的力量　095
祕密十◆信任的力量　103
尾　聲　113

☆☆快樂的祕密　121
序　幕　122
一段車程　124
相　遇　127
祕密一◆態度的力量　139
祕密二◆當下的力量　153
祕密三◆自我想像的力量　163
祕密四◆身體的力量　177
祕密五◆目標的力量　193
祕密六◆幽默的力量　202
祕密七◆寬恕的力量　212
祕密八◆給與的力量　221
祕密九◆關係的力量　230
祕密十◆信心的力量　240
尾　聲　250

☆☆健康的祕密 253

序　幕 254
病　人 256
相　遇 258
祕密一◆意念的力量 269
祕密二◆呼吸的力量 281
祕密三◆運動的力量 290
祕密四◆營養的力量 299
祕密五◆笑的力量 320
祕密六◆休息的力量 328
祕密七◆姿態的力量 336
祕密八◆環境的力量 346
祕密九◆信念的力量 354
祕密十◆愛的力量 363
尾　聲 371

☆☆財富的祕密 373

序　幕 374
公園漫步 376
相　遇 379
祕密一◆潛意識信念的力量 391
祕密二◆燃燒慾望的力量 404
祕密三◆確定目標的力量 417
祕密四◆行動計畫表的力量 428
祕密五◆特殊知識的力量 441
祕密六◆持續的力量 449
祕密七◆控制開銷的力量 461
祕密八◆誠實的力量 476
祕密九◆信心的力量 485
祕密十◆寬厚的力量 495
尾　聲 504

愛的祕密

Secret of Love

序幕

世界上最好和最美的東西是看不到也摸不到的……它們只能被心靈感受到。

海倫·凱勒（Helen Keller）

我們都渴望愛，渴望發生愛情，我們彼此都尋找特別的關係。可是爲什麼有這麼多人生活在孤寂當中，無助而孤寂的尋找愛情呢？假使我們那麼地渴望愛，爲什麼離婚及破碎家庭的案例卻逐漸地攀上新高峰呢？爲什麼城市當中充滿了許多的曠男怨女？有沒有可能是因爲我們在錯誤的地方尋找愛情呢？

恰恰和一般人所相信的事實相反，愛情並非命運或偶然所造成，也不是我們想墜入情網就能一蹴即成，那是必須去創造的東西……而我們都有力量去創造。我們都有愛與被愛的力量，都有創造愛情關係的力量——不論我們是否孑然一身或身處令人快樂不起來的三角關係——生命是有可能改變的，我們也有這個改變的力量。

和這套書當中其他範例不同的是，本書中許多角色都是以生活裡的實際人物爲本，

只不過他們的名字已經做了更動。我希望他們的故事能有所激勵，一如他們已經激勵了我一樣。同時我也希望他們能提醒你，生命當中是充滿著豐富的喜悅和愛情的。

亞當・傑克森
一九九五年七月

婚禮上的客人

你可能不會注意到這麼一個人的存在。他，是個年近三十歲的年輕男子，獨自坐在房間角落裡的桌子旁，有著普通的身高、體格和外貌，穿著黑色正式西裝，就像房裡的其他男人一樣。

他孤芳自賞地獨坐著，沒有和人交談，也沒有任何人來找他攀談。用餐時與他同桌的客人們現在都陸續走向舞池，而這個天生害羞的年輕人因爲沒有帶女伴，便決定繼續待在位子上冷眼旁觀舞會的進行。

不論從哪個角度來看，這都是一個所費不貲的豪華晚宴。香檳雞尾酒跟隨著六道菜餚之後送了上來、每道菜餚之間還穿插著由七人爵士樂團所現場伴奏的舞曲。會場本身更是氣派壯觀，這個晚宴是在市中心最高級飯店裡的皇家宴會套房中舉辦的。

儘管一切都如此的華麗，這年輕人卻並不能享受歡樂。他從來就不是個善於交際的人，而且，他也不覺得和兩百個陌生人在一個房間裡是件有趣的事。整個房子裡他唯一認識的人就是新郎；一位多年不見的老朋友。事實上，他非常驚訝自己會被邀請。

他看著他的朋友和新娘跳著貼面舞，他們看起來如此快樂，他不自覺地羨慕起來，他懷疑這種事何時才會降臨到他的身上。

「爲什麼？」他想著：「其他人都可以結婚，安定下來並且有了小孩，而我卻無法跟一個女孩子維持超過幾個月的關係？」他不是找不到女孩子約會，問題在於找到一個適合的女孩、維持一段持久的關係，讓他有想和她共度餘生的念頭。這才是個大問題。

有時候，光是想到自己的現況就夠讓他沮喪得要死。他想，自己一定是哪裡不對勁，才會使他無法擁有一段持久穩定的愛情關係。有時他又會告訴自己，他只是不太幸運而已。也許，就如同朋友們說的，愛情要不早已寫在他的星象上，要不就是沒有；要不總有一天會發生，要不就是不會發生，他是沒有辦法去改變什麼的。這聽起來眞是無濟於事，不過，事實好像眞的是如此。

他回想起過去的一段戀愛經驗，那是在兩年前。那時，他眞切的感受到愛情的滋味，還深深陶醉在其中，然而不幸的，那次戀愛也只維持了三個月。

失戀之後他眞是傷透了心，足足有幾個禮拜的時間，他吃不下也睡不著，至今仍深刻的記得那種傷痛。然後他就決定，從今以後再也不會讓自己被傷害得這麼重了。

如今，他坐在那兒看著房間裡的對對佳偶，有的挽著手坐在一起笑著；有的高興地跳舞歡唱。他告訴自己最好還是保持單身吧！畢竟，有多少關係能夠眞正的維持住呢？

有多少人能夠一直在一起呢？單身使他至少不必忍受分離與失落的痛苦，而且他可以無拘無束地來去自如。

但是同時，他凝視著周遭的一切景象，某些東西攪亂了他的思緒。他看到持久的愛的關係確實存在著。就在舞池中央，一對老夫婦緊緊抱著彼此，深情微笑地看著對方的眼睛。這個年輕人看著他們跳舞，心裡想著，有沒有奇蹟出現，某處有個人正等待著他。

相遇

「你自己一個人嗎？」

年輕人循著聲音轉身，看到一個年老的中國男人站在他的身旁。他是一位瘦小的長者，幾乎全禿了的頭上還留有兩道雪白的鬢髮，他的棕色眼睛，正微笑地看著他。正如房裡其他的客人一樣，老人穿著黑色的晚宴西裝、白襯衫和黑色蝴蝶領結。

「是的，我一個人。」年輕人帶著微笑答道。

「我也是。」老人說：「不介意我加入你吧？」

「請便。」年輕人回答。

「很棒的婚禮，是吧？」

年輕人聳聳肩，不置可否地說：「如果你喜歡的話。」

「怎麼，你不喜歡這樣的婚宴嗎？」老人問道。

「這年頭這種事看起來多少像個鬧劇，不是嗎？」年輕人說著把身子挪後，懶懶地靠向椅背。

「哪種事？」中國老人問。

「婚姻啊！」

「只有兩個人不愛對方的婚姻，才會是個鬧劇。」老人說。

「愛！」年輕人喊道：「什麼是愛？人們總是隨便愛來愛去，頭一天他們爲對方奉獻自己，第二天他們卻又無法再多看對方一眼。如果你問我，」年輕人繼續說著：「我會說，愛被高估了，它只會造成悲慘和傷心。」

「這說法太憤世嫉俗了。」老人說：「我跟你保證，對愛情持有這樣的觀念是你這輩子所犯的最大錯誤了。就拿我來說吧！當你活到我這把接近生命盡頭的年紀時，你會發現，唯一對你有重大意義的事情就是，你曾付出和得到的愛。在你邁向另一個世界時，你唯一能帶走的就是愛，而你唯一能留下的也是愛，沒別的。我知道很多人可以快樂地承受生命中的各種苦難，卻還沒有碰到一個人可以忍受缺少愛的生命。」

「這就是爲什麼愛是生命中最偉大的禮物，」老人繼續解釋道：「它爲你的生命帶來意義，它使生命值得走下去。」

「是嗎？我不這麼確定。」年輕人喃喃自語。

「爲什麼不呢？」老人問道。

年輕人沉默了半晌，然後答道：「你知道我怎麼想嗎？我認爲戀愛只是一種浪漫的

神話，我們都被牽著鼻子去相信總有一天會碰到某人而陷入戀愛，可是這卻很少發生，就算它眞的發生了吧！也不會持續的。」

「嗯……我明白，」老人說：「當然！你完全正確，戀愛是一個浪漫的神話。不過我想……」老人凝神想了一會兒之後，搖搖頭說：「不！不！不！愛不是那種等著我們掉進去的，它是我們創造的。人們把陷入戀愛這件事情想錯了，他們想像有一天走在路上看到某個人，然後『碰！』一聲，就撞到愛情了。但是那不是愛。」

「那是什麼呢？」年輕人問道。

「那是生理的吸引力，是迷戀。絕對不是愛！當然啦！愛可能在身體的相互吸引力中成長，但眞愛絕對不只是生理的。對於愛——眞愛，你必須去了解一個人，你必須去知道他們並尊重他們，你必須眞誠地爲他們著想。就像蘋果派。」

「蘋果派！什麼意思？」年輕人問道。

「你覺得你可以光憑外表就斷定一個蘋果派有多好嗎？」老人說。

「當然不囉！我還要吃吃看才知道。」年輕人說。

「這就是了，換句話說，你必須知道內在是不是跟外表一樣好，對不對？」

「是的。」

「人也是一樣的。」老人解釋著：「你不能只看外表的長相就知道他們是什麼樣的

人。要完全的愛上某個人，你必須看見他們的內在及他們的本性、精神和靈魂，這些是眼睛看不到的。在愛情裡面，你只有用心才能看見那些最重要的東西。能不能持久的癥結就在這裡了。愛情關係不是巧合，它們不是就這樣發生了，同時也不是運氣的問題，而是需要培養和經營的。」

「怎麼做呢？」年輕人問道。

「當我小的時候，我媽媽教我一條愛的黃金定律。」老人繼續說：「她總是這麼告訴我，『如果你希望被愛，就先去愛人。很簡單。』任何人都有愛人、被愛，以及在生活中創造愛的關係的能力。所以當人們選擇活在沒有愛的生命裡，是多麼悲哀啊！」

「你怎麼能這麼說呢？」年輕人轉過身來辯解著：「怎麼有人會選擇活在沒有愛的生命裡呢？」

老人直勾勾地望進年輕人的雙眸回答道：「有人會選擇寧願不要愛，也不願冒險承受因爲分離和失落而導致的痛苦。」

年輕人霎時紅了臉，喉嚨一陣緊縮。他開始覺得不自在，好像自己是個透明人，有人讀進他的心思裡面去了。

「我向你保證，」老人說：「愛是任何人隨時都有可能得到的，只是我們必須去選擇。」老人用頭指向臨桌正在激烈爭辯中的一對，「你看那一對，那就是一個很好的例

子；兩個人寧願贏得辯論，甚於贏得愛。生命充滿了選擇。我們可以選擇勝利或是選擇愛；我們可以選擇原諒也可以選擇報復；我們可以選擇獨自一人也可以選擇有伴侶。這都跟選擇有關。人們在他們的生命裡沒有愛的關係是很常見的，他們有意無意地選擇了自己的狀態。」

「人們選擇了自己的狀態。」年輕人重複說著。

「當然！你的生命是什麼樣子，你所處的狀態是什麼，都是因爲你選擇了要那個樣子。不論你是孤獨一個人、有著快樂或不快樂的關係，你會如此都只有一個原因，而那原因就是：你自己選擇的。而如果你不希望生命是這個模樣，也只有你自己才有力量去改變它。」

「很多人都以爲，當他們在別人身上發現愛的時候，他們自己的生活才有了愛。他們認爲，只要那個適合的人進入他們的生命中時，他們馬上就可以體驗到愛。然而事實卻是，他們永遠不可能從周遭其他人的身上發現愛，除非他們先在自己的身上找到了它。」老人繼續說著：「你是什麼樣的人決定於你從生命中取得的是什麼，換句話說，你從生命中所得到的成就了現在的你。所謂的『關係』並不會帶給我們愛，反而是我們把愛帶到『關係』裡面去。當我們能夠付出愛，愛的關係自然隨之而來。這就是爲什麼我說，每個人都可以愛人並且被愛，而且，不管處於什麼樣的生命狀態下，任何人都可以創造出愛的關係。」

「可能是吧！」年輕人猶豫地說：「可是你還是得夠幸運才行啊！幸運之神沒有降臨，很難碰到那個適合的人，你知道嘛！就是那個跟你相配的人，不是嗎？」

「幸運不在愛的方程式裡面。」老人說：「幸不幸運對愛是不會有影響的。」

「好吧！那就是命運了，天注定的。」

老人微笑地看著他，緩緩說道：「命運會幫你一把，它通常都會幫助人的，可是你也得扮演好你自己那部分的角色才行。你想碰到另一個坐在角落中的人嗎？光坐在這兒是不行的，你必須站起來，主動讓這件事發生。」

「哪有這麼容易的事。」年輕人以防衛性的語調說著。

「誰說它容易來著？」老人回道：「但如果你要得到愛，你就必須鼓起勇氣來，去抓住生命中的機會。」

「什麼樣的機會？」年輕人問道。

「在我的國家有這麼一個老故事，」老人說：「有一個人有天晚上碰到一個神仙，這個神仙告訴他說，有大事要發生在他身上了，他會有機會得到很大的財富、在社會上獲得卓越的地位、並且娶到一個漂亮的妻子。這個人終其一生都在等待這個奇蹟的承諾，可是什麼事也沒發生。這個人窮困地度過了他的一生，最後孤獨地老死了。當他上了西天，他又看見了那個神仙，他對神仙說：『你說過要給我財富、很高的社會地位和漂亮的妻子的，我等了一輩子，卻什麼也沒有。』

神仙回答他：『我沒說過那種話。我只承諾過要給你機會得到財富、一個受人尊重的社會地位和一個漂亮的妻子，可是你讓這些從你身邊溜走了。』這個人迷惑了，他說：『我不明白你的意思。』神仙回答道：『你記得你曾經有一次想到一個好點子，可是你沒有行動，因爲你怕失敗而不敢去嘗試。』這個人點點頭。

神仙繼續說：『因爲你沒有去行動，這個點子幾年以後被給了另外一個人，那個人一點也不害怕地去做了，你可能記得那個人，他就是後來變成全國最有錢的那個人。還有，你應該還記得，有一次發生了大地震，城裡大半的房子都毀了，好幾千人被困在倒塌的房子裡，你有機會去幫忙拯救那些存活的人，可是你怕小偷會趁你不在家的時候，到你家裡去打劫偷東西，你以這作爲藉口，故意忽視那些需要你幫助的人，而只是守著自己的房子。』這個人不好意思地點點頭。

神仙說：『那是你去拯救幾百個人的好機會，而那個機會可以使你在城裡得到多大的尊崇和榮耀啊！』

『還有，』天使繼續說：『你記不記得有一個頭髮烏黑的漂亮女子，那個你曾經非常強烈地被吸引的，你從來不曾這麼喜歡過一個女人，之後也沒有再碰到過像她這麼好

的女人。可是你想她不可能會喜歡你，更不可能會答應跟你結婚，你因爲害怕被拒絕，就讓她從你身旁溜走了。』這個人又點點頭，可是這次他流下了眼淚。

神仙說：『我的朋友啊！就是她！她本來該是你的妻子，你們會有好幾個漂亮的小孩，而且跟她在一起，你的人生將會有許許多多的快樂。』

我們每天身邊都會圍繞著很多的機會，包括愛的機會。可是我們經常像故事裡的那個人一樣，總是因爲害怕而停止了腳步，結果機會就溜走了。」

「害怕？」年輕人重複念著。

「是的，害怕！」老人說：「我們因爲害怕被拒絕而不敢跟人們接觸；我們因爲害怕被嘲笑而不敢跟人們溝通情感；我們因爲害怕失落的痛苦而不敢對別人付出承諾。」

年輕人開始不斷回想起以前，害怕被拒絕的心理，使他即使面對心儀的女孩子也不敢說話。他沮喪地想著，自己竟然錯過了那麼多機會。

老人接著說：「不過，我們比故事裡的那個人多了一個優勢。」

「那是……什麼？」年輕人結結巴巴地問。

「我們還活著。我們可以從現在起去抓住那些機會，我們可以開始去創造我們自己的機會。」

年輕人陷入沉思，腦中盤旋著老人之前說過的那些話。他一直認爲愛人和被愛的關

係都只是跟運氣或宿命有關，你要不是碰到了相配的人，要不就是碰到了不相配的人。愛情就是這麼一回事，你遇到了某個人，馬上就被他所吸引，然後就開始約會、談戀愛，整個過程就是這樣罷了。可是現在，聽了老人一席話之後，他不這麼確定了。

老人看著年輕人說道：「除非你先學會了愛，否則你是不可能擁有愛情關係的。一旦你心中有了愛，你所期待的關係就必然會跟著來。」

「你是說每個人都可以學會去愛？」年輕人說。

「那當然！」老人微笑著，「去愛你自己，愛別人並且熱愛生命，這是全世界最自然不過的事了。無論我們處於什麼的狀態下，也無論我們的生活走到什麼境界，我們都有愛人和被愛的力量，並且能夠享受源源不絕的愛，只要我們知道一些祕密。」

「什麼祕密？」

「愛的祕密。」

「愛的祕密？」年輕人重複著，「那又是什麼呢？」

「愛的祕密是在幾千年前由一些智者和哲人所提出來的。愛的祕密有十個原則，透過這十個原則，你不只能夠在生命中創造愛，而且愛會生生不息地從你的生命中再湧現出來，跟著你一輩子。」

「你在跟我開玩笑嗎？」年輕人不可置信地說：「你是說每個人都可以找到愛和愛

的關係？」

「不！我是說每個人都可以『創造』愛和愛的關係。」老人強調。

「可是你怎能就這麼確定呢？」年輕人問道。

「如果我拍拍手，有可能不發出聲音來嗎？如果我推這張桌子，它可能不動嗎？這是自然法則。宇宙法則控制著規律的日升日落，所有一切都被精準無誤的法則所掌控著。科學家們已經發現了許多這類的法則；像生理的法則、運動法則和地心引力法則等等。不過也有其他的法則，像跟自然人類有關的法則，跟健康、跟快樂有關的法則……當然囉！也有跟愛有關的法則。」

「愛的法則？」年輕人問道：「如果這些『法則』，就像你說的，眞的存在的話，爲什麼我們都不知道呢？」

「因爲有時候我們失去了生命的方向；有時候我們幻想破滅了或心中沮喪氣餒，我們很輕易就會忘了那些法則，而需要被提醒。」老人說：「生命中如果沒有愛，世界會是一個非常冷酷而寂寞的地方。而如果有愛，世界就變成了天堂。美國的偉大詩人桑頓・威爾德（Thornton Wilder 1897-1975）就曾寫過這麼一段『在生死兩岸，愛是中間的橋樑……愛是唯一的生機，愛是唯一的意義。』跟隨著愛的祕密，你就會找到其中的意義，而你的世界和生命將會改變。」

「告訴我該怎麼做吧！」年輕人說。

老人笑著遞了一張小紙條給這個年輕人，他小心翼翼地看著紙條，卻發現上面只寫了十個人的名字和電話號碼。他翻過紙條，期望還有其他的東西，可是背面是一片空白，什麼都沒有。

「這是什麼東西？」他說著抬起頭，可是……，老人不見了。年輕人站起身來，眼睛搜尋過整個房間，他甚至還站到椅子上去張望，還是不見老人的蹤影。他在桌旁等著，期待老人回來。三十分鐘過去了，老人還是沒有出現，他知道今晚是不可能再見到那位中國老人了。

離開宴會之前，他特地走去向新郎、新娘道再見，說了一些祝福的話，並感謝他們的邀請和招待，然後他問他們是否認識一位中國長者。新郎和新娘都很確定地說，他們的邀請名單上並沒有什麼中國人。年輕人於是推斷，那位中國老人一定是宴會裡的侍者，所以在走出會場之前，他又請領班幫忙找來中國侍者。可是領班聽都沒聽說過有這麼一號人物，更不可能是他手下的工作人員了。

年輕人更加疑惑了，這個中國老人是誰呢？他從哪裡來呢？而什麼又是他說的「愛的祕密」呢？他抓緊了老人臨走前塞給他的紙條，他想著，上面的十個人名和電話號碼是他能夠找到老人的唯一線索。

祕密一

思想的力量

第二天，他打了電話給紙條上的十個人。打電話給十個完全陌生的人，跟他們詢問有關「愛的祕密」實在令他既緊張又困窘。可是最讓他吃驚的是，這些人好像完全知道他在說些什麼，而且表現出很高興他打電話給他們的樣子。所以他便在接下來的一個禮拜中，分別跟他們見面。

年輕人對名單上的第一個人特別好奇。他是雨果•普契亞，一個退休的社會學教授，對人際關係的率直觀點使他聞名於學院派中。他還出了好幾本這類內容的暢銷書，而且經常出現在廣播和電視的談話性節目裡。

普契亞博士論述的精髓是，人類在追求科學和經濟學的發展過程中，都忽略了生命中最本質的事物。他經常引述古印度的預言：「只有當最後一棵樹木被砍下，只有當最

後一條河流被下了毒，只有當最後一隻魚被抓住了，你才會發現金錢是不能吃的。」

普契亞博士是個六十幾歲的老人，手臂很長，頭髮全白，有著一張非常溫和，甚至可以說是有點孩子氣的臉孔，這使他看起來至少年輕二十歲。他展開雙臂迎接年輕人，緊緊地擁抱著他，好像他是個失去聯絡很久的朋友。年輕人一時不知該如何反應，他不太習慣和完全陌生的人擁抱，事實上，他根本不習慣和任何人擁抱，即便是他自己的家人。

「所以你見到那個老人了？」普契亞博士一邊說著，一邊請年輕人坐下，「他好嗎？」他問。

「據我看來他非常好，」年輕人坐下之後說道：「他到底是誰？從哪兒來的？」

「你的疑問跟我一樣，我也只見過他一次，而且是在三十多年以前。可是他改變了我整個教學和生活的道路。我剛在大學開始教書的時候遇到了他，當時我被指派接任指導六班一年級的學生。就在學期進行了十個禮拜的時候，我發現有一個學生失蹤了，她是一個漂亮、活潑且聰明的年輕女孩，她的作業展現出她相當敏銳的天性。在她缺課之後的第三個禮拜，我問坐在她附近的幾個學生，知不知道她在哪裡。結果你相信嗎？竟然沒有人知道，也沒人在乎，他們甚至連她的名字都不曉得。

那堂課結束之後，我到教務處去，試著問出學生的住處，以及她爲什麼缺課的原因。

教務處的人很驚訝地看著我說：『咦！對不起！我以為你已經知道了。』她把我拉進一旁的辦公室內，告訴我那名學生已經在兩個禮拜前自殺了。她從十層樓高的大廈頂層跳樓自殺。

我被這個消息嚇呆了。我坐在前廳傻想著，是什麼因素讓這個有潛力的學生這樣結束生命。不知在那兒發呆了多久，一直到我突然發現他正坐在我身旁。」

「誰？」年輕人打斷他。

「那個中國老人。」普契亞博士說，「他問我在困惑些什麼，我就把這個故事告訴他，他聽了之後沉默了幾分鐘，然後對我說了一些我永遠不會忘記的話。他說：『你知道，我們教導學生如何讀書寫字、加減乘除，我們教導他們一些我們自認為是良好的教育，但是卻都忽略了一件最重要的事……如何去愛。』

他的話一棒打醒了我。那是我曾直覺地感受到的問題，卻從來沒有人這麼清楚地告訴我。我們坐在那兒談了一些關於愛和生命，就是從那個中國老人的口中，我第一次聽到有關愛的祕密——十個不朽的原則，它讓我們把愛帶進生命中，讓愛圍繞著我們的生活。」

年輕人半信半疑地問：「你是說那些『愛的祕密』眞的有用嗎？」

「至少對我來說是有用的，而且，我的幾百個學生也在生活中實踐得很好。」普契

亞博士說。

「眞是不可思議！奇妙得難以相信。」年輕人說：「我的意思是說，如果眞的這麼容易，爲什麼不每個人都去做呢？」

「你問得很好！」普契亞博士回答：「在我們的心靈深處，每個人需要愛的程度比其他任何事都來得多，只是我們都忘了。我們汲汲於追求其他的目標，譬如事業、金錢和財富，我們專注地追逐休閒、娛樂，而忘記了生命中更重要的事。你想想，有什麼比愛更重要呢？」

年輕人在筆記上記下一些重點。普契亞博士繼續說：「中國老人離開之前，交給我一張便條紙，上面記載了十個人名和電話號碼。我在一個禮拜之內就跟所有的人聯繫了，透過他們，我學到了一些簡單而實際的方法，去經驗許許多多的愛。這些方法讓我學會如何去建立持久的愛的關係。這十個愛的祕密都同等重要，但是其中對我影響最大的就是『思想的力量』。」

「思想的力量？」年輕人重複說著。

「是的。它雖然簡單，卻眞的可以讓我們變成我們想要的樣子。如果你一心想著氣憤，你就會體驗到氣憤；如果你有著興奮的思想，你就會興奮起來；如果你想著快樂，你就會快樂……當然，如果你有愛的思想，你就可以體會到愛。改變思想，你就改變了經驗。它就是這麼簡單。」

年輕人揚起眉毛，「說當然很容易，我懷疑做起來並不簡單。」

「沒錯，它不全然容易。這就是爲什麼有人說『擊敗自己的心靈比擊敗無數個論點來得偉大。』不過它還是有可能做到的。我們本來應該是可以選擇自己的思想的，可是在逐漸長大的過程中，卻被教導著去選擇錯誤的思想。我們被教著去評斷別人，去歧視跟我們不同的人。孩子是不會在乎不同的膚色或信仰的，他們只是單純地看人。你愛一個孩子，他也會愛你，因爲愛是人類的本能，問題是，小孩子對愛的領悟力被他們的父母扼殺了。」

「怎麼說呢？」年輕人問道。

「孩子會從父母的行爲，來建構他們對愛的理解。如果孩子總是被吼來吼去，或被體罰，他們就會相信這種行爲是可被接受的，然後就以這種方式對待別人，來表示愛的行爲。這就是爲什麼我們必須重新學習愛的眞諦，以及被愛的意義。我們必須改變我們的信仰和態度，才能走向愛的世界。」

「那你是怎麼做到的？怎麼樣才能持續很多年而不會忘記？」年輕人問。

「你可以靠一段『鄭重的陳述』來開始改變你的態度、信仰，甚至思想。」

「什麼是『鄭重的陳述』？」

「『鄭重的陳述』就是一段話，你可以把它肯定地念出來，或具體地對你自己不斷地重複說著。舉例來說，如果你認爲恆久的愛是不可能的話，你可以用這麼一段話來改變你這種想法：『我創造生命中的愛。今天，所有我碰到的人，我都要用愛去對待他們。我可以很容易地得到愛的關係。』或者你也可以這麼說：『我有無比的力量，可以創造愛的關係。』

我再舉一個例子，如果你不相信你可以遇到理想伴侶或知己的話，你也可以對自己這麼說：『我的理想伴侶會在最適當的時機、最適當的地點，進入我的生命中。』

以我的經驗，『鄭重的陳述』會改變我們的思想和潛意識信仰。我們的思想決定我們的行動；行動則產生行爲；而行爲則造就了我們的命運。」

「需要多久重複一次這種『鄭重的陳述』？」年輕人問道。

「盡你所能。有些人還把它寫下來，放在車上或貼在冰箱上等顯眼的地方，讓自己總是讀到它。不過至少要一天三次，早晨起床的時候一次，白天一次，然後晚上再念一次。」

「所以只要重複這些『鄭重的陳述』，就可以改變思想？」年輕人說。

「不！『鄭重的陳述』幫助你改變潛意識的信仰；但是你還必須時時自覺地思考著愛對你的意義，以及愛人的意義。這麼說好像已經很清楚了，可是我告訴你，以我的經

驗，很少人會思考到這類的問題。舉例來說，你告訴我愛人的意義是什麼？」

年輕人猶豫地想了想，結結巴巴地說：「嗯……這個嘛……我想……愛一個人就是……去關心他們，當他們需要你的時候，你會在他們身邊，幫助他們。」

「完全正確！」普契亞博士說：「換句話說，就是表現出你最高的仁慈。可是你可以做到嗎？如果你不先去思考別人的需求是什麼，你怎麼關心他們？你能夠幫助他們嗎？」

「不能。」

「所以囉！當我們要去愛一個人或一件事的時候，第一步最困難的地方就是，我們必須先去想到他們，考慮到他們的需求和渴望。」

普契亞博士繼續說：「當我開始我的事業的時候，我很天真地想，老師就是教書嘛！數學、物理、地理或社會學。可是很快地我就學到了，老師要教的不是學問，他要教的是學生。每個學生都有他們個別的需求，他們有不同的學習程度和方式，一個好老師必須把這些個別性考慮進去，否則學生就會覺得無趣或挫折。

生活上也是一樣的，我們必須考慮到別人的需要，才有可能擁有愛的關係。作法就是，我們要把自己的脚放進他人的鞋子裡，從別人的角度去看事情、去嘗試一下。譬如說，很多人陷入了無愛的關係裡，經常抱怨他們的伴侶不愛他們，可是如果他們不要總是問：『我的伴侶爲我做了些什麼？』而反過來捫心自問：『我能爲我的伴侶做些什麼？』，當他們能這樣想的時候，他們的伴侶會有被愛的感覺，同時，也會把更多的愛回饋給他們。問題是我們經常想著的是自己的需求，而不是別人的。如果我們不考慮到他人的需要，那就很難得到愛了。」

「你瞧，」普契亞博士繼續說：「任何事都從一個想法開始——愛的思想引導著愛的行動，以及愛的經驗。」

「是！不過我還有個問題，」年輕人說：「你的思想不能幫助你找到，或創造出愛的關係。」

「你會很驚訝的，剛好相反！」普契亞博士回道：「你的思想不但會幫助你吸引到愛的關係，當你夢想中的女人進入你的生命中時，它還會協助你認出她來。」

「我不懂。」年輕人說。

「好，我說每個人都希望找到他們最特別的那份愛情，而那是可以永恆持續的，你同意嗎？」

年輕人點點頭。

「那麼，誰是那個特別的人？」

「我不知道。這就是我的問題。」年輕人說著：「我沒有那個特別的人。」

「你有！」普契亞博士肯定地說：「我保證你有，你只是還沒碰到她而已。當這個女孩走進你的生命中時，你要如何認出她來呢？」

「人們怎麼知道他們碰到的人是否就是他們要的那一個？」年輕人反問。

「我知道一個確定的方法，」普契亞博士說：「就是在碰到這個人之前，你必須先知道誰是這個理想中的人。怎麼做呢？你要先仔細地想想有關這個人的質地。」

「哪種質地？」年輕人問。

「身體的、心理的、情感的和精神的質地。譬如說，她的膚色是黑的還是白的？高大的或嬌小的？她該有什麼顏色的眼睛呢？或者，也許外型的質地對你來說並不重要。但是她會有哪種工作、嗜好或興趣呢？她需要有某種精神上的信仰嗎？還有，她的性向呢？她應該活潑外向？還是內向呢？她必須是有智慧的嗎？」

「老實說，我從來沒想過這麼多，」年輕人坦誠地說；「它眞的這麼重要嗎？」

「是的！」普契亞博士非常肯定地說：「如果你不知道什麼樣的人，你會希望跟她共同生活，當她走向你時，你怎麼能夠認得出來呢？」

「可是，難道不可能當這個人出現時，你就是知道？」年輕人辯解著。

「可能有些人可以吧！」普契亞博士說：「不過即便如此，他們還是事先已經在心裡描繪出某種形象來的。如果對這個理想伴侶沒有一點想法的話，你很容易被性的吸引

力所影響，或一時迷戀，甚至只是因爲害怕寂寞，這就導致你會和一個不適合的人在一起。

舉例來說，或許你的伴侶必須喜歡動物，對你來說是很重要的。然後你遇到一個人，你馬上就被她吸引住了，可是很快的你又發現，她討厭動物。這時你就知道了，不管她在性方面有多麼吸引人，她不是你要的。

你看！愛情並不盲目，而慾望和性卻是。如果你不對這個伴侶有一些想法的話，結果你會很容易地跟一個完全不相配的人在一起。從另一方面來說，如果你建立好一個形象，確定你願意跟她分享人生，當你遇見她的時候，你會比較容易知道。」

「可是你在心裡虛構出這個伴侶的形象，豈不是太侷限了嗎？」年輕人說：「我的意思是，這跟你將會實際碰到的理想伴侶有多類似呢？」

普契亞博士微笑了，「他們一點都不『類似』，根本就是一模一樣！這就是『思想的力量』的精髓所在，意思就是，要吸引某個人或某件事進入你的生命中，你首先必須想像他們已經是你的了。當然，這個理想伴侶的某些質地，或許對你並不特別重要，但是在心裡描繪出這個伴侶的形象，會讓你去思考，什麼樣的質地對你是重要的。這個過程才是眞正的重點。

這就好比去超市購物，如果你不知道你要買什麼？或你必須買到什麼東西？你很輕

易的就會被廣告或促銷活動所影響，回到家才發現要買的都沒買，反而買了一堆根本不需要的東西。如果你事先都想好了，你就可以直接走到那個區域，拿到你要的東西。

尋找一段關係也是同樣的道理，如果我們終其一生都沒想過這種質地的問題，我們可能被外型或性慾所左右，然後當吸引力消失之後，才發現我們選擇的這個人根本沒有那些我們認爲重要的質地。」

年輕人又低頭記著筆記。普契亞博士繼續說：「生命中的愛情不應該是個折磨，它應該被好好的經營。如果我們渴望愛情，我們就必須去做一些必要的行動，來創造愛。我認爲這才是『愛的祕密』的眞正內涵，它提醒我們必須去經營一些本質上的事情。」

「而選擇正確的思想是其中的一項？」

「完全正確！愛人和被愛的能力、創造持久愛的關係，以及吸引到你的理想伴侶……等等，都要從你的思想開始。」

當天晚上，年輕人整理了一些普契亞博士談話的重點：

愛的第一祕密——思想的力量

愛始於我們的思想。

我們可以成爲我們所想要的樣子。愛的思想創造愛的經驗以及愛的關係。「鄭重的陳述」可以改變我們對自己以及他人的信仰與思想。

愛一個人，必須去考慮到他的需求和希望。

對理想伴侶有想法，可以幫助你在人群中認出他來。

此刻，他的腦海中開始想像著，他的理想伴侶應該是什麼模樣呢？她的外表、性格、信仰，她的喜好，以及她所厭惡的……。他閉上雙眼，一個影像逐漸清晰起來。嗯！她是美麗的，比他矮一點，有著及肩的金色頭髮，大而明亮的綠色眼眸，以及迷人的微笑。她是自信、善良而大方的。她是有智慧的，溫柔體貼且悲天憫人，不是太嚴肅的。她愛動物，關懷環境，喜歡一些簡單的戶外休閒，譬如在鄉間散步，在寒冬的夜晚坐在營火旁。

年輕人把這些特質寫在紙上，然後輕鬆地坐在沙發上再讀一次。「唔……」他自言自語：「只要……」他把紙張整齊地折疊好，放在書架上。

祕密二

尊重的力量

名單上的第二個名字，是個叫做蜜莉·霍普斯金博士的女人。她在市立大學教授心理學，也是該所大學第一位擔任教授職位的女性。她是位相當受歡迎的教授，備受學生及同僚的喜愛與尊崇。從她講話的語調可以明顯地感覺到，她非常高興接到這個年輕人的電話，而且堅持要跟他坐下來好好聊一聊。他們約了第二天下午五點鐘，在大學校區霍普斯金博士的辦公室見面。

除了她六十四歲的年紀之外，霍普斯金博士看起來簡直充滿著大學新鮮人的精力與熱誠。她一提到中國老人，聲音馬上變得更加激動，而顯得生氣勃勃。她是一個嬌小、外型好看的女人，穿著一件白色上衣配上海軍藍套裝，及肩金髮向後紮起。雖然臉部皺紋不少，但表情溫暖友善。

「我是在二十年前碰到中國老人的，」她對年輕人說：「那時我是完全不同的一個人，我身染毒癮，流落街頭。」

年輕人震驚得下巴都要掉下來了，他不自覺結巴地說：「妳……妳在跟我開玩笑吧？」

「這是眞的。」她認眞地說，沒有任何害羞或窘困的樣子，「我已經記不得我進出醫院多少次了，每次都是因爲服藥過量被送進醫院，然後每次從醫院出來，我馬上又回到街上，繼續嗑藥，就這樣不斷地循環。

直到有一天，我又被送到醫院灌腸，之後我在醫院的病床上醒過來，一位醫生正坐在我身旁，握著我的手。他看起來非常溫和仁慈，在他說話的柔和語調中，我知道他是眞心關懷我的。在我這麼多年的生命中，他是第一個這樣跟我面對面說話，第一個把我當個人一樣對待的。這是爲什麼我一直記得這個中國老人。

我們談了很久，我對他說了一些從來沒有告訴過別人的事：有關我的家庭、我的童年、我在街上的不堪生活……，我把所有的事情都告訴了他。你知道嗎？光是告訴他這些事，就已經讓我覺得好多了。他說他有幾個朋友可以幫助我，就給我他們的名字和電話號碼，然後我跟他們都一一聯繫了。感謝老天！我做了這件事。他們讓我重新活下來。」

「妳指的是『愛的祕密』吧？」年輕人問道。

「是的！我之所以要學習這些祕密，是因爲我的生命裡沒有愛，而且我也不愛我自己。這就是爲什麼愛的第二個祕密對我特別重要，那就是『尊重的力量』。

你看，那時的我根本不懂得尊重，從來不尊重任何人或任何事，而別人對我也是一樣。沒有尊重就沒有愛，所以我不愛人，也沒有人愛。你知道嗎？如果你要愛一個人，你得先學會尊重那個人。而第一個你必須尊重的人，就是你自己。因爲如果你不懂得尊重自己，你就不會愛你自己；而一個不愛自己的人，怎麼可能愛別人呢？」

當蜜莉正說著的時候，年輕人不時低頭記錄。

蜜莉繼續說：「那是我最大的問題──我不愛，也不尊重我自己。」

「爲什麼呢？」

「我想這要追溯到我的童年了。」蜜莉解釋說：「我是個私生子，我媽媽在我三歲的時候結了婚。她視我爲一個大恥辱，而我的繼父，不知道爲什麼，他就是恨我。還記得當我六歲的時候，媽媽抱著我的同母異父妹妹，我因爲覺得被冷落而掉頭跑走，突然有人從後面狠狠推了我一把，結果害我滾落到階梯下。我永遠不會忘記我繼父那張臉孔，他站在階梯上，窮凶惡極地說：『她現在是我孩子的媽媽，妳這個沒人要的醜八怪。』」

年輕人簡直不敢相信自己的耳朵，他問：「那妳媽媽說什麼？」

「什麼都沒說！她繼續抱緊我妹妹，好像我是空氣一樣。很難令人相信是吧？怎麼會有這麼狠心的父母呢？可是我跟你保證，太多人從他們父母那兒承受過更糟的事情。雖然我不是經常這樣子被忽略，可是我完全沒有得到父母的愛和關心。他們是刻意的，我被自己的家庭所忽視和拒絕。

我感覺被拒絕、沒有愛，因此我恨生命。這種問題非常普遍，很多人從來不尊重他們自己，他們要不是不喜歡自己的外表，要不就是不喜歡自己的聲音、性格或智能，因而失去了自尊，認爲自己比別人差勁。我就是這樣！所以在我希望得到別人的愛之前，我必須先去學習尊重我自己、愛我自己。」

「那妳是如何學會尊重自己的呢？」年輕人問道：「我想這並不容易吧？」

蜜莉笑著回答：「沒錯，這並不那麼容易，但還是有可能做到的。我們必須學習接受自己，滿懷感激，不要在意別人對我們的惡意批評。我們必須知道世界上的每一個人、每一件事都有他們的安身之處。我們都是獨一無二的！你知道嗎？這個世界上以前沒有、將來也不會有一個跟你一模一樣的人。這個道理是不變的！不論你是男人或女人、富有或窮困、膚色是黑是白，每一個靈魂都值得尊重。

猶太教裡有個美好的說法：『有人只要拯救了一個靈魂，他就拯救了整個世界。』它告訴我們每個人都是可貴的，不論膚色種族或宗教是多麼不同，每個人都有存在的權利。」

「理論上是沒錯，不過實際上恐怕不這麼樂觀。」年輕人說。

「當然，我同意你的考量，但並不表示就無法做到。如果我可以，我相信任何有心人也都可以。只有一個問題，就是找到你自己和他人身上那些值得尊敬的東西。」

「什麼意思？」年輕人問道。

「我們腦子的結構是不可思議的，即使到了現代醫學如此發達的今天，我們對人類腦子裡的東西仍然一知半解。其中一個偉大的功能就是，腦子可以回答你提出的任何問題來。雖然它有時候會找出錯誤的答案，但不論如何，它一定會給你個答案的。

譬如說，如果你問自己，什麼是我值得自己尊敬的地方呢？你的腦子就會把答案想出來。事實上，中國老人就曾嚴肅地問過我這個問題。起先我說，我沒有值得尊敬或喜愛的地方。然後他說：『我知道，不過如果真的有的話，妳想那會是什麼呢？』所以，我就再多想了一會兒。經過我仔細地思索之後，果然想出了一些東西來。我知道我很聰明，我在學校的功課總是名列前茅；而我也佩服自己，竟然讓自己活下來了，雖然我是處於絕望的狀況中，但我從不曾去搶劫、欺騙或傷害任何人。不管你相不相信，當我這麼想了以後，我真的不那麼討厭我自己了。」

年輕人把埋在筆記本裡的腦袋提了上來，看著霍普斯金博士說：「所以，找到自尊的方法就是，問自己什麼是自己值得尊敬或喜愛的地方。是這樣嗎？」

霍普斯金博士點點頭，「這個方法對我的確是有效的。我想，它既然可以幫助我，也同樣可以幫助其他人的。因爲我相信，只要你自問：『我到底有什麼值得尊敬或喜愛的地方？』你的腦袋一定會幫你找出答案來的。」

「如果沒有呢？」

「一定有的。而且很多時候會跑出不只一樣，例如，你可能會覺得自己很誠實，這點是值得尊敬的；或你有一個正當的工作；或你定期做運動，是什麼都沒有關係。久而久之，你就可以找到很多自己值得尊敬的地方。

它同時也是個好問題，尤其是那些你不喜歡的人，你更應該問自己，他們什麼地方是值得敬重的。」

「爲什麼？」年輕人問。

「因爲當你這麼自問的時候，你多半會想到這個人的一些優點，而不會只注意到他令人討厭的地方。這時候，你會發現，你變得比較能夠以愛來對待他們。」

「以來愛對待，妳是說……」

「對他們表現出仁慈，並且多多考慮到他們的立場。有些人對待別人的方式很惡劣，總是把別人當成沒用的東西。」霍普斯金博士繼續說：「然而事實卻是，我們都來自同一個創造者，我們都是上帝所創造的，從另一個角度來說，我們都是同一個母親所生，是兄弟姊妹啊！我們絕不能低估了人類的個別性，每個人都有改變世界的力量，而世界也隨著每個不同的人、以不同的方式在改變當中。當我們能夠尊重一個人的眞實價值的時候，我們就會開始以迥然不同的方式去看待他們了。

我記得當我夜宿街頭的時候，有一天晚上我突然被驚醒，發現一個警察正把尿灑在我的臉上。」

「什麼！」年輕人驚叫起來，「天底下怎麼有這種人哪！」

「很明顯地他只是瞧不起我這種流浪者而已，」霍普斯金博士淡淡地說：「他根本不把我當個人看。我永遠不會忘記他站在我眼前哈哈大笑的樣子，這對他來說只不過是個玩笑罷了。

我相信，世上絕大部分的問題之所以會產生，都是因為失去尊重的緣故——對我們自己、對他人和對生命的尊重。結果就是一個沒有愛的世界。你可以在全世界看到這種結果——阿拉伯人和猶太人、白人和黑人、基督教和天主教。如果我們能夠尊重不同的信仰、不同的生靈，我們就是以愛來同等對待他們，那這些事怎麼會發生呢？

一旦我們理解並欣賞自己的價值，我們就會開始激賞別人的價值，並且尊重他們，而當我們有了尊重，我們就能夠愛了。以我自己來說，當我學會如何尊重自己，並進而愛自己的時候，我和別人在一起便顯得自在多了，因為我用一種尊重的眼光去看別人，很自然地，我的態度就顯得溫和多了，我也感覺我更能夠去愛別人了。」

年輕人一面做筆記，一面露出微笑。聽起來很簡單，而且很有道理，只是他以前從來沒有眞正思考過，尊重對創造愛和愛的關係是這麼重要。

「嗯，妳可不可以告訴我，妳是怎麼從一個夜宿街頭的流浪者變成一個大學教授的？」

霍普斯金博士笑著說：「在中國老人給我的名單上有一名修女，她眞是個很棒的人，給我很大的幫助。她帶我離開街頭，幫我在社區教會找到一個住處，我住在那兒的條件就是，我必須做事——煮飯、淸掃、整理花園……等等，所有的家務我都要做。而從第一天開始，她們就歡迎我成爲她們的姊妹，我是她們家庭中的一分子了。她們從來沒有把我當成個沒用的人、嗑藥的人或低階層的人。對她們來說，我只是個需要幫助的人，而她們給我的就是幫助。那眞是一個全新的經驗，在我的生命中，我第一次感到被需要。

那個修女還鼓勵我繼續求學。她說我有個天生的好腦袋，我就應該用它。你知道嗎？從來沒有人這樣鼓勵過我！所以，我回到學校去上夜間部的課程。教會裡的每個人都對我的努力不斷給予激勵，七年之後，我以優異的成績得到我的第一個學位。兩年之後，我拿到了碩士學位，再三年以後，我得到了博士頭銜。

那天，是我這輩子最棒、最值得懷念的日子。教會裡的所有姊妹們都出現在我的畢業典禮上，當我的名字被叫出來，我上台領取證書，然後手拿著證書，轉過身面對大禮堂的時候，啊！那一刻眞叫人永生難忘！我看到台下二十幾個修女站起來，對我鼓掌、吹口哨、歡呼。之後，當我走下台階，我看到有個人站在觀衆席的最後面，是那個中國老人，他抬起雙手在空中鼓掌，臉上洋溢著滿足的微笑。」

當天稍晚，年輕人把他跟蜜莉・霍普斯金的談話整理出來：

愛的第二個祕密——尊重的力量

在你懂得如何尊重之前，你是無法去愛的。

第一個你必須尊重的人，就是你自己。

獲得自尊的第一步，就是自問：我有什麼是值得自己尊敬的？

如何尊重他人，尤其是那些你不喜歡的人？方法就是，問自己：他們有些什麼是值得我尊敬的？

祕密三

給予的力量

喬洛丁・威廉太太從母親子宮出來的那一刹那起，就開始了與快樂和愛的搏鬥，因爲她比常人少了兩條腿和一隻手。她是六〇年代那一波「撒利豆邁」悲劇中誕生的幾千個嬰兒中的一個。「撒利豆邁」是一種鎮痛劑，懷孕婦女服用之後會生出肢體畸形的嬰兒。當這名年輕人看見威廉太太坐在她的輪椅上，伸出她僅剩的一隻手臂歡迎他時，他無法克制而尷尬地張大了嘴。

「我眞高興你打電話來，」威廉太太說著引年輕人進入客廳，完全無視於他不自然的表情，「遇見中國老人……嗯！那已經是十多年前的事了，不過感覺就像是昨天才發生的。」威廉太太讓年輕人坐在沙發上，然後把自己的輪椅移到他對面，「那是一個夏天的傍晚，學院舞會正進行著，我獨自坐在公園裡，夕陽暖暖地灑遍大地，我心裡卻悲

傷地想著，這個世界上除了我父母之外，沒有人會喜歡這樣的我。我就是無法想像有什麼人會牽著我的手，邀我去跳舞。想著想著，我就哭了起來。

突然，我聽到一個男人的聲音，問我怎麼了？我抬起頭看見了他……那個中國老人正站在我身旁。他給我一張面紙擦眼淚，然後在我身邊的板凳上坐下，手臂輕輕地觸著我的。

『也許我可以幫妳。』他溫柔地說。

『沒人可以幫我。』我低聲說。

『爲什麼？』他問。

『我的問題是無法解決的。』

他又說：『在我的國家，我們相信每一個問題都相對地豐富著我們的人生。』

『我跟你打包票，我的問題不可能豐富我的人生。』我說。

『我有個朋友，』他說：『他眞是個了不起的人。大約十年前，有一次他騎著摩托車在街上行駛著，一輛大貨車突然閃到他前面，他來不及煞車，爲了不撞上貨車，他當下唯一能做的就是滑到貨車底下，千鈞一髮之際，他眞的連人帶車地滑下去了，可是這時，摩托車的汽油蓋爆裂出來，瞬間，他被火燄吞沒了。

三天之後，他在醫院中渾身熾熱地甦醒過來，全身百分之七十的面積三度灼傷，他

的臉被燒得不成形，手指也慘不忍睹，腰部以下全部癱瘓。但是，他有著一般人所缺乏的優點——不屈不撓的意志。他的老婆離他而去，因爲她不願和她稱之爲「被火融化的殘廢」再共同生活下去。

即便如此，他仍打算好好地過下去，事實上，他現在是個百萬富翁呢！這個朋友的外型簡直殘破不堪，下半身癱瘓，手指也沒了，只能靠輪椅行動。你很難想像他的不堪，沒有人相信他可以過正常人的生活，甚至擁有愛的關係。大家都說，他一定會活在痛苦、怨恨及氣憤的生活中，怨天尤人，因爲在那件意外之後，他已經什麼都沒有了。

但是，他們都錯了！他從來沒有痛苦、怨恨或氣憤，因爲他知道，他的內在還是跟以前一樣，他還是同一個人。他仍然有夢想，他追隨他的夢想而活。他變成一個很成功的商人，而且是所有認識他的人的精神導師。還有，妳一定不相信，他遇到了他夢中的女人，而且結了婚！』

我看著中國老人，懷疑地問他：『眞的有這麼一個人嗎？』他說：『相信我，是的！這個人對生命的態度其實很簡單，你要嘛忙著活下去，要嘛就忙著去死吧！而他只是不想眞的死去。』

我後來又問老人，他的朋友是怎麼樣找到他的愛情的？中國老人很眞誠地說：『就像其他人一樣，他依循著愛的十個祕密。』

那是我第一次聽到有關愛的祕密——十項原則，如同老人所說的，它不只給我們的生命帶來愛，而且是源源不絕的愛。

「這聽起來實在太完美了，完美得不像是眞的。」年輕人說。

「我起初也是這麼想，可是對我還眞的有用。」威廉太太說：「我想它如果可以用在我身上，應該也適用於其他所有的人。而其中一個祕密對我的衝擊最大，那就是『給予的力量』。」

「給予？」

「是的！就是給予。它眞是再簡單不過了，如果你要得到愛，你只要先去付出愛就行了。而你給得愈多，你得到的就愈多。」

年輕人拿出他的隨身筆記本和筆，「妳可不可以說清楚一點，給我個例子吧！」

「好！舉例來說，如果你對人微笑，別人會怎麼樣？」

「回我一個微笑。」年輕人回答。

「而如果你擁抱某人，那人通常也會擁抱你。一句問候的話語、一個禮物、一通電話、一封信……等等，任何用以展現你關心的形式，最後都會以不同的方式回到你身上。」

「可是並不是每個人都會這樣回應的。」年輕人說。

「是！沒錯！不是每個人，但大部分的人都會。愛就像個回力球，它總會回到你手

上，也許並不一定從你所付出的那個人身上回來，但它依然會回來，而且回來的會比你付出的更多。可是你必須記得，愛並不像物品、財產或金錢，你把它送出去，你自己就匱乏了。相反的，愛的付出是可以無限的，我們給別人愛，自己卻不會因此而減少了。事實上，當你不願意付出愛的時候，你的愛才會減少。」

「可是嘗試去愛別人眞是浪費時間，又浪費精力。」年輕人說。

「爲什麼？」威廉太太問道。

「因爲有些人眞是可惡極了，我眞懷疑他們有沒有良心。」

「我問你，」威廉太太說：「如果你有一些種子，可以長出最美麗的花朵樹木，你會把這些種子灑在哪裡？在漂亮的森林裡？或豐潤的綠色草原？或是在空曠的土地上？」

「我聽不太懂妳想說什麼？」年輕人說。

「嗯，我的意思是，哪一個地方最需要這些種子？而且這些種子可以讓哪個地區有最不一樣的風貌？」

「空曠的土地。」

「完全正確。好！現在如果這些種子就是愛，什麼地方需要它們？在已經充滿愛的心靈？還是痛苦的心靈？孤獨的人們？」

「嗯！我知道妳要說什麼了。」年輕人說：「可是這麼做並不容易。」

「帶著微笑不會比皺眉頭困難；說一些友善或鼓勵的話，也不比批評一頓來得費時。友愛地對待他人，其實跟不友善或不關懷他人是一樣容易的事。問題是，我們很多人都不願意去當那個先付出的人，我們只在得到了之後，才會付出。

我們的愛總是有許多附帶條件，我們會說：『如果你愛我，我就會愛你。』我們總是在等著別人踏出第一步，而這就是許多人很少經驗到愛的原因——他們都在等著別人先愛他們。這是很荒謬的。就好像一個音樂家說：『只有當人們開始跳舞的時候，我才願意開始演奏音樂。』

眞正的愛是沒有條件的，它是不求回報的。有一次我讀到一個美麗的故事，一個小女孩急需骨髓移植，很幸運的，她的弟弟跟她的血型完全吻合。醫生跟小弟弟解釋說，你的姊姊如果沒有新的血，她就會死去，但不是任何一種血液，而必須是他的。毫不猶豫的，小弟弟答應要幫助姊姊。就在小弟弟被麻醉之前，小弟弟抬頭看著醫生，問說：『我死的時候會不會痛？』

一個不到七歲的小男孩，他以為要救活姊姊，就必須把自己所有的血液都給她，而他自己會因此死去。現在，你要尋找的愛並不至於像那個小男孩對姊姊的愛一樣，那麼純粹而絕對。你並不會因爲付出愛而少了什麼。跟那個故事比起來，你的愛是無足輕重的。何必害怕呢？」

「我知道，可是愛你自己的家人總是容易多了，不是嗎？」年輕人說。

「那可不一定。有些人不但不愛他們的家人，反而還對家人充滿恨意呢！」

年輕人點點頭。他想起了蜜莉．霍普斯金，那個從小就被排斥、忽視的女人，長大以後，就是對家人絕望忿恨。

「我們都是被同一個上帝所創造的。」威廉太太繼續說：「我們內在的骨肉、血液都是一樣的。我們都是同一個家庭的一分子，而我想，這就是愛的本質——從別人身上你看見的是自己。

所以，如果你想體驗源源不絕的愛，你必須願意無條件的付出愛，不求任何回報地付出。否則，那就不是愛了。一份禮物如果不是自願的付出，那算是一份禮物嗎？而愛如果不是無條件的給予，那就不是愛了。體驗給予的歡愉，和創造愛，最棒的方法就是實踐無所求的慈愛。」

「那是什麼意思？」年輕人問。

「無所求的慈愛、自動自發的給予，就是沒有任何理由的給予，只求給予所帶來的快樂。在街上看到一個哀傷的人，給他一束花；或是對別人的表現或工作給予讚揚。無所求的慈愛就是，帶給別人驚喜或送給他們一個微笑，而這保證可以散播愛的種子。並且，這樣的愛會永遠跟隨別人一生一世。」

年輕人摘錄下重點，他喜歡那句「實踐無所求的慈愛」。

「所以，你眞的覺得，只要給予並且實踐無所求的慈愛，就可以把愛帶進你的生命中？」年輕人問。

「絕對是這樣。它會改變我對自己的感覺。我一輩子都在想著，我是個可憐的受害者，可是透過給予的力量，我發現我雖然是個殘疾的人，我還是可以爲別人做許多事，而且，我可以使別人的生活有所不同。

你曾經沒有任何外在動機，爲你所關心的人做些事情嗎？」

年輕人點點頭，「那當然！」他記得有一次，就是幾個禮拜之前，他看見一個母親很困難地推著嬰兒車爬上飛機的階梯，那時大家都很趕，紛紛從旁邊擠過去，他停下腳步，幫那女人把嬰兒車推上階梯。

「你有什麼感覺？你一定覺得很快樂吧？」

年輕人又點頭，他的確對自己的行爲感到開心，他因爲幫助那女人而感覺活力充沛。

「這就是給予的力量。」威廉太太說道，「它不只讓你感受到愛，它還會助長愛的關係。這是永不會失敗的事實。事實上，給予是兩人之間愛和快樂的火種。」

「爲什麼？」年輕人問。

「道理很簡單，在一段關係裡面，如果你只留意到自己能付出什麼，而不是你能得到什麼，你就不會出錯。所有的關係都跟給予和獲得有關，這你同意嗎？」

「我同意。」

「如果你想得到的，比想付出的更多，你就不可避免的會經歷不少問題。換句話說，只要想著你有什麼可以給你的伴侶，你就不可能做錯。在承諾一段長久關係之前，大多數的人只考慮到他們的伴侶可以為他們做什麼，如果他們可以把問題倒過來，反問：『我可以為我的伴侶做些什麼？』他們就會專注地想著如何為這段關係貢獻自己，而不是簡單地想著自己可以從中獲得什麼。而這種愛的態度對愛的關係只有幫助，沒有傷害。」

年輕人思索著，他愈想就覺得愈有道理。他一直以為，愛就是你從別人身上得到的東西。他從來沒有感受到因為付出而得到的愛，或許這就是過去那些關係出錯的關鍵，他只想過能夠從伴侶身上得到什麼，而不是自己能夠為伴侶付出什麼。

「讓我告訴你一件不可思議的事情。那發生在五年前，我正在看一部電視紀錄片，有關發生在墨西哥的藥物醜聞。撒利豆邁在西方國家被禁用了二十五年之後，竟然還在當地被當作處方來使用。」

「眞是不道德！」年輕人搖著頭說。

「我知道，我不敢相信我的眼睛，那麼多悲慘可怕的畸形小孩。我注意到其中一個

年輕女孩，大約七、八歲，她跟我一樣生來就沒有雙腿，可是她還有臉部畸形，她已經學會如何應對，可是她每天都處於極度痛苦之中，你簡直看不到她的未來。

她的家庭非常窮困，無法負擔一些必須的醫療，譬如讓她能夠舒服地走路，或她臉部需要做的整形手術。她所穿戴的義肢只是非常簡單的那種，一點都不適合她，而且很不舒服。那義肢讓她走起路來痛苦萬分，而且如果她不先把義肢拿掉，她根本無法坐下。你相信嗎？校車司機還拒絕讓她上車，只因爲她穿著義肢無法坐下！」

年輕人不可置信地搖搖頭。

「我知道在那個地方有人需要我的幫助。我又讀了一次有關愛是我們自己對別人的探索，以及愛是在衆人中認出那個人的快樂。我直到那一天才眞正了解這句話的意義。我不是單純地只看見一個畸形殘廢的小女孩，我在她身上看見我自己。我們因爲相同的殘疾而緊緊地連結在一起。那是我生平第一次想到，我自己的苦難可能有些用處的。

接下來的那個月，我爲了幫那個小女孩買一副新的義肢，以及讓她接受物理治療，使她可以舒服地坐下來，我開始了一項籌款活動。我還一直希望能幫助她接受臉部整形手術，所以，我舉辦了花園宴會、抽籤義賣、跳蚤市場拍賣會，以及尋找任何人、任何地方的捐款。十八個月之後，我正籌募到一筆經費，還說服了一組外科醫師，希望他們能免費地幫她做一些基本的整形手術。

經過治療和裝上新義肢之後，我飛過去看她。當她一見到我，她奔向我，手臂環著我，眼中掛著淚水，哭著對我一遍又一遍地說：『謝謝妳！謝謝妳！』那是第一次我經驗到如此豐盈的愛，我也哭了。我從來沒有流過這種喜悅的眼淚，只有在那天我抱著那個小女孩。

從那時起，我終於開始理解中國老人曾經問過我的話，他說：『妳認爲哪種殘廢比較嚴重呢？不能走還是不能說話？耳聾還是瞎了？還是一個不能笑、不能哭、不能愛的人呢？』我眞正地解脫了，因爲我知道，除了身體上的殘疾之外，我的內在實在跟任何人都一樣。而在那一天我終於明白，當愛充滿我們心中的時候，生命竟可以是如此的美好！

一年之後我遇到了一個男人，一個溫和、仁慈、美妙的男人。他是我參加的一個社區社團的社工，我們很快地成爲親密的朋友。然後，幾個月之後，我夢想中的事情竟然奇蹟般地發生了……他邀我去參加一個舞會。

又一年之後，我們結婚了，而且有兩個漂亮的小孩。所以你看，那個中國老人是對的！每個難題都會爲你帶來意想不到的禮物，而那可以豐富你的人生。一旦你可以付出你自己，一旦你有了可以貢獻的東西，你就有能力找到愛。」

那天晚上，年輕人又把他和威廉太太見面時所作的筆記，重新閱讀一遍。

愛的第三個祕密——給予的力量

如果你希望得到愛，就先去付出愛。你給予得愈多，你將會得到愈多。

愛就是把你自己貢獻出來，自願的、沒有任何條件的。

實踐無所求的慈愛。

在承諾一段關係之前，先問你自己能給對方什麼，而不要只問別人能夠給你什麼？

快樂、長壽、愛的祕密處方就是，永遠專注在你能給予什麼，以代替你能得到什麼。

祕密四

友誼的力量

年輕人名單上的第四個人，是個叫做威廉・巴赫曼的自由撰稿者，他的文章經常出現在各報章雜誌，還出過一本暢銷書《朋友和情人》。他的身材高䠷瘦長，臉部線條突出而有稜有角，但當他迎接年輕人時，面孔卻閃耀出喜悅的光芒。

「這愛的祕密啊！完全改變了我的生命。」巴赫曼先生溫柔地傾訴著：「我花了整整超過十年的時間，在尋找一種特殊的關係，一個特殊的人可以和我分享人生，卻徒勞無功。有段時間我甚至想，這件事不可能會發生在我身上的。然而，就在我學會了愛的祕密的一年內，我不但找到了夢中情人，而且，我和家人及所有朋友間的關係也改變了。」

「改變成怎麼樣？」年輕人迫不及待地問。

「嗯，我的那些關係似乎變得……更親密、更牢固。」

年輕人半信半疑地問：「那些祕密對你的衝擊眞的這麼強烈嗎？」

巴赫曼先生微笑著，口氣卻堅定，「絕對是不容置疑的！我知道這聽起來實在有點太完美了，可是你一旦去嘗試了，你就可以親眼看到，這是眞的！雖然，這些祕密在各種不同層面上都對我有幫助，但是其中有一個是我特別需要學習的，那就是『友誼的力量』。」

「友誼的力量？」年輕人反覆思量著，「你可不可以解釋得確實一點。」

「好。從前我一直認爲愛只是兩個人之間的羅曼史，它也的確是。但其實它應該還有更多的內涵，它應該包括關懷、以及當別人需要你的時候，你會在他身邊。所以愛不只是愛情故事，更包括友誼。」

年輕人掏出筆記本，並開始埋頭記錄。巴赫曼先生繼續說：「就像其他人一樣，我無時無刻不想要找個人來愛。我去單身酒吧、舞會和夜間俱樂部，我和許多不同的女人相遇、約會，但我就是沒碰到那個對的人。於是我開始懷疑我根本就不會遇到這個人。我記得那天晚上我正獨自坐在市中心的一家酒吧裡，然後不知什麼時候，中國老人已經坐在我旁邊了。他舉起他的酒杯對我說：『嗨！你好！』然後我也舉起我的酒杯回應他，我們就這樣開始聊起來了。

他問我結婚了沒有？我說沒有。『女朋友呢？』他又問。我還是說『沒有。』他繼

續問：『爲什麼呢？』，我就告訴他說：『因爲我還沒碰到那個適合我的人。』然後他就說了一些值得我深思的話，他說：『也許，你來錯地方了！』」

「來錯地方？」年輕人問著：「這地方有什麼不對嗎？」

「我當時的反應也是這樣，」巴赫曼先生說：「我說我出入酒吧和夜總會，這些地方都有一堆女人，怎麼不對呢？他很吃驚地張大眼睛瞪著我，然後突然哈哈爆笑起來。我問他說這有什麼好笑的，他就問我：『你有在酒吧或俱樂部裡找到約會的對象嗎？』我回答說：『有啊！有一些。』可是當他再問深入一點的時候，我必須承認那些約會都不超過幾個禮拜。」

「到酒吧或俱樂部去找人交往，有什麼不對勁嗎？」年輕人問道。

「沒什麼不對勁啊！」巴赫曼先生說：「有時你會滿幸運的。可是就如同中國老人告訴我的，如果你要找一段持久的關係或眞情眞愛，一個燈光昏暗、煙霧瀰漫又吵雜的小空間裡，彼此要用大吼大叫的方式對話，眞的不是個相遇的好地方。」

「那什麼地方才是最好的？」年輕人問。他就是經常滿懷希望到酒吧或俱樂部釣馬子的人。

「那依人而定了。」

「什麼意思？」

「中國老人就曾經對我說：『如果你想找到眞愛，你必須先找到眞友誼。』聽起來很簡單吧！可是我就從來都沒這麼想過。我們總是以爲，愛最基本的要求就是身體上強烈的吸引力。我現在對於有這種吸引力再愛的關係中是不重要的，而是，如果我們要的是豐盈的愛，可以維持終生的愛的話，我們必須超越人們的表象。

眞愛根植於友誼，而不是身體的吸引力。或者，如同法國作家安東尼•聖艾斯培利所言：『愛，不是由彼此的互相凝視所組成，而是兩個人一起向外看往同一個方向。』聖經上也是這麼寫的：『除非兩個人有著共同的信念，否則他們無法共同旅行。』這是很普通的想法，分享共同的目標和興趣。成熟的尊重和彼此欣賞，是持久的愛的關係的基礎。」

「這點眞的這麼重要嗎？」年輕人從記事本上抬起頭來問道。

「這是毫無疑問的！在一所美國大學中，有一組社會學家已經舉證出友情對愛的關係的重要性。他們對上百對結婚超過五十年，至今還快樂無比的夫妻做了一個調查，問到有關使他們如此成功的因素。而答案顯示出一個壓倒性的事實——友誼。每個人都說他們的伴侶是他們最好的朋友。他們都有共同的信仰、共同的興趣、共同的目標，並對人生有共同的方向。而其他像外型的美醜，及物質財產……等，以長期的眼光來看，這些是無關緊要的。友誼，是使愛的關係終生維持的重要因素。

我寫《朋友和情人》這本書，就是受這個說法所感召。許多人還有這種錯誤的觀念，相信愛的泉源來自於身體的吸引力。可是這種想法眞是太短視了，它會隨著時光流逝而消失得無影無蹤。

相反的，友誼是愛的磐石，每天它都會使我們對彼此的尊重更加堅固。再美麗的女人也會說謊、欺騙；再有吸引力的男人也會毆打他的女朋友。那些外表的東西是一點希望也沒有的，只會帶來痛苦。

所以，不要讓你珍惜的關係根植在這些東西上面，最好還是找個可以跟你分享生命、價値和目標的伴侶。」

年輕人同意地點點頭，他認爲這個說法很有道理。自從他跟普契亞博士見過面之後，他就寫下一些關於他理想伴侶的形象，其中一項就是，她必須能夠跟他一起分享他對戶外生活的喜愛。

「我了解了。」年輕人說：「不過你得先去找到那個朋友，是吧？」

「沒錯。」巴赫曼先生回道：「不過要得到朋友，首先，你得先表現得友善才行；要得到特別的朋友，你得非常友善地和朋友分享你的興趣和信仰。」

「做起來恐怕不容易吧？」年輕人說。

「爲什麼呢？你有什麼嗜好？你喜歡從事什麼活動呢？」

「嗯……我喜歡在週末出去健行，衝浪，我還喜歡去聽歌劇。」

「那麼你認爲，什麼地方比較可能讓你交到朋友？是煙霧瀰漫的酒吧？還是健行俱樂部？衝浪團體或社區歌劇學會呢？」

「我懂你的意思，」年輕人回答：「可是如果有人沒有什麼嗜好或興趣呢？」

「得去找啊！每個人都應該多多少少有點嗜好的，是什麼都沒有關係，它可以是一種運動，譬如足球、網球、游泳或騎單車；或者是比較社交的活動，譬如跳舞、戲劇或健行；甚至是政治的活動，都可以。當我們找到一種引起我們興趣的活動，會比較容易找到可以和我們共同分享的人，因爲我們有了共通點。如果你跟別人沒有任何共同點，你就很難跟他們維持親密的關係。」

「你這麼說好像挺簡單的。」

「是很簡單啊！可是我們經常忽視了這一點。人們花太多精神去努力找尋伴侶、丈夫或妻子，如果換個方式，我們先去建立友誼，你就會赫然發現，愛的關係也隨之出現了。」

「可是，你跟某人是朋友，並不表示你覺得他們是有吸引力的，而想跟他們發展愛的關係。」年輕人說。

「那當然！你是對的！是這樣沒錯。可是，如果你們連朋友都不是，你們的關係就很難維持了。」

「那可以用時間來解決啊！我是說，當兩個人墜入了情網，或即使他們只是肉體上的互相吸引，他們也可以慢慢地成爲朋友，不是嗎？」年輕人說。

「是的！當然那也有可能，而且這種情況也很常見。」巴赫曼先生坦承，「但是你必須知道一個本質上的關鍵，在一輩子的愛的關係裡面，友誼是不可缺少的元素，因爲它是愛情最重要的一部分。當你不確定某人是不是你最適合的永久對象，你可以問自己一個問題：『她是不是我最好的朋友？』如果答案是否定的話，你就必須在說出承諾以前，非常仔細慎重地考慮，我眞的要跟這個人共度餘生嗎？」

年輕人寫下一些重點，然後抬起頭來問道：「那如果已經有了承諾關係呢？這時再開始考慮友情的力量，不是太晚了嗎？」

「一點也不晚。」巴赫曼先生答道：「友誼的力量拯救了很多瀕臨破碎的關係。友誼可以被建立起來，你只要簡單地找出共同點，兩個人一起去做，並彼此分享。當兩個人在一起時，他們可以再次成爲朋友，並且重建他們的關係，永恆不變的眞理就是，當我們的友誼堅固了，我們的愛也成長了。」

就在年輕人準備離開之前，他又問了：「我還有最後一個問題，你曾經遇過你的夢中女孩嗎？」

巴赫曼先生笑了，「當然！」他說：「我還娶了她。我是在一個健行俱樂部裡認識瑞秋的，一開始，我並不特別被她的外表所吸引；而她也不怎麼留意我，直到我們比較了解對方之後，事情才有了轉機。我們覺得彼此在一起很舒服，她是第一個女孩子，我會把一些比較隱私的事情告訴她。我們發現我們可以分享許許多多的話題，而且信仰也很接近，我們的靈魂是如此的相通，漸漸地，我們成爲很親密的朋友。直到有一天，我才突然發現，我已經愛上她了，並且希望跟她一起分享人生。」

年輕人當天回家之後，又把自己今天做的筆記重新閱讀一遍。他記著自己和巴赫曼先生的對談：

愛的第四個祕密——友誼的力量

要找到一份眞愛，你必須先找到眞友情。

愛，不是由彼此的互相凝視所組成，而是兩個人一起向外看往同一個方向。眞正完全地愛一個人，你必須愛他們本身，而非他們的長相。

友誼是愛情種子成長的土地。

如果你想將愛帶進一段關係之中，你必須先把友誼帶進去。

祕密五

接觸的力量

第二天早晨，年輕人到達市立醫院，預備會見名單上的下一個人，彼得・楊醫師。楊醫師是這所醫院的外科主任醫生。他是個高大英俊的黑人，有著黝黑的短髮和暗褐色的眼珠。當年輕人踏進他的辦公室時，楊醫師從桌後的椅子上起身，伸手迎向年輕人，「嗨！眞高興見到你。」楊醫師緊緊握著他的手說。

「你好！」年輕人說：「謝謝你抽出時間來見我。」

「喔！那是我的榮幸。」楊醫師請年輕人坐下，並問：「你想喝點什麼？」

年輕人想了一下說：「嗯……有茶嗎？」

「馬上來。」楊醫師說著走向門口，開了門請祕書幫他送壺茶進來。

「可以再告訴我一次嗎？」楊醫師說：「你是什麼時候碰到中國老人的？你們怎麼認識的呢？」

年輕人把婚禮當天遇到中國老人的情況說了一遍，楊醫師像聽著病人訴苦般耐心地聆聽著。祕書此時把茶送了進來，楊醫師倒了一杯遞給年輕人，然後說：「我遇見中國老人是十五年前的事了，那時我剛通過外科醫師的資格檢定，我對這一行很清楚——至少我當時是這麼認爲的。我想，我的工作就是把病人切開來，解決掉有問題的部分，然後再把他們縫起來。這些工作我做得滿好的，可是，我從來沒有一次坐上病人的床邊。」

「眞的？爲什麼？」年輕人問。

「因爲我覺得坐下來跟病人談話是浪費我的時間，那是護士的工作。甚至當實習醫生花太多時間跟病人閒聊，我還會責備他們。我知道這聽起來很荒謬，可是我總是被教導著，一個好的外科醫師的技能是展現在他們的雙手上。中國老人花了頗長一段時間，才讓我了解到——一個好的外科醫師的技能並不展現在他們的手上，而是展現在他們的內心裡。」

年輕人非常專注地聆聽著。楊醫師繼續說：「有一天，我正在作晨間巡房，一切都很正常，直到我進入一間病房，看到一個年老的看護坐在病人的床畔，握著她的手。

『你現在不是應該做你的工作嗎？』我對他說。然後他緩慢地轉過頭來看著我，我永遠忘不了他那時的表情，他用那雙深褐色的雙眼直接望著我，他說：『是的。可是當你不盡你的職務的時候，有人必須幫你做。』

不用說，我一聽到他這麼講的時候，就失去了耐性，我說：『現在，你給我聽好……』我還沒講完，他就舉起手阻止我，並說：『請你不要現在講，這位女士需要幫助。』

我眞是被激怒了，我想，這個老看護竟然敢這樣對我說話。因爲那個病人已經癌症末期了，她的腦袋裡有一個惡性腫瘤，所以我就說：『她已經要……』沒等我說完，老人又舉起手來打斷我，他說：『不要現在，拜託！不要現在。』

所以我就等在病房外，準備等他出來再說。過了一會兒，老人走出病房，他直視著我的眼睛，然後說：『她會活下去的。醫師。』

我說：『你是什麼意思？什麼她會活下去？她有個惡性腦瘤。』

他卻問我：『你曾經看過有人在你認爲他沒有救了的時候，卻從重病中奇蹟般地復原嗎？』

『當然有！可是……』我答道。

『你認爲是什麼使他們復原？』

『我認爲這極不重要。他們是反常的。』

『不！醫師，他們是奇蹟。』他說：『而什麼使奇蹟發生？愛！愛是全宇宙最有效的藥方，比任何藥物都來得有效。沒有了愛，外科醫師只是一個技工罷了，不是個醫生。』

然後，他交給我一張紙條，說道：『如果你想學習如何做一個醫師，你必須去見這些人。』

我看著紙條，上面只是十個人名和他們的電話號碼而已。而當我抬頭，發現那名中國老人早就不見人影了。我對老人所說的那些感到震怒，所以我就直接走到員工辦公室，想把他找回來教訓一頓。可是他們的員工記錄裡面，並沒有什麼中國老人在我們的部門。起先我想，他們的記錄表一定有問題，你知道，電腦有時候會出錯或什麼的，所以我又查了其他部門的員工資料。可是沒有任何記錄跟我的描述吻合，所以我就不管他了……直到第二天，」

「發生了什麼事？」年輕人問。

「看護小姐通知我馬上到那個女病人的病房中去，那個長了惡性腦瘤的女人竟然坐起來了，她恢復了食慾，並且告訴我說她感覺好多了。我簡直不相信自己的眼睛，這個病人已經受暈眩和噁心的折磨有好幾個月了，她甚至才在兩天前接受過一次腦部手術。她還謝謝我說，做了一次成功的手術。這眞是不可思議！一個奇蹟發生了！我不能想像那個中國老人到底對她做了什麼？可是我知道，他一定做了什麼的。為了想進一步了解他，唯一的辦法就是跟紙條上的人取得聯繫。

當然，那十個人都見過中國老人，他們跟我談到『愛的祕密』。我從來沒聽過這些祕密，所以當然很懷疑。可是在此同時，我又很好奇想知道，中國老人到底是如何幫助我的病人的。我從來沒有想過愛和健康、治療有什麼相關，畢竟，在醫學院我們完全沒有學過，愛和治療藥物學有任何關聯。然而，它們的確是有關的。中國老人完全正確，愛有最強的藥效。」

「是嗎？」年輕人說。

「是的。而且已經有研究可以證明了。例如，有研究指出，那些享有快樂、愛的關係的人，比其他人少百分之十的機率罹患重病，而治療上也證實，藥物在擁有愛的病人身上，能夠發揮更快而成功的療效。」

「眞難以相信。」年輕人說。

「不是嗎？」楊醫師說：「尤其對我們這種專業醫師來說，這項研究更是意義重大。而當我學會了那些愛的祕密之後，我漸漸注意到，我自己的生活改變了。」

「在哪一方面？」年輕人問。

「各方面。我和家人及朋友的關係改善了，我和女朋友的感情也好多了，不過，最大的改變是我的工作。我開始把病人當成一個人看待，不再只是病歷號碼。而最值得注意的，是在醫學的領域中，有一個祕密是最特別的，就是『接觸的力量』。」

「接觸跟愛有什麼關係?」年輕人問道。

「接觸的力量實在很驚人!它把人們連結在一起，並且打破人與人之間的藩籬，這是沒有其他力量可以這樣做到的。接觸是奇蹟產生的動力。不久之前，研究學者在倫敦的一家教學醫院實施一項有趣的實驗。情況是這樣的:主治醫師通常會在幫病人動手術的前一天晚上，拜訪他的這些病人們，詢問或回答任何問題，並且向病人解釋手術的一般問題。而這個特殊的情況是，這個醫師在他跟病人談話的時候，會握著病人的手。你相信嗎?這些病人恢復的速度，竟然比其他病人平均快三倍。

當我們以關懷的態度接觸某人的時候，彼此在生理學上都會產生變化——壓迫的荷爾蒙減低了，神經系統紓緩了，免疫系統增強了，而它甚至會影響我們的情緒和心情。學會了這些之後，我在醫院的看護人員發起一項『接觸』課程。我鼓勵所有的照顧者去接觸、擁抱或握著病人的手。這實施得非常成功，甚至還散播給精神科看護去學習。

我記得有一個人，一個年輕的男孩，他因爲腦性麻痺而必須以輪椅代步。看到他的時候，我蹲下來給他一個擁抱，突然間，他試著要說話，他的雙眼充滿淚水，且緊緊地扭著我的手。護士說，這是三年來他第一次對別人有所反應。」

「這眞是太棒了!」年輕人說道。

楊醫師笑著說：「精神部門對接觸的力量都很好奇，幾年後，他們在高速公路上做了另外一個實驗，他們讓一個女人站在電話亭旁邊，要求每個經過的人讓她搭便車，結果很少人答應幫她。然後，同一個女人，在提出請求幫忙的時候，嘗試碰觸他們的手臂，結果，大多數的人，不管是男的或女的，都樂意地同意幫她忙。

我們從這裡可以看到，透過碰觸、擁抱和握手，我們可以強烈地接收或傳遞出愛的感覺，愛改變了我們的生理、精神和情感。所以接觸對愛來說，是太重要了。」

年輕人同意地點點頭，他回想到自己和家人及朋友都很少做身體上的接觸，很少擁抱，他很少互相碰觸。有時見到他媽媽，他會在她的臉頰輕啄一下，父親則是握握手。但是這些舉動經常是沒有真實溫暖的情感。

「碰觸或擁抱都不是那麼容易。」年輕人轉頭看著楊醫師。

「怎麼會呢？」楊醫師答道：「你只需要張開你的手臂，每個人都可做到啊！」

「是沒錯！雖然你只是想打破彼此的藩籬，拉近彼此的距離，但是你不知道對方會怎麼反應，有些人也許會拒絕，有些人甚至會產生敵意。」

「你只不過想要更多的理由使你不願意去做罷了。記住！愛需要勇氣。你必須願意冒著被拒絕或痛苦的臉，但大多數時候你會贏的，人們會向你展臂歡迎的。如果我們總是等著別人先行動，那會等到地老天荒。

在你向他人張開雙臂的時候，你會發現你張開的不只是手臂，你的心也展開了。然後你就可以體驗到愛的精力與精神，而這都來自於接觸的力量。」

當晚，年輕人又讀了一次今天所作的記錄。

愛的第五個祕密——接觸的力量

接觸是愛最有力的表現，它可以打破人們之間的藩籬，把彼此緊緊連結在一起。

接觸可以治癒肉體，溫暖心房。

當你展開雙臂，你同時也展開了心房。

祕密六

捨棄的力量

兩天之後的一個午後，年輕人坐在市中心的一個小咖啡座上，坐在他對面的是名單上的第六個人，茱蒂斯・倫萩。

倫萩太太是個三十出頭的年輕女人，結了婚，有兩個小孩。她可說是個標準的古典美人：身材修長，面貌姣好。有著閃閃發亮的紅褐色眼眸，嬌小挺立的鼻子，臉上掛著毫無防衛的親切微笑。

「我第一次聽到有關愛的祕密，是在大約十一年前。」她對年輕人說：「我正面臨一個痛苦的階段，我和男友才剛分手。當他對我說，我們最好不要再見面時，我完全被擊垮了。我失眠、沒有食慾，也不能專心工作，我日夜消瘦，到最後很多人都認不出我來。即使過了一整個月，我發現自己還是不能接受這個事實，我根本不相信這段感情真的結束了。

有一天，我獨坐在教堂廣場的木條椅子上，然後來了一個中國老人坐在我旁邊。他從外套口袋掏出一個小紙袋，開始餵鴿子，鴿子成群地圍繞著他，啄食他剝下的麵包屑，很快地，鴿子竟聚集了上百隻。他轉身向我微笑，跟我打招呼，並問我喜不喜歡鴿子？我聳聳肩說：『不特別喜歡。』

『可是我覺得妳喜歡。』他笑著說：『我小時候，在我們村子裡有個養鴿子的人，他對自己所飼養的鴿子非常引以為傲，還常常告訴他的朋友，他有多愛他的鴿子。可是有一天，當他向我和一些其他孩子們展示他的鴿子的時候，我不明白，如果他愛這些鳥兒，為什麼要把鴿子養在籠子裡，使牠們不能展翅飛翔？我問了他，他回答如果不把鴿子們關在籠子裡，牠們就會飛走而離開我了。可是我還是不明白，如果你眞的愛某樣東西，為什麼要限制它們的自由呢？在我的國家有一個說法：如果你愛一樣東西，讓它自由！如果它回來你身邊，那它就是你的；否則，就不是你的。』」

年輕人又拿出筆記本，在倫萩太太說的時候，他記下一些東西。

倫萩太太繼續說：「我那時就有一種很奇怪的感覺，覺得他說的故事對我隱含了某種特別的訊息。我不知道為什麼會有這種感覺，因為他不可能知道我的苦境。可是這個故事又是跟我現在的景況如此接近，我就是一直試著想強迫男友回到我身邊，我總是認爲，只要他留在我身邊，什麼問題都可以慢慢解決。現在回想起來，那時的心態是，我就是不要一個人。可是那不是愛，對吧？那只是害怕寂寞。

老人聽完我的話之後，緩緩轉身繼續餵鴿子。我沈思了幾分鐘，想著他剛剛說的話，然後我說，有時候很難放手讓你所愛的人走。他點點頭，『可是，』他說：『如果你不讓他們自由，你就不是愛他們。』我們談了好一會兒，然後他就提到了『愛的祕密』。那對我來說是太不可思議了，我總認爲愛是上天注定的。

我不相信愛或愛的關係，是我們能夠掌控的事情。我到後來才明白一個道理，命運並不完全爲星座所支配，而是被我們的思想、我們的選擇和我們的行爲所支配的。

舉例來說，我總是想像，當我找到一段愛的關係的時候，我就能夠經驗到愛的歡愉。可是倒過來想，是不是當我們體驗到愛的歡愉的時候，我們也就創造了愛的關係？老人離開之前給了我一張小紙條……」

「上面寫了十個人名和電話號碼？」年輕人插話問道。

倫萩太太笑著說：「是的！在我和他們每個人的接觸過程中，我對愛的祕密愈來愈了解了。而最驚人的地方是，那些眞的有用呢！」

「在哪方面？」年輕人問道。

「我想，在了解我們可以改變事實這部分，對我的幫助最大。我了解到，我是掌控

者而不是受害者。那些祕密都或多或少對我有所助益，可是我想，對那個時候的我來說，其中一項給我的協助最多，那就是『捨棄的力量』。

愛是不能勉強的。我們必須讓我所愛的人自由，否則我們就像那個養鴿子的人。我們必須讓他們自由，讓他們有自由做抉擇、有自由依他們的方式過生活，而不是我們要他們過的方式。

放手讓你愛的人走，並不是件容易的事，但是那是唯一的方法。如果你不願意，你會終生活在痛苦、氣憤和沮喪之中。不過你要留意，我現在不是說在關係結束的時候放手，我們還必須在關係仍持續的時候放手。」

「這是什麼意思？」年輕人問道：「如果你正在這段關係中，幹嘛要讓另一個人走呢？」

「因爲我們都需要空間，人們在一段關係中，是需要自由的，否則會很快就感到被束縛。如果我們愛一個人，我們就得尊重他的希望和需求。當我們緊巴著某人不放，我們很可能會使他窒息，而這通常是因爲妒忌、不安全或害怕，卻不是愛。」

「所以，放手的意思就是讓一個人自由。」年輕人說。

「是的。不過放手的意義還要再多一點。我們捨棄的不只是身體上的附著，任何事物、每件事物，我們都必須捨棄，因爲那可能是愛的障礙。」

「譬如什麼？」年輕人問道。

「譬如，我們必須捨棄我們對別人的偏見和價值判斷。」

「嗯……我好像不怎麼懂。」年輕人從筆記本上抬起頭來。

「好！我再解釋仔細一點。如果說，我們對某個人或某一類的人持有偏見，這偏見不可避免地會影響我們對這個人的態度。當我們堅持這種偏見，怎麼可能對他們友善。偏見就是，在了解一個人之前就先對他們做了評斷。大部分的偏見都是不正確的，很可笑地把某些人歸類。這是很可怕的。你想過人們有哪些偏見嗎？」

年輕人搖搖頭：「哪些？」

「譬如說：『黑人都是罪犯，』或『愛爾蘭人都很笨，』或是『女人都是爛駕駛，』或者『猶太人都吝嗇無比，』或『所有非猶太人都反猶太』。這些都是胡說八道！而且阻礙了我們去愛。

另外一個我們必須捨棄的是我們的自我。很少人意識到，人們的自我是愛的最大障礙物。」

「怎麼說呢？」年輕人問。

「你知道有多少人會爲了一點芝麻小事爭得面紅耳赤？即使他們爭辯的重點根本微不足道，他們還是會辯個你死我活，甚至到最後，他們連怎麼吵起來的，自己都忘了！

他們不惜付出毀了彼此關係的代價，也要證明自己的觀點是對的。」

「可是有時候，你得指正別人。」年輕人說：「如果他們對某些事的看法不正確，你應該告訴他們，不是嗎？」

「我不一定會這麼做。」倫萩太太答道：「尤其對那些你認爲重要，可是對與錯並不那麼重要的時候，爲什麼要浪費時間在激起辯論呢？去證明自己是對的；而別人是錯的，有什麼特別的意義嗎？你應該問自己的是：『別人相信什麼，對我眞的重要嗎？』以及『爲了證明自己的看法，値得去破壞彼此的關係嗎？』如果這些問題的答案是否定的，幹嘛還要這麼麻煩去爭辯呢？」

年輕人可以理解這層邏輯，挺簡單的。然而，他自己有太多經驗，爲了一些不重要的話題跟朋友辯論不休，他想到此，便覺得有些心虛。

「有人說，」倫萩太太繼續道：「生活中，有時候你得在愛和對之間做個選擇，你可以把精力放在贏得辯論或贏得愛，如果愛是你的第一優先，何苦把時間浪費在證明別人是錯誤的，而自己是正確的，這樣一件無意義的事情上。這時，就需要取捨了。

記得，當我們要得到愛的時候，我們必須排除任何愛的障礙物，而『自我』只是其中之一。我認爲，我們需要捨棄的還有生氣、憤怒以及怨恨。」

「但是，要如何不生氣和不忿恨呢？」年輕人問。

「兩個字：寬恕。要體驗愛，就必須先能寬恕。」

「可是，不是有句話說：以眼還眼、以牙還牙嗎？」

「如果我們都冤冤相報的話，這世界上不是會有很多『瞎子』和『無齒』的人嗎？怨恨會毀了心靈，而寬恕則讓愛的靈魂自由。世界上沒有十全十美的人，然而，從學習寬恕的過程中，卻可以擁有十全十美的人際關係。每個人都會犯錯，如果我們期待別人寬恕我們的錯誤，當然也必須寬恕別人。人都是生而善良的，即便是最凶惡的罪犯，也是從一個無辜純潔的嬰孩開始他的人生的。試想，如果我們有那樣的成長經歷與背景，你能保證自己不會比那個罪犯更惡質嗎？」

「當然，捨棄是愛的十個祕密中的一個，而那些都是同樣重要的。我的意思是，你不建議人們試著去壓制憤恨和恐懼嗎？」年輕人說。

「不！」倫萩太太說：「生氣、憤怒和怨恨是人們天生的情緒，而它們在我們心裡都有與生俱來的地位。我說的是，如果我們期待愛的經驗，我們必須把這些負面的情緒捨棄掉。如果我們時時刻刻緊抓不放，等於是把自己關入情緒的囚籠裡，而這會阻礙我們去愛。

這些年來，捨棄的力量不只幫助我從那破裂的情感創傷中復原，還使我從後來遇到的許多困苦時期中，很快地重拾信心。我還記得我父親在醫院中去世的那天，他到了癌症末期，非常痛楚，那天是我這一生最痛苦的日子，我不願意他死去；卻也不要他再受苦下去。那一刻我恍然明白，愛，有時候指的就是捨棄，所以，我放走了我父親，因爲我愛他。」

那天稍晚，年輕人坐在房裡，再次閱讀當天的筆記。回憶卻如潮水般湧向他；他的父母在他六歲的時候就分開了，而他自己的感情關係，多年來，也是破裂的時候居多。他突然明白，遇到中國老人之前，他有一種矛盾的情緒，既害怕孤獨一人，又對承諾一段關係充滿恐懼。他不能再這樣下去了，不能再帶著過去的痛苦活在今天。現在正是讓這些痛苦和恐懼過去的時候，他要重新過未來的每一天。

可是怎麼做呢？他回頭看看和普契亞博士會面的筆記，找到一個方法可以撫平過去和那些負面的潛意識信仰，那就是──「鄭重的陳述」！突然間，就像個奇蹟，一句「鄭重的陳述」閃過他的腦海：

「今天，我要讓所有的恐懼離我而去，過去對我已經沒有任何影響我的力量了。今天就是我新生命的開始！」

他把這「鄭重的陳述」寫在筆記後面，就在他和倫萩太太談話所作的筆記之後。

愛的第六個祕密——捨棄的力量

如果你愛某樣東西，讓它自由。當它回到你身邊，那它就是你的；否則，它就不是你的。

即使是在一個穩定的愛的關係中，人們也需要彼此的空間。

如果我們要學會去愛，我們首先需要學會的是寬恕，並且，捨棄過去所有的傷害和委屈。

愛，就是捨棄自身的恐懼、偏見、自我和限制。

「今天，我要讓所有的恐懼離我而去，過去對我已經沒有任何影響我的力量了。今天就是我新生命的開始！」

祕密七

溝通的力量

「多數人最大的問題不是不能愛，而是不能表達、溝通他們的愛。如果我們期望愛的經驗、如果我們想創造愛的關係，我們必須願意去溝通我們的感覺。這也是我的大問題，所以，對我來說，最重要的愛的祕密，就是『溝通的力量』。」

年輕人正坐在克里斯・培瑪先生的對面。培瑪先生是名單上的第七個人，他是個合格的計程車司機，有著削瘦的五短身材，銀灰色的頭髮，和淡藍色的眼睛，看起來有五十歲了。

這天中午，年輕人和培瑪先生坐在街邊的一條長凳子上，緊靠著一處專門提供計程車司機三明治的地方。

「有趣的是，我竟然沒有意識到這個問題，直到我遇見中國老人。」培瑪先生說：

「那天晚上，他向我招手的時候，其實我已經準備回家了。他問我能不能載他去火車站，因爲他要搭十一點二十分的火車去約克。雖然車站跟我家不是同一個方向，我還是答應載他過去。我們在車上就開始聊天了，沒聊什麼特別的，就是一些平常的事情——新聞啦、天氣啦、球賽等等。可是當我們無意中談到有關人際關係和愛的主題時，我就告訴他說，別跟我提到愛，我跟我老婆的關係正處於個瓶頸，我不要再想到這種事了。然後他說了一些東西，使我印象很深刻。

他說：『使人類苦惱的最嚴重的病症之一，就是溝通的無能。』乍聽之下，我實在不懂，所以很自然的，我要他再解釋清楚一點。他說：『有一個人，他已經不記得最後一次跟太太說我愛妳，是什麼時候的事了。他也不記得最後一次跟太太說謝謝，是多久以前了。這個人雖然很想當個好丈夫，可是他連跟老婆說愛的勇氣都提不起來。你能想像嗎？他竟然沒有勇氣說出口！』

我當然可以想像啊！因爲我的情況就跟他一模一樣。所以我就說：『可是我確定他老婆一定知道他愛她的。』

老人說：『她可能知道，也可能不知道。也許她需要每次都被提醒也不一定。你很難相信，親耳聽見別人跟你說「謝謝」，或「我愛你」，可以使情況產生多大的差距。這是天生的，我們都需要眞實地感覺到被感謝。』

我說，我從來沒這麼想過。他看著我繼續說：『這是愛的其中一個祕密——溝通的力量。』

我想要老人再多解釋一點，可是那時剛好到了車站。老人下車之後，又轉過身對我說：『謝謝你載我這一程！你眞是敬業的司機，能坐到你的車眞好。』

我傻住了。我開了這麼多年的計程車，從來沒有一個人像他這樣眞情實意的感謝我、恭維我。然後他一面拿出車資給我，一面說：『再次謝謝你了！』可是我數一數，發現他付給我雙倍的車錢。我大叫說你給太多車費了，他微笑著回頭說：『我沒有。』然後就轉身走了。

我再看看手上的鈔票，發現裡面付了一張小紙條，寫著『愛的祕密』，還有一串人名和電話號碼。我跳下車追了出去，因爲我想這張紙條也許對老人很重要。我跑進車站，直接往服務台去，想問出十一點二十分往約克在哪個月台上車，我緊張地想著，希望能追上他。車站服務人員查了一下時刻表，然後告訴我說我一定搞錯了，沒有十一點二十往約克的班次！他說：『其實，下一班到約克的火車要到明天早上才有。』

隔天，我打電話給名單上的那些人，意外地發現，他們不但對中國老人印象深刻，還知道老人提到的『愛的祕密』。接下去的幾個禮拜，我輪流跟那些人都見了面，同時也學得更多有關愛的祕密。那時我實在很懷疑，也很好奇，可是那些祕密竟對我也有效呢！它們眞的改變了我，尤其是『溝通的力量』。

你知道嗎，當人們在他們的關係中發生問題的時候，如果他們想一想導致問題的原因，通常都會想到同一個答案，就是——我們是無法溝通的。這是眞的！我們很少告訴對方自己的感受，也絕少仔細去聽對方究竟要說什麼。很多人甚至在餐桌上是不講話的，反而是坐在電視機前吃東西的時候，會說說話。如果這種情形經年累月地持續，我們就停止了眞正的溝通；而且，經常地，我們也停止了愛。」

年輕人開始記筆記。培瑪先生繼續說：「如果我們要學會愛，就要先學會如何溝通。這也是我以前很不擅長的事。我把問題留在自己的心裡，也很少把感覺說出來分享。遇到中國老人之後，我決定告訴太太我愛她。我早就想不起來，上一次是什麼時候對她說出這三個字的。我試了好幾次，結果，因爲某些原因，我就是說不出口。最後，我做了一個深呼吸，把那三個字很快地吐出來。我太太很驚訝地看著我。事實上，她被嚇到了，她幾乎不敢相信自己的耳朵，又問我剛剛說什麼？這一次就簡單一點了，我又說了一次『我愛妳』，淚水突然湧上她的雙眼，她抱著我說：『我也愛你！親愛的！』

這種感覺眞好！雖然那時已經很晚了，可是我還是決定打電話到學院去給我住校的兒子，告訴他我愛他。我想，從他長大以後我就沒有再跟他說過這三個字了。他接起電話的時候，我說：『賽門，我只是打電話來告訴你我愛你，我想現在是應該讓你知道的

時候了。』電話那頭安靜了一會兒，然後他說：『爸，你喝酒了嗎？你知道我這裡幾點了嗎？』我忘了他那邊的時間，比我這裡快兩個鐘頭。我說：『對不起把你吵醒了，兒子！我是很認眞的，只是想讓你知道我愛你。』然後我兒子說：『我知道啊！老爹！不過聽你這麼說還是滿好的，嗯！順便告訴你，我也愛你！現在我可以去睡覺了嗎？』

有些人會覺得，光憑『我愛你』三個字哪能改變什麼，這太可笑了。可是他們顯然沒有試過。」

年輕人深吸一口氣，他就是這種人。他就是對他母親也說不出這三個字，更別說他的朋友了。

「如果我們不能表達、溝通我們的情感，」培瑪先生繼續說：「我們就無法接受或付出愛。我愈想就愈覺得溝通是多麼重要！我仔細回想自己過去的行爲，發現我不只從來沒對別人說過我愛他們；我還很少恭維別人，或告訴他們我有多麼感謝他們。我太太幫我洗衣服、熨衣服超過二十年了，而我從來沒有謝謝她。

然後你知道嗎，發生了一件奇異的事：當我一旦開始對我太太，及其他身邊的人們表達我的情感，告訴他們我有多關心他們、感激他們，他們對我的舉動也改變了。他們也開始告訴我，他們非常愛我，非常珍惜我。而且，當我開始開放地、眞誠地溝通，我跟人們的各種關係竟都開始有了進展。」

「你先前提到說，你從不曾跟人分享問題，只是埋藏在自己的心裡，」年輕人說：「這點很重要嗎？」

「是的。我很高興你提醒我。愛，表示分享和溝通。但是，這不只限定於你對某人的感覺而已，還包括你的希望、恐懼和難題。如果你把所有的想法都鎖在內心裡，你自己不但會因而心胸狹窄和沮喪；那些跟你親近的朋友們也無法適時地給予你幫助、同情或支持。」

年輕人想起中國老人說過的話，「每一個問題都會帶來一份禮物，那會使你的人生豐盈起來。」威廉太太也說過同樣的話。也許，這其中眞有那麼點眞實性存在，他想。

「在我心裡，這點是無庸置疑的。」培瑪先生繼續說：「就是如果人們要體驗愛，或增進他們的關係，他們就必須學會溝通。人們必須透過感激才能感受到愛。我最重要的發現是，愛不是固定不變的東西。人們通常以爲當你愛某人，事情就結束了，他們就會從此過著幸福快樂的日子。然而事實卻是，愛像一株植物，它要不是成長、開花結果；就是凋零、死去。全視我們如何對待它而定。溝通就像水，沒有了它，植物是活不成的。」

年輕人看向遠方，想著，從前他總是怕得要死，從來不敢告訴別人他的愛和關懷。

「我了解了。」年輕人收回視線，轉頭看著培瑪先生說：「可是，你是怎麼學習溝通的？尤其如果你並不擅長這個技巧。」

「對！我自己從來都不是個善於溝通的人，這也是爲什麼溝通的力量對我的幫助那麼大。」培瑪先生說：「可是我跟你保證，每個人都可以學會溝通的技巧。你只需要克服自己的恐懼。有些人怕自己會因此而顯得傻氣，或擔心別人會拒絕他們。我所得到的一個最好的建議就是，經常在心裡放一個問題——『如果你將要死去了，而你可以打一通電話，你會希望打給誰？你會說什麼？……還有，你還在等什麼？』

你只要記得，每次你看見某人，那次都有可能是最後一次。所以，當你還可以的時候，告訴他們你想說的話。生命中最悲慘的痛苦就是，沒有在他們還活著的時候，說出你對他們的感想是什麼，說出他們對你有多麼重要。

而我們必須靠溝通，來預防問題在一段關係裡面產生。事實上，關係會產生問題，經常是一方或雙方無法說出他們的想法或感覺，結果就是，氣憤和怨恨被建築起來，直到某一方的脾氣爆發出來。如果我們學著去溝通，委屈可以在還不嚴重的時候，就被處理掉了。這意思也就是，對我們所愛的人表達我們自己，並且能夠聆聽別人所告訴我們的有關他們的感覺。人們經常是充耳不聞的，我們聽著別人說話，可是並沒有眞正聽懂或聽進去。

並且，如果我們不溝通我們的感覺，我們就無法建立一段關係。我的意思是，如果你不約一個女孩子出來，你怎麼跟她約會呢？是不是？」

年輕人點點頭，轉頭望著別處。他想著，他因爲害怕溝通，而讓多少機會平白消失掉。

「你還好嗎？」一陣沈默之後，培瑪先生看見年輕人茫茫然望著空無一人的對街。

年輕人回過神來，回答道：「是！我很好。我只是在思考。」

「你知道，」培瑪先生說：「當我們會開放地、眞誠地溝通，分享彼此的經驗和感覺，人生是會改變的。就像那有個人迷失在森林裡的故事。」

「那是什麼故事？」年輕人問。

「這個故事是說，有一個人迷失在森林裡，雖然他試過好多條路，每次都希望能走出森林，可是每次他都回到原處。那兒還有許多路徑等著他去試，可是他又累又餓，所以就坐在地上思索著，下一步該嘗試哪一條。就在他想著的時候，他看到另外一個旅人走向他，他對著逐漸走近的旅人喊道：『你可以幫忙我嗎？我迷路了。』那個旅人看起來像是鬆了一口氣，他說：『我也迷路了。』所以他們就把自己的經驗和彼此分享，情況就愈來愈淸楚了，他們都各自嘗試了不同的路，可以互相幫忙使對方不須再重複錯誤的道路。他們談一談就笑了起來，忘了疲累也忘了飢餓，然後兩人一起走出森林。

人生就像一座森林，我們總會迷失或疑慮，而如果我們能夠分享彼此的經驗和感覺，我們就會覺得人生旅程沒有那麼糟，有時我們還能找到更好的道路，更好的方式。」

傍晚，年輕人讀著今天所做的筆記。

愛的第七個祕密——溝通的力量

當我們學會了開放而真誠的溝通，人生便因此改變了。

愛某個人就是去跟他溝通。

讓你所愛的人知道你愛他們，你感激他們。永遠不要害怕說出這三個奇妙的字眼：我愛你！

永遠不要放棄任何一個讚美他人的機會。

永遠對你愛的人留下愛的語言——那可能是你最後一次看見他們。

如果你將要死去了，而你可以打一通電話，你會希望打給誰？你會說什麼？……還有，你還在等什麼？

祕密八

承諾的力量

隔了幾天，年輕人和第八個人安排了會面。史丹利．康倫是一所學校的教務長，那所學校位於城裡最混亂的地區，犯罪率和失業率都嚴重偏高，這個區域的建築陳舊破爛，商店鐵窗深鎖，人行道布滿垃圾。年輕人根本不會選擇在這種區域工作或居住。然而，當他來到這所學校，穿過校門的時候，他相當意外地發現自己彷彿進到另一個世界。步道兩旁的草坪修剪得乾淨整潔，鮮麗的花圃也隨處可見，和周遭的破敗環境截然不同。

年輕人被帶入康倫先生的辦公室。康倫先生是個高大壯碩的人，戴著一副細框眼鏡，這使他的雙眼在臉上顯得更小。他雙頰紅潤地歡迎年輕人的到達。

「這裡好找嗎？」他說。

「很好找，沒問題。」年輕人說。

「請坐！」康倫先生說：「所以，你是什麼時候認識中國老人的？」

「幾個禮拜之前。」年輕人說道：「他到底是誰啊？」

「我眞的不知道他到底是誰？從哪裡來的？我只知道如果沒有他，我不會是今天這個樣子。」

「爲什麼？」年輕人充滿好奇地問。

「我遇到中國老人至今已經有超過二十年了。」康倫先生解釋道：「那是在聖誕節之前的某一天，我正坐在辦公室裡值班，一面做著自己的事情，一面喝一點小酒。然後不知什麼時候中國老人已經坐在我旁邊的椅子上了，我請他喝一杯酒，可是他禮貌地拒絕了。

我們開始談天，沒過多久，我就把所有心事都掏心掏肺地告訴了他。我的人生失去了方向。老實說那時我才三十多歲，可是已經被工作和人際關係搞得茫茫然，生活毫無目的、隨波逐流。那個時候就聽他提到愛的祕密，我當時把他說的當作笑話一樣看待。事實上，我還以爲那個中國老人是我自己做夢編出來的。可是，當我把手伸進前一天所穿著的外套時，我發現了一張小紙條，上面寫著十個人名和電話號碼。」

年輕人微笑起來。這段儼然成爲一個家族故事了。

「不用說，每個人的好奇心這時都會被激起。我想多知道一些有關中國老人的事，

所以我跟名單上所有的人都聯繫了。就是在那個機緣下，我學到了愛的祕密。回顧過去，我可以清楚地看見那些愛的祕密是如何影響著我，它們改變了我的態度和生活的心態。我以不同的眼光看我自己和其他的人，這個世界好像從灰白變成了彩色。」

年輕人拿出筆記來，在康倫先生說著故事的時候，開始記些筆記。

「不過，其中有一個祕密對那時的我幫助特別大，」康倫先生說：「那就是『承諾的力量』！人們都以爲愛就是一些浪漫故事和虛無的激情。但是我告訴你，愛不只這樣，愛還包含更多，它是有關承諾的。」

「你能解釋給我聽嗎？」年輕人抬起頭要求。

「當然可以！事實上這很簡單。如果你眞的想經驗源源不絕的愛；如果你想愛人和被愛；如果你眞的很渴望持久的愛的關係；你就要對愛承諾。我發現我以前爲什麼不能有持久的愛，其中一個重要的原因就是，我害怕承諾。」

「爲什麼？」年輕人問。

「一個字：怕！」

這個字年輕人在過去幾個禮拜已經聽了好多次了，「害怕是愛的最大障礙」，而大多數愛的祕密都似乎在教你克服害怕：害怕被拒絕；害怕愚蠢；害怕失落。

「我想這是我從小就抗拒的東西。」康倫先生解釋說：

「我父母在我十歲的時候就離婚了，我親眼見到分離的痛苦。我從來不知道什麼是安定、安全的家庭。我想這一定造成我不能對任何事物承諾的問題，包括工作上、或人際關係上。

我不知道當我不能對自己承諾一段關係的時候，我就永遠無法創造持久的愛。當你眞的深愛某人時，你是對他們和這段關係提出承諾。你確定你永遠在他們身旁，你把他們的重要性放在其他人或其他事之前。

我相信，如果我們想要得到任何事物，特別是愛，就必須想辦法去克服恐懼，並且，願意對那些我們所親愛的人承諾自己。」康倫先生繼續說著：「缺乏承諾是一個普遍的問題。當然，如果你在過去曾經被拒絕、感到愚蠢或痛苦，你很自然地會避免再重蹈覆轍。

這就是爲什麼有人在被傷害之後，潛意識裡都堅決不讓自己和別人太親近。他們不準備再承受分離或失落的痛苦，他們對痛苦的恐懼遠大於對愛的渴望。所以他們活在灰色的、無愛的世界裡，寧願生命沒有愛的歡愉，也不願生命中充滿失落的痛苦。最後，他們卸去了自己的感情和選擇，雖然知道可以擁有愛，卻害怕失去愛時的苦痛，終至絕望地活在世界上。」

「他們的確有自己的顧慮，不是嗎？」年輕人說。

「不盡然。這就好像小孩子說，我不要聖誕禮物，因爲我怕有一天會失去它們。就個人的角度來說，我認爲人們對承諾的無能爲力，基本上是他們的關係之所以出現問題的癥結所在。」

「怎麼說呢？」年輕人問道。

「每一段關係都有高潮、低潮，順利或不順利的時候，對不對？」

年輕人點頭同意。

「一段關係不論碰到多麼棘手的瓶頸，只有承諾可以讓這段關係存活下來。舉例來說，如果一對伴侶每當他們有了什麼不愉快的時候，其中一方就放話說要結束關係，遲早，這關係就會眞的結束了。因爲，他們把這關係當成犧牲品，他們看待這件事的態度不夠愼重，他們不覺得愛需要有優先權。

一段關係要成功，必須雙方都把它放在最重要的位置：比他們的事業或財物更重要；比他們的車子或衣服更重要。簡單地說就是，分手絕對不被考慮在內。不管爭吵有多嚴重，誰都不能威脅要結束關係。一旦有分手的念頭，再微弱的念頭，都會帶來大問題。

當你對某事付出承諾：工作也好、一段關係也好、甚至一個足球隊，什麼都行。承諾意義就是，不論事情變得多困難，絕對不選擇放棄。有時候我們只是沒有給承諾，所

以我們就很容易放棄。

每個人都要愛和被愛的關係，但眞正的問題是：『你對愛有多少承諾？你對自己有多少承諾？』」

「這話是什麼意思？」年輕人迷惑地問道。

「好，讓我這麼說吧！你是不是對自己有足夠的承諾，要去面臨被拒絕或失敗的恐懼心，並且，你願意爲創造愛而做任何事？因爲，如果你想經驗愛的關係，除了這麼做沒別的方法。所以，當你要決定某段關係是不是對的，你可以簡單地這麼問自己：『我對這個人和這段關係有無承諾？』

承諾是生活裡最基本的元素，畢竟，一個慈愛的母親不會對她的孩子說：『我今天愛你，可是我不知道明天還會不會愛你。』你瞧！母親是永遠愛她的孩子的，從順境到逆境，永遠不會改變的。

只有當我們無法付出承諾的時候，問題才會發生。讓我講一個例子給你聽。我認識兩個人，他們都有太太和小孩，其中一個把所有的時間都花在辦公室和高爾夫球場上；另一個刻意找了一份容許他可以有時間和太太及小孩在一起的工作。好！你不須用大腦也可以猜到，哪一個人比較可能創造出愛的關係？」

年輕人想了想說：「所以你是說，如果你要得到愛和安定的生活，並且，和那些你

愛他們、他們也愛你的人們一起生活，你就必須對自己承諾這些事物的重要性。」

「我自己就是這麼做的。」康倫先生笑著說：「簡單地說就是，你必須視愛爲最重要的，而承諾卻使你分辨出愛和喜歡的不同。我記得我曾在一個電視談話節目中，看到一個美國參議員，他描述自己在二次世界大戰的一次經驗，那時，他的背部受了非常嚴重而幾乎癱瘓的傷。他一說起這個故事，眼淚就簌簌地流下來，他說：『我爸爸搭了三天三夜的火車來看我，他很老了，他的雙腿因爲關節炎而跛著，然而，他竟在火車上站了三天。』參議員的聲音哽咽了，『他……的腿一定很痛，當他到達的時候，我看到他的腳踝又紅又腫……可是，他做到了！』

你知道了吧！這就是承諾！成千上萬的父母，每天都爲了給孩子最好的，而犧牲自己。他們把孩子的需求和慾望擺在最前面，甚至超越他們自己。承諾是眞愛的試煉品，事實很簡單，如果你無法對某人付出承諾，你就不是眞的愛他們。」

「這點挺有趣的。」年輕人說：「難道沒有例外嗎？」

「我想不出有什麼是例外的。這又讓我想到我爲什麼會教書，就像之前提到的，我對生活很茫然，對任何人、任何事都沒有承諾。在我遇見中國老人之後，並開始學習愛的祕密，我決定要做些有價值的事，並把這些幫助過我的知識分享給大家。」

「當我接受這份工作的時候，我其實有自己顧慮。」康倫先生坦承：「想想看！二十年前，我們這裡的問題有多嚴重！有些孩子嗑藥、甚至賣藥；校內或校外，每天都有打群架的情形；而大多數的孩子離開學校就很少看書。可是話說回來，這也是我願意到這裡來的原因。」

「你爲什麼要選擇在這種學校教書呢？」年輕人不解地問。

「因爲這是一項挑戰，我要讓這些孩子們有所不同。我讀過一個故事，有關在巴爾的摩的一個貧民區的調查研究。一個市立大學的社會學教授，要求他的研究所學生到那個區域的學校中去，然後對每個孩子的未來寫出一份最有前途的報告。毫無例外的，每一份報告都回到同樣的結論：『毫無希望的未來。』

然而，二十五年之後，另外一個社會學教授決定要延續這個調查，而派出他的學生去找出當年那些孩子們，看看他們如今怎麼樣？

有二十個孩子已經搬離那個地方，而無法追蹤到，可是剩下的一百八十個孩子中，有一百七十六個得到了卓越的成就：包括合格的律師、醫生和各種專業人士。這個教授十分驚訝，他決定要再深入調查。跟每個人輪流面談的時候，他問他們：『你的成功歸因於什麼？』而每一個案例，答案竟然都是一樣的：『我的老師。』

這個老師還活著，除了她近九十的高齡之外，她是一個精力旺盛的女人，有著一顆靈活的心。這個教授去拜訪她，並且問她是怎麼教導那些孩子的？使得他們竟然能夠從如此惡劣的環境中脫穎而出，獲得這麼多的成功。

『這很簡單，』老太太笑著說：『我愛那些孩子！』」

「當我讀到這個故事時，」康倫先生繼續說：「它觸動了我的心弦，而激勵我跟隨這個偉大教師的腳步。我明白，有了承諾的力量，任何事都可以成功，所以，我回到學校接受教師訓練，然後到這個貧窮的地區來從事教學工作。一開始的時候並不順利，我好幾次幾乎覺得要放棄了，可是我一直記得這個信念，就是，當你一旦承諾了，就沒有機會選擇放棄。

現在你可以看到，我們以學校爲榮。這些孩子們至少有一個成功的機會，並非他們受了什麼特別的教育，而是我們關心他們，我們愛他們，我們承諾要幫助他們發揮出自己的潛力。

當晚，年輕人讀著這一天所作的筆記。

愛的第八個祕密——承諾的力量

如果你要得到源源不絕的愛，你必須對它作出承諾，而這承諾會反映在你的思想和行動上。

承諾是眞愛的試煉品。

如果你要得到愛的關係，你必須對這關係作出承諾。

當你對某人或某事做了承諾，那麼，就沒有機會選擇放棄。

承諾可以辨認出關係是脆弱或堅固。

祕密九

熱情的力量

隔了一天，年輕人坐在第九個人的辦公室裡。彼得•希金特先生是一家大廣告代理公司資深決策者，他在大樓角落裡擁有一間辦公室，視野很好，正對著城市的東南方。

「離我第一次聽到有關愛的祕密，已經有十多年的時間了。」希金特先生說：「想來這一切來歷歷在目，彷彿是昨天才發生的事。那天我在辦公室加班，大約晚上八點鐘，我把桌子收拾乾淨，正在想著要怎麼跟太太說我想離婚。我們有一段時間瘋狂地相愛，可是不知怎麼的一切都開始不對勁了。到底有沒有一個確定的時刻我們開始停止愛對方？一刻、一個小時、甚至一天？我怎麼也想不出來。我所知道的只是，我們已經失去了曾經擁有的，然後又停止了嘗試。我們的婚姻裡已沒有愛情了，即使在週末，我們也很少在一起。

那晚我堅決地想著，是結束這種猜謎遊戲的時候了，唯一的解決之道就是分手。後來，辦公室的門被打開了，走進來一個清潔工，一個中國老人吹著口哨，是貝多芬第五號交響曲的調子。」

年輕人微笑起來。

「我問他在高興些什麼，他回答說：『你在戀愛的時候不該快樂嗎？』

『戀愛？』我說：『你應該過了那個年齡了吧？』

老人說：『愛，讓我感覺年輕有活力。』

我說：『那感覺一定很棒。』

『它是啊！』他露齒而笑。『不過我確定,像你這樣的人一定知道戀愛的感覺吧！』

『老實跟你說，那是好久以前的事了。』我說。

老人說：『你聽起來好像某個我認識的人，一個婚姻有了問題的朋友，他正打算離開他老婆。』

一聽他這麼說，我不覺目瞪口呆、臉頰僵硬。這時，老人又繼續說了：『他們曾經深愛對方，可是經過多年以後，他們漸漸疏遠了。你知道爲什麼嗎？』我搖搖頭，老人繼續說：『因爲他們忘了愛的祕密。』

這是我第一次聽到什麼愛的祕密。他解釋說這是十個永恆不變的道理，可以幫助我

們創造愛和愛的關係……無限的愛。基本上我是個對什麼事都存疑的人，不太相信那些什麼愛的祕密眞的可以改變現況。

雖然我一心只顧慮到出現問題的婚姻，可是一方面因爲禮貌：一方面實在是有點好奇，所以我還是繼續聽著老人的談話。可是我得承認，他說的很多事情的確有道理。老人離開之前拿了一張紙條給我，上面寫了十個名字和電話號碼。他說如果想學習有關愛的祕密的力量，可以試跟這些人聯絡。

我把紙條塞進口袋裡，然後收拾東西準備回家。這時，辦公室的門又開了，進來了另一個清潔工，這次是個女人。我跟她說，她的同事剛剛已經來清理過了，結果她說她沒有同伴，這些辦公室都是她一個人在做清潔工作的。

我聽了背脊一陣發麻，立刻打電話到清潔公司去問，他們也說的確沒有這麼一個清潔工。那眞是太奇怪的事了，我生平第一次覺得這麼興奮，事實上，我迫不及待地想把這件事告訴別人。我從辦公室打了通電話給太太，我很少這麼做的。她接到電話時還以爲出了什麼事，等我把事情經過告訴她之後，她竟然也同樣的感到興趣。

那天晚上，是長久以來的第一次，我們一起坐在餐桌上，眞正地談話。我們好像攜手開始了一段探險，因爲兩人都想找出那個中國老人究竟是何許人？以及他所說的愛的祕密到底是什麼？

接下來的幾個禮拜，我們拜訪了名單上所有的人，並逐漸一點一滴地感受到那些祕密在生活中所造成的影響。我不相信這麼簡單的事，竟會對我們的生活有這麼重要。各式各樣的事物開始發生了，不單只是我們之間的關係增進到剛結婚時的狀況；就連我們和朋友、家人以及工作上夥伴的關係，也有所改觀。

有一天早上我醒來，我體認到，我又戀愛了，不只是和我太太——，我跟生活戀愛了。」

「這些祕密眞的有如此神奇的影響力嗎？」年輕人問道。

「是的，這些祕密爲我生活中的各個面向都注入新的活力，不過影響最深的就是『熱情的力量』。」

「熱情？」年輕人不解地從筆記本上抬起頭來，「我還以爲愛跟肉體的吸引力沒什麼大關係呢！」

「沒錯啊！」希金特先生說：「我說的熱情並不是指性或肉體方面。熱情是指非常深的興趣和熱心，當你對某人或某事或某物熱情的時候，你會深深地關心他們，你會持續地關懷他們的福祉。這也就是爲什麼如果我們失去了對任何人事的熱情，我們就失去了對愛的感覺。同樣的，如果你對某人失去了興趣和熱情，你很難去喜歡他們。」

「嗯！沒錯。」年輕人同意地說。

「愛的關係中需要熱情，」希金特先生解釋道：「大多數的關係一開始都很好，雙方都對彼此有很強的熱情，總是對另一方充滿興奮、熱心和興趣。問題是，純粹肉體的熱情是不會持久的，雙方便開始覺得沒興趣、無聊了。」

「熱情是點燃愛的神奇火種，當你失去了這火種，關係就會慢慢地死去。當然不是馬上，會耗去一點時間的。一開始熱情如火，什麼事都像個奇蹟似的，可是有一天醒來，發現熱情走了，你也就不再有愛了。我跟我太太就是這樣——所有的熱情、奇蹟和羅曼蒂克都一起消失了。」

「可是當熱情走了以後，你怎麼把它再找回來呢？」年輕人問。

「創造它。」希金特先生說。

「熱情怎麼創造？」年輕人說：「我以爲它是身體的化學作用，有就是有，沒有就是沒有，怎麼可能從沒有創造出有呢？」

「熱情是一種存在於我們興趣範圍內的強大興奮或熱愛，」希金特先生解釋說：「它可以被我們身體的化學變化或性的吸引力激發出來，可是肉體的熱情很少長久，也無法維持住愛的關係。而更強大的熱情，是來自於我們的思想和感覺。當我們對某事感興趣或渴慕的時候，我們會變得非常熱中。這就意味著，在愛的關係裡面，我們會對另一方引起我們興趣的質地或人格十分投入。」

「這聽起來不錯。」年輕人說：「可是，如果對方已經沒有什麼可以引起我的興趣，更別說讓我興奮了，這時又該怎麼辦呢？」

「那你就必須在他們身上找出能夠激起你興趣的事，否則這段關係會沒有了熱情，一旦到了這個地步，兩人就無法在關係中獲得快樂。」

年輕人想了一下說：「我想你可能是對的。在我的經驗裡，大多數的關係，都是因爲我變得不再對另一方感到興趣，然後就覺得無趣了。剛開始的時候，一切都是新鮮、有趣而令人興奮的，可是當我們再進一步認識彼此，關係就逐漸變得陳腐、無聊。像這種狀況，你如何防止它發生呢？有什麼實際的方法可以讓熱情一直存在？」

「的確是有一些方法的。」希金特先生說：「首先，你可以把過去讓你有過熱情的經驗，再重新創造出來。譬如說，你可以帶著你的伴侶回到過去度蜜月時曾住過的旅館；或是去你們第一次約會的餐廳晚餐。

「你也可以憑空創造出一些發自內心的言行。譬如，偶爾做些令伴侶驚喜的事，做些她高興的事……。然後，神奇的事就會發生了；她也會做些讓你歡喜的事回饋你。很快地，你們的關係裡會充滿了驚喜。我和我太太會做的一件事就是，我們一個月至少要出去約會一次；第一個月由我作主，我太太要等到當天那一刻，才會知道我安排了什麼；然後下個月換我太太作主，而我就會有一個驚喜了。我們對自己承諾，不論發生什麼事，我們一定要維持這個每個月一次的驚喜。

「當我第一次學習熱情的力量，會刻意去做一些我知道太太會喜歡的事：我買給她一個意外的小禮物，我花更多時間在家跟她共度，對她的生活細節保持興趣。」

「你是說，你以前對她的生活不感興趣？」年輕人問。

「一開始的時候當然有，可是漸漸的，所有事都一成不變了。每天都一樣，幾年以後，千篇一律的生活使我們對彼此的熱情消失了。我被其他事情所層層包圍住；例如像我的工作，而對我太太的生活則沒有太去注意。我從來沒有認眞地問問她日子過得怎麼樣，譬如她做了什麼、她去了哪裡……。可是，當我開始留意到她和她的生活時，神奇的事發生了——她也開始關心起我和我的生活，而許多事就像滾雪球一樣，愈滾愈大。」

「如果我們想活得快樂，就一定需要別人對我們熱情，我們可以對工作、信仰和休閒活動感興趣，可是最終，我們還是需要別人對我們的關懷。愛和快樂，在這方面的本質是一樣的，我們要做的只是讓每天都活得有熱情。」

年輕人回到家，把筆記又仔細地看了一遍，他看到自己寫著：

愛的第九個祕密——熱情的力量

熱情點燃愛，並使它永生。

持久的熱情並不單單來自於肉體的吸引力，而是從深層的承諾、關懷、感興趣和興奮而來。

過去讓你有過熱情的經驗，可以讓你重新創造出新的熱情。

驚喜或發自內心的言行，都可以創造出熱情。

愛和快樂的本質是一樣的，我們要做的只是讓每天都活得有熱情。

祕密十

信任的力量

自從年輕人遇到中國老人，並聽聞有關愛的祕密以來，至今已經超過一個月了。毫無疑問的，他的生活已經有所改變……可是，他還是單身，他一直企求的特殊關係並沒有因此而來到，他還在疑惑著，他到底能不能找到這份愛。他寧願相信的確有一個人，正在某處等著他，只是他還是沒有把握。

名單上的最後一個人是桃樂斯・庫博，她是一位老太太，住在城北大約四十公里外的一間平房裡。年輕人傍晚駕著車出門，在四十五分鐘後抵達。

庫博太太雖然已經八十七歲了，可是還在公會擔任婚姻顧問。她是一個很有活力的女人，渾身上下充滿了精力，而且，顯而易見的，她對自己的工作熱情十足。她的笑容明朗，寶藍色的眼睛閃閃發亮，而且身體健康硬朗。不過，年輕人覺得她看起來有點面

善，他肯定自己應該在哪裡見過她。

庫博太太展開雙臂迎接他，她說：「謝謝你過來，希望這段路程不會太遠。」

「還好，不到一個小時就到了。」年輕人說。

「請進來，別客氣，就當作是你自己的家。」庫博太太說著引領年輕人進入房內。

「妳看起來很面熟，」年輕人說：「我們在哪兒見過嗎？」

「不會是在我的工作上吧。」庫博太太說：「我有時會幫婦女雜誌寫點文章。」

庫博太太領著年輕人來到她的工作間，這是一間看起來像心理醫師諮詢室的房間。

「你要喝什麼？」她問道：「我有蘋果汁、柳橙汁，還有一些不同口味的茶。」

「橘子汁就好了。謝謝！」年輕人欠身回答。

庫博太太走出去準備飲料，年輕人開始打量這個工作間，他對於庫博太太的書印象十分深刻，她的書排滿了整整兩面牆，而絕大多數都是跟心理學、人際關係和愛的書籍有關。房間以溫暖的桃色和水藍色系裝飾，一張大橡木桌，一張沙發和三張椅子，一些畫著日落和海洋景觀的畫作，遠一點的牆面掛著一幅金屬飾板，上面的刻文看不清楚，當他正要站起身走過去讀個仔細的時候，庫博太太捧著一個托盤進來了，托盤上放著一壺柳橙汁和兩個玻璃杯。

她坐在一張輕便的椅子上，遞給年輕人一杯果汁。

「我第一次學到愛的祕密是五十年前的事了。」庫博太太說：「那時我才結婚兩年，可是卻很不快樂。我丈夫只要離開我一下子，我就會不開心，他有時要出去跟朋友們見面一個晚上；或有時要出去打一場高爾夫球，這時我就會覺得沮喪。這聽起來實在很可笑，可是我認爲他是在拒絕我，我們爲了這事爭辯了好幾次。如果他選擇出去做什麼事，而沒有我在場，我就會感覺被拒絕；可是他說我這樣是想把他悶死。」

「事情終於爆發在一個週末，我們在海邊度假，可是不到十分鐘，我就離開那家旅館了，因爲發現丈夫跟一個漂亮的金髮服務人員親密地交談了很久，自然地，我非常生氣，就在服務台前大吵起來，我的脾氣有時候眞是不太好。我衝出去，跑到旅館的庭園，庭園盡頭有張長條椅，正面對著海岸。我坐在那兒哭到眼珠子都要掉出來了。我們特別在週末出來，想爲彼此的關係作些彌補，結果才十分鐘我們就吵架了。

我不知道在那兒坐了多久，直到一個聲音從背後傳過來，『對不起！妳還好嗎？』

我口齒不清地回答說：『我很好，謝謝。』

我轉過頭去，看到一個中國老人站在我身後。

他看看海，說：『很美！是吧？』

我抬頭，看見天空在水平線的地方呈現出漂亮的猩紅色。景色的確很美，可是我沮喪的沒心情去欣賞夕陽。這時中國老人又說話了，他說：『在我的國家有一個說法，每

一段經驗都會帶來一個使我們生命更豐富的課題。』我靜靜地沒說話，他繼續說：『即使當我們的關係出現問題的時候，我們也要期待著這一課。』

我看著他，想著，他一定聽到我丈夫的爭吵了。所以我說：『等一下，我知道你是好意，可是我實在……』

『我曾經有一個朋友，』他打斷我，說：『一個美麗的女人，她跟一個很好的人結了婚，他們瘋狂地愛著彼此，可是幾年以後他們開始有口角發生——幾乎每天。你知道問題的癥結在哪嗎？她不信任他，而只要他不在她的視線範圍之內，或跟別的女人說話，她就經常會猜疑、妒忌。久了他就覺得被困得快要窒息。她的恐懼把她愛的男人趕走了。』

我轉過頭面向著他，問說：『她為什麼會這樣？應該有某些原因吧？』

『事實上沒有。那位丈夫沒有做錯什麼，她只是一個很沒安全感的女人罷了。這也很可以理解，她父親是一個用情不專的男人，在幾次外遇之後，拋下了她和她母親。這個她生命中最重要的男人都拋下她和她母親之後，潛意識裡她就不再信任男人了。』

我感到口乾舌燥，他說的好像就是我的故事。

『妳知道一件很有趣的事嗎？』老人說：『我們在人際關係上的困難，通常都來自於童年的經驗。』

然後我對他說：『你可能是對的。我們都被童年的經驗所掌控。』

『只有當我們願意讓自己被掌控。』老人接下去說。

『這是她從過去經驗中所得到的重要的一課，過去並不等於未來。無論我們的過去、經驗如何，我們都有改變它的力量。』

我問他，如果這個女人打算改變，她的婚姻可以得救嗎？老人告訴我說，這個女人現在的婚姻不但已經得救了，他們夫妻倆還比以前更相愛。

『她是怎麼做到的？』我問他。

『愛的祕密。』他說。

在我還沒有反應過來的時候，他遞給我一張紙。我看到紙上寫了十個人名和他們的電話號碼，當我再度抬頭，老人已經走了。」

「我回到旅館的服務台，想問出那個中國老人的房間。那個剛才與我丈夫搭訕的服務員仍在那兒，我爲早先的失態表示歉意，她於是告訴我，我丈夫只是問她可不可以推薦一家附近的餐廳給他，他要帶我出去用一頓特別的晚餐，給我一個驚喜。老人說得對，我的不安全感造成了現在的問題。」

「我問她是否可以告訴我中國老人住在幾號房間，她卻說沒有中國人住在這裡，他們也沒有中國工作人員。

「我回到房間，找到丈夫，他仍然十分沮喪。我爲自己的行爲跟他道歉，並對於誤會了他而感到慚愧，然後我告訴他與中國老人的偶遇經過，以及他提到的『愛的祕密』。他說我們不能再像前兩年一樣，總是爭論、吵架，我們一定得改變這種情況。」

「所以回家之後我開始打電話，聯繫那些紙條上的人，並問他們，老人說的是否眞的有可能。」

「什麼東西有可能？」年輕人問。

「我們都有改變現狀的力量。」

「然後呢？眞的可以嗎？」年輕人問道。

「是的。那些愛的祕密都非常重要，它會幫助我們創造愛和愛的關係，不過其中有一項，對我有相當大的影響，那是『信任的力量』。」

「信任？這跟愛有什麼關係嗎？」年輕人說。

「當然，簡單的說，如果我們不能信任，我們就不能愛。」

「爲什麼不能？」年輕人問。

「因爲沒有了信任，我們會變得多疑、緊張，而且很恐懼別人會背叛我們。那會爲這段關係帶來無法承受的壓力——一方覺得緊張；另一方覺得被囚困住。」

「有件事你要記得，一旦你知道，並且需要愛的祕密進入你的生活中，你的婚姻幸福成功的機會是成倍數增加的，因爲你已經了解了這些可以爲愛的關係注入營養的訣

竅。如果你百分之百地對你的關係付出承諾，你絕對可以結婚，並穩定下來。如果你跟伴侶有良好的溝通，讓她知道你是愛她的，那麼她就不會覺得恐懼、猶豫或不信任。」

「所以你的意思是，如果你不能信任對方，這關係就會毀滅。」年輕人說。

「絕對的。所以當你不確定是否要和這個人穩定下來，有個很好的問題你可以問自己，就是『我是不是完全的信賴他們，永不後悔？』如果答案是否定的，你恐怕得在作出承諾之前再仔細想想了。當然這是雙方都必須作的，對方也要完全信任你才行。

信任是愛的關係中，非常重要的一項因素。認識這點是我經驗中最寶貴的一課。你不但必須信任對方，同時你還須要能夠信任這份關係本身。

「這是什麼意思？」年輕人問道。

「有些人會對一份關係的結局產生憂慮，他們會想說：『這眞是太美好了，不像是眞的。太完美的東西一定不能長久。』我的意思是，最近許多人對於婚姻都很緊張，只因爲離婚率節節高升。他們在關係還沒開始之前，自己已經開始煩惱了。」

年輕人覺得臉紅了。幾個禮拜前，他遇到中國老人的時候，自己就曾經說過這種話。他清清喉嚨說：「是的，但是這些人也是有自己的一套看法的，不是嗎？」

「哪種看法？」庫博太太反問。

「嗯，離婚率之所以會那麼高，表示婚姻成功的機率並不好。不是嗎？」

「是的，不過婚姻成功的機率仍然高於以離婚收場的。把焦點放在離婚的可能性上，只會讓它更容易變成眞的。這就是爲什麼信任一份關係這麼重要，要表現得決然，不論多麼水深火熱，這份關係絕對不會結束。」

「這樣有幫助嗎？」年輕人問。

「記得！思想和恐懼都是可以自我建立的。如果你想著問題會發生，你的恐懼會反射在行爲上，然後你就會眞的弄出問題來。我就是這樣。因爲我不信任我丈夫，於是妒忌就經常纏繞在我心頭，這幾乎要讓他離開我了。」

「我懂妳的意思了。」年輕人說。

「很多人在他們存在之前，就開始製造問題。可是這種行爲是無益於愛和快樂的。唯一的方法就是信任你自己、你的伴侶和你的生活。換句話說，表現出信任，你的伴侶就沒有感覺不安全的理由了。」

「可是問題又回到和童年時的經驗一樣時，你如何學習信任呢？你恐怕需要幾年的心理治療吧？」年輕人問。

「不見得。跟我來。」庫博太太說著帶領年輕人走到房間的另一頭，她指著先前年輕人注意到的那個金屬飾片，上面的刻文是：「當我們改變，生命就跟著改變。」

「這是我見過最有力量的一句話，它的意思是，我們不需要成爲過去的犧牲者，我

們都有改變一切的力量。如同中國老人對我說的：『過去不等於未來。』我們寫了一本有關生活的書籍，下一頁不需要跟前一頁相同啊！我們可以從新的章節開始，而這就是愛的祕密要我們做的事——改變！過去發生什麼都沒有關係，無論你的關係出現問題，或發現很難吸引到愛的關係，只要跟著愛的祕密走，你就能夠改變。」

「我見過很多人，對於單身已經完全意志消沈了，他們想說，他們永遠不可能找到恆久的愛的關係。我也認識很多人，他們覺得被無愛、不快樂的關係所纏繞。有時他們放棄了希望，他們變得無目標、痛苦且憤世忌俗。

他們認爲自己是受難者，於是他們就眞的變成受難者，他們陷身於孤獨寂寞中，期待有一天，有個特別的人會進入他們的生命中，爲他們改變一切。然而事實卻是，世界上唯一一個有力量爲你改變任何事的人，不是別人，正是你自己。」

此時，門被打開了，走進來一位穿著大外套的老先生。庫博太太介紹她丈夫給年輕人認識。當他脫下外套，年輕人立刻想起他是在哪裡見過庫博夫婦。

「我想起來了！」年輕人把自己的手指扳得劈啪響，

「你們是不是在大約一個月前，參加了那次婚禮？馬克・艾金和蘇妮亞・史培德的婚禮。」

庫博先生揚起眉頭，「是的，我們是在那兒，爲什麼問呢？」

「那是我見到你們的地方，我注意到你們一起跳舞，我還記得，那時我想著，他們多麼相愛啊！還不解到底有什麼祕訣可以這樣相愛到老。」

「現在你知道了吧。」庫博太太笑著。

「所以你也在婚禮上見到那個中國老人了嗎？」年輕人問道。

「中國老人在馬克和蘇妮亞的婚禮中出現？」庫博太太驚訝地喊著。

「那是我遇到他的地方啊！」年輕人說。

當天，年輕人在上床前，又看了一下他今天的筆記。

愛的第十個祕密——信任的力量

信任是愛的關係的基本元素。沒有信任，人們會變得多疑、緊張、恐懼；另一方則會感覺被囚困，而情緒上覺得窒息。

除非你完全信任別人，否則你無法完全愛他們。

表現出你和伴侶的愛的關係永遠不會結束的行爲來。

要確定某人是否是那個對你最適合的人，方法就是問自己：「我完全信任他們嗎？永不後悔？」如果答案是否定的，你需要在作出承諾之前，再仔細想清楚。

尾聲

年輕人獨自坐著，觀察整個場面的進行。這不像他曾經參加過的婚宴那麼豪華，不過卻有一種活潑、友善的氣氛，而且，這裡近百個客人明顯地都很盡興。當樂團開始暖場，年輕人的心思被拉回到兩年前，那場遇到中國老人的婚禮。當時他對於愛情是多麼譏諷啊！他不自覺地對自己微笑起來。

他還記得自己造訪過老人名單上的那些人們。雖然他們聽起來都很誠懇而發人深省，可是他當時還是有一點懷疑。他不確定愛的祕密在自己身上眞的可行，可是毫無疑問的，它對其他人都滿有效的：那些跟他一樣，尋找愛情多年的人；那些對生活失去目標，而孤獨冷酷地活著的人；甚至，那些發現自己陷入不快樂、麻煩的關係中的人。

年輕人在一本小記事本上寫了三頁，節錄那些愛的祕密，以及他們如何爲生命創造截然不同的景況。他走到哪都帶著這本記事本，好讓自己可以隨時想起他們，尤其在困難的時候激勵自己，並把這些祕密隨處傳遞給其他人。

這些節錄的重點是：

愛的十項祕密——爲你的生活創造愛

1. 選擇愛的思想。
2. 學著尊重自己和他人。
3. 把心思放在自己能付出什麼，而不是自己能得到什麼。
4. 要找到愛，先找到朋友。
5. 擁抱人們。張開你的手臂，打開你的心胸。
6. 捨棄恐懼、偏見和批判。
7. 把你的感覺和人溝通。
8. 承諾——使愛成爲你的第一優先。
9. 熱情地活著。
10. 信任他人，信任自己，信任生活。

愛的十項祕密——如何認出你生命中的伴侶

1. 他（或她）是否在外型、個性、聰明才智和精神上的特質，是成爲你的理想伴侶所需要擁有的。
2. 你尊重他（她）嗎？
3. 你能夠爲他（她）付出什麼？
4. 他（她）是你的最好的朋友嗎？你們有共同的目標、企圖、價值觀和信仰嗎？
5. 當你們抱著彼此，你會感覺想擁有嗎？
6. 你是否給彼此空間和自由去成長和學習？
7. 你們能夠誠實且開放地溝通嗎？
8. 你們是否對這份關係都有所承諾？
9. 你是否對他（她）和你們的關係感覺到強烈的熱情？他（她）對你的意義是否重大？
10. 你們彼此完全信任嗎？

愛的十項祕密——如何把愛帶回到你的關係中

1.如同你想著自己的一般，想著你伴侶的所需和渴求。
2.學著尊重你自己和伴侶。問自己：「我有什麼是值得讓自己敬重的？」以及「我的伴侶有什麼是值得我敬重的？」
3.想著你應該爲這份關係付出什麼，而不要想著你應該從中獲得什麼。
4.和你的伴侶交朋友。找出共同的興趣和追求。
5.充滿感情地擁抱、接觸，並且向你的伴侶展開雙臂。
6.捨棄過去，並且寬恕。作一個新的開始。
7.開放而誠實地溝通你的感覺。
8.對你自己承諾這份關係。在你的優先次序上，把你的伴侶放在第一位。
9.在關係中重新創造熱情。
10.學著信任你的伴侶，信任你們的關係，並且表現得好像它永遠不會結束的樣子。

當他慢慢地把這些愛的祕密融入在生活中，他開始意識到改變。沒有什麼是明顯的，也沒有什麼是確定的。他的外表看不出什麼特別的改變，也沒辦法確實地衡量出改變的比例程度，然而，重要的、意義深重的改變已然占據了一席之地。

他的家人、朋友，甚至工作上的同事們都注意到他的不同，他總是以張開的雙臂和擁抱來迎接他們，而不再用正式的握手了。他和人們談話的樣子也變了，他專心地、充滿敬意地和他們說話，並且注視著對方的眼睛。他給他們更多時間去呈現自己的興趣，並且眞誠地關懷他們。他提醒自己記得別人的生日，打電話給一些很久沒見面的朋友，只是說聲「嗨！」並讓他們知道他一直想著他們。

但是最奇怪的地方是，他還會做一些發自內心的仁慈行爲，這些事對現在的他而言，已經不稀奇了。他經常會買一束花，什麼也不說就拿去送給街上的陌生人，他只是喜歡看到別人臉上那種因爲驚喜而發自內心的表情，他光是看到人們微笑，就覺得很高興。

而他親近的朋友們則發現，他不再天天發瘋地想找個人來愛。他們都不知道，這個年輕人現在只專心地想著如何去愛，並且深信，愛會在最適當的時間，最適當的地方，回到他身邊，那時，他將遇到夢想中的女孩。

他的一些同事和朋友問他，到底是什麼讓他改變了。是新發現的宗教信仰嗎？還是他的錢多了？或者是他吃了什麼可以使心情高昂的藥物？當他告訴別人有關他和中國老人的相遇，以及那些愛的祕密時，有些人相信他。這些人以開放的心態聽了他的故事，幾個月之後，他們竟然打電話給他，謝謝他告訴他們這些事，因爲那些祕密也讓他們的生活有所不同了。

然後，一件很棒的事情發生了。有一天晚上，他在家裡接到一通電話，一個年輕的女人問說可不可以跟他見個面。她說有一個中國老人把他的電話號碼給了她。

「就是有關愛的祕密。」她說。

他在第二天就跟她見了面，而他竟馬上就被她所吸引，不只是因爲她有一雙溫柔的眼睛，和一張漂亮的臉蛋，而是，當他們談話的時候，他感覺碰到一個心靈相通的人，一個他可以自由自在地把心靈深處的話傾訴出來的對象。

現在，她正走向他，把手伸出來，她的美麗一如她溫柔而善良的心。此時，他感覺一切都緩緩地移動著，看著她，他幾乎有一刻停止了呼吸，周遭都充滿了愛。這一刻，他終其一生都記憶深刻，他第一次了解到，源源不絕的愛是什麼意義。

這是他一直夢想的時刻，可是，直到認識中國老人之前，他從來都不相信他也會擁有這一刻。年輕人一直想再碰到那個老人，只是要謝謝他，至少讓他知道，他讓他的生命有了轉變，以及他多麼希望能邀請老人來參加他的婚禮。

當他牽著她的手走向舞池的時候，房裡的客人們都站起來歡呼、拍手。他穿著正式的灰色禮服，握著她的手，所有人的眼光都集中在身邊的美麗女人身上。她穿著樣式簡單、高貴的短袖白緞面禮服，襯托出她自然驚豔的氣質。

當他們走到舞池中央，轉身面對彼此，深深地注視著對方的眼睛的時候，歡呼和口哨聲又此起彼落地響起，而樂隊也開始奏起音樂。

年輕人微笑著抬起頭看著他的家人和朋友們，他們正在幾步的距離外不停地鼓掌叫囂著。當他把眼光往房裡環繞一圈，他的注意力立刻被一個身影吸引住了，在大廳後方出口處站了一個人。是他！中國老人獨自站在那兒，微笑著。

快樂的祕密

Secret of Happiness

序幕

你橫越千山萬水，只為尋求快樂，然而它卻在每個人的身上……

賀瑞斯

問人們他們最想從生命中獲得什麼，你最常得到的答案將會是：「我只要快樂。」既然每個人都要快樂，卻爲什麼這麼少人得到呢？爲什麼製藥廠成長最快速的藥是抗抑鬱劑呢？爲什麼認爲自己快樂的人那麼少呢？有可能是因爲我們找錯了地方嗎？

我相信我們都有快樂的力量，那跟你有沒有錢，做什麼工作，或住在哪裡一點關係也沒有。不論你現在的處境如何，你不只有快樂的力量，更可能經驗到源源不絕的快樂。

快樂不只是遠離沮喪和不幸，更是一種欣喜的感覺，一種對生命的滿足與喜悅。這並不是說你必須持續處於狂喜狀態，畢竟，很多時候我們會因爲個人的不幸遭遇或失落，而使生活自然地陷入哀傷、悲慘及失望之中。但是，有許多方法可以讓我們面對這些經驗，而通常，我們都能夠把生活再度調整回舒適的狀態中。

跟寓言故事不同的是，書中的所有角色都是根據眞實的人物來塑造的（中國老人則是結合了我所知道的一些智者的言論）。當然，我改變了所有人的名字和背景，期望這對故事有所幫助，但是無庸置疑的，如各章節所述，他們的確都克服了個人的危機，並且找到生命中的快樂。我希望這些人的故事，能夠激勵讀者擷取一些經驗和例子，並期待你找到自己生命中源源不絕的快樂。

亞當·傑克森

一九九五年三月

一段車程

這要從一個又濕又冷的十月天傍晚，他開車回家的路上開始說起。晚上八點鐘，他這個禮拜第三次在辦公室加班。天空一整天都陰霾沈重，就在他回家的路上，老天終於決定要大大地發洩一番——大雨傾盆而下。

收音機傳出一個問題，打斷了他的思緒。這是一個很簡單的問題，一個年輕人從來沒有仔細思考過的問題，而答案卻讓他困擾。

這個問題曾經被拿去作過一項全國抽樣調查，結果發現，只有百分之二的人認為他們自己是快樂的，而少於百分之十的人能夠記得一次（或一剎那）眞正快樂的經驗。這是個簡單直接的問題，收音機裡的電台主持人問聽衆：「你快樂嗎？」

這個問題讓年輕人突然想到自己的生活。他的生活沒什麼好挑剔的：他的身體健康，有一份好工作，收入足夠負擔任何帳單，偶爾還可以稍微奢侈一下，他有一小圈親近的朋友，家庭也很美滿。可是除了這一切之外，他感覺內心空泛，對生活毫無幻想可言。他感覺少了些什麼，雖然他不知道是什麼，可是他的確感到生命中少了什麼東西。

他可以用許多種字眼形容他的生活，可是絕不是「快樂」。

作家梭羅曾說：「大多數人都活在他們寂靜的絕望生活中。」年輕人想著，這倒是對他的存在作了個很恰當的描述。每天，從開始到結束彷如一場搏鬥，一天接著一天，每天都重複著相同或類似的挫折與壓力。他愈來愈清楚地感覺到，他已經陷入一場無邊無盡、千篇一律的單調生活中。他少年時的那些希望和夢想呢？童年時的歡樂日子又到哪裡去了呢？這場掙扎到底是從什麼時候開始的呢？

他曾看過一些宗教哲學家說，生命就是一場持續不斷的掙扎，年輕人不能接受這樣的說法。「的確，」他告訴自己：「生命不只是這樣。」他感到困惑、失落，有如走入迷宮一般，不知道自己是怎麼走到此處的，也不確定出路在哪裡。這時，年輕人的思緒又被打斷了，不過這一次是因爲汽車引擎蓋上突然冒起了煙霧。

「該死！屋漏偏逢連夜雨。」年輕人倉皇地把車子開到公路的路肩。走出車外，打開引擎蓋，一股冒著熱蒸氣的煙霧蒙上他的臉，使他不得不倒退幾步。

他脫下夾克蓋在頭上，以阻擋一些風雨，然後走了一公里半的路程才找到一個距離最近的電話亭。他打電話給道路救援服務中心，接線生告訴他，服務人員將會在一個小時左右到達。他沒別的辦法，只能再走回車去等。

一個回音在他腦中響起：「這一切到底是怎麼回事？問題到底在哪裡呢？」當然，

他得不到答案。他也不期待有答案。他所能聽到的只有身旁車子呼嘯而過的聲音。

又濕、又冷、又累、又沮喪，年輕人走回車子裡。他沒有感覺到這個事件將是他生命中的一個轉折，他不知道自己正走在一條探索快樂泉源的道路上（雖然在幾年後，他微笑地贊同了）。

相遇

當年輕人一走到車旁，他注意到一個人正彎腰察看他的車。這個好奇的旁觀者是一個穿著白色罩衫，頭戴鮮黃色棒球帽的中國老人。他臉上的線條柔和慈愛，頭髮花白，不過令年輕人印象特別深刻的是他的眼睛，那是一雙深邃、暗棕色、微笑的眼睛。

老人微笑著對年輕人說：「這暴風雨眞是太棒啦，是吧？」

「又濕、又冷、又倒楣。如果你問我的話。」年輕人喃喃自語。老人對年輕人的話不以爲意，繼續說：「你可以感覺到一股精力嗎？還有空氣中那股新鮮的味道？你不覺得這很棒嗎？」

「我可不覺得。」年輕人在心裡想著，沒有說出口。他仔細看著老人，暴風雨在他離開車子時是不是曾經停止過？他發現老人的身上一點也沒有濕，完全沒有一滴雨水。不過在年輕人開口之前，老人又說了：「所以，你打算怎麼辦？」

「我能怎麼辦？他們說我要在這裡等一個小時，修車的才會出現。」年輕人回答。

「人生眞是充滿了驚奇，不是嗎？」老人說著露齒而笑，「那，到底是出了什麼問題呢？」

「我也不知道，」年輕人解釋著：「我開到一半，引擎就開始冒煙了，然後就壞啦。」

「好吧！我們來看看。」老人捲起了袖子，把頭探到引擎蓋下準備檢查車子。幾分鐘之後，老人抬起頭，轉身對著年輕人說：「你別太擔心，這車子沒壞。」

「感謝老天！」年輕人鬆了一口氣。

「你可能只要花個萬把塊……不過我保證一定可以修好的。」老人說。「什麼？你在開玩笑吧！」年輕人叫了起來。

老人把手搭在年輕人肩膀上，笑著說：「我當然是開玩笑的。」

老人轉身拿出一把鉗子，不過碰到年輕人的眼光時，他停了一下，然後又轉向引擎，「這可能永遠不會發生，你知道嗎。」

「什麼？」

「不管是什麼，就是那些困擾你的事。」

「我沒有什麼困擾啊！」年輕人說。

「喔！這樣……那很好啊！」老人說著又拿起另一支螺絲起子，繼續在引擎蓋下修車。

「你聽起來好像今天過得不錯。」年輕人說。

「當然！當你到了我這把年紀，」老人說：「只要你能站在這片土地上，就是個好日子！」他轉身面對年輕人說：「如果你問我的話，人生太短又太珍貴了，你沒時間浪費在覺得倒楣上。你知道人類的平均壽命是七十六年嗎？這只不過是三千九百五十二個禮拜！而其中有一千三百一十七個禮拜會花在睡覺上，那就剩下二千六百三十五個禮拜，也就是六萬三千二百四十個小時可以活了！你幾歲呢？」

「三十三。」

「所以，如果你夠幸運可以活到平均壽命的話，你也只剩下一千一百一十四個禮拜可活了！」

「你倒是很樂觀啊！」年輕人語帶諷刺地說。

「這只是告訴你時間很珍貴，這麼珍貴的時間別花在不快樂上。生命就是要讓你去過的，每天都該是歡樂而不是痛苦的。它應該像晴天在田野中散步一樣，而不是在永不停歇的暴風雨中搏鬥。」

年輕人覺得背脊一陣發麻。這老人怎麼會知道他的感覺呢？他試著說服自己，這只不過是巧合罷了。畢竟，這老人是不可能看得透他的心思的。

「我常常覺得很驚訝，為什麼有那麼多人要選擇不快樂。」老人說完轉身向著引擎，繼續修汽車。

年輕人也轉向車子引擎，他問道：「你是什麼意思？人們不會『選擇』不快樂，這依他們的環境和情況而定，是發生在人們身上的事讓他們快樂或不快樂的。」

「當然，你說的也對。不過，如果你的快樂是決定於你的環境和情況，那爲什麼有人可以經歷到跟你一樣的經驗，卻有完全不同的感受呢？我曾經認識兩個人，他們在同一個車禍中受傷了，一個很沮喪，另一個卻還每天笑嘻嘻的。」

「他們的反應爲什麼這麼不一樣呢？」年輕人問。

「很沮喪的那個人不斷愁苦地問自己：『爲什麼這種事會發生在我身上呢？』而另一個人卻說：『感謝老天，我還活著！』這就像一首詩裡面的句子：『酒吧裡的兩個人看著窗外，一個看見塵土，一個看見星光。』我不認爲一個人的情勢，不管是好的或壞的，有力量讓人覺得快樂或不快樂。」老人繼續說：「而你對情勢的觀點影響了你的感覺。畢竟，一個看見杯子裡還有半滿的人，和一個看見杯子已經半空的人，哪一個是比較快樂的呢？哈！我找到了……你可不可以把扳手拿給我？」老人伸出一隻手。

「好，」年輕人把扳手遞給老人，然後說：「可是，有些事一定會讓你感到快樂或不快樂的。」

老人放下扳手，轉身看著年輕人，他說：「那，什麼會讓你快樂呢？」

年輕人想了一下，他說：「我也不確定，我想更多錢大概會比較快樂吧。」老人彎下腰，在工具箱裡找出另一個工具。「你眞的認爲金錢能帶來快樂嗎？」他問。

「我不知道，可是至少它讓你的不幸感覺比較舒服。」年輕人露出一抹微笑。

「有道理。」老人也露齒而笑，「可是，比較舒服的不幸，還是不幸啊！你可能在一個比較舒服的環境中，可是你卻跟一無所有的時候一樣覺得不舒服。如果金錢可以帶來快樂，那百萬富翁就是世界上最快樂的人了。然而，我們都知道，他們的不幸跟沮喪完全跟窮人一樣。金錢可以買到的只是物品，就像你的車子，可是這只是暫時的滿足，並不能爲你帶來長久的快樂。」

年輕人看著馬路上一輛輛飛馳而過的車，想著老人所說的話，老人則拿著鉗子轉身繼續修身。

「那不同的工作呢？」年輕人突然說：「我想我如果換另一個工作的話，可能會比較快樂一點。」

「你現在開始聽起來比較像個石頭切割工人了。」老人笑著說。

「什麼石頭切割工人？」

「在我的國家，有一個故事是說，一個不快樂的石頭切割工人，他希望成爲其他類的人，在生命中有個不同的地位。有一天，他經過一個有錢的員外家，看到他家裡有一些很棒的東西，他想到這個員外在城裡是多麼受人敬重啊！他很羨慕員外，並希望能夠

成爲人像他一樣的人，這樣他就不再是一個卑微的石頭切割工了。

正想著的時候，他竟然就眞的變成了這個員外，擁有以前想都想不到的權力和豪華生活，很多窮人也都非常羨慕他，可是他也同時擁有了想都沒想過的敵人。然後有一天，一個更高的官員經過這個城裡，車隊圍著許多的僕人和護衛。每個人都要向這個偉大的高官跪拜，他是更有權力和更受崇敬的人。這個石頭切割工人，現在是個員外，卻希望自己能跟這個高貴的官員一樣，有衆多的僕役和侍衛保護他的安全，而且也比別人更有權力。」

「他的願望又實現了，他馬上變成了官員，成爲全國最有權力的人，每個人在他面前都要鞠躬跪拜。可是這個官員也是全國最令人害怕和討厭的人，這是爲什麼他需要這麼多侍衛和僕役的原因。此時，他在馬車裡覺得非常燠熱不舒服，他抬頭望著天空又白又熱的太陽，他說：『多麼偉大啊！眞希望我就是太陽。』馬上，他又如願地變成了太陽，高掛天空照耀大地。但是一片大烏雲飄了過來，遮住了陽光，他又想：『雲眞是太了不起了！眞希望我能跟雲一樣。』結果他馬上又變成遮住陽光的雲，不久，一陣風吹過來，把雲吹走，『我眞希望能跟風一樣強大。』他想著的時候，又已經變成了風。」

「強大的風可以把樹整棵拔起，也可以摧毀整個村莊，可是卻怎麼也吹不動大石頭。『石頭眞是太堅強了，眞希望自己像石頭一樣有力啊！』他想著。」

「然後，他變成了抵抗風的大石頭。現在他終於滿意了，他是世上最有力的東西了。可是他突然聽到一個聲音：鏗！鏗！鏗！鏗！斧頭敲擊著石頭，把它劈開，一片一片地劈開。『還有什麼比我更強大有力呢？』他想，低頭一看，在石頭底下拿著斧頭的正是一個……石頭切割工人！」

「許多人終其一生都在尋找快樂，卻從來都沒有找到，原因就在於他們找錯了地方。你如果面對東方，你就看不到太陽下山，你如果在身邊團團轉，你就找不到快樂。這個石頭切割工人的故事告訴我們，你光是改變生命中的一些事，是無法找到快樂的，除非，你改變自己。」

「可是我還是不明白，」年輕人說：「個人的悲劇和失望呢？人們怎麼可能面對這種情境還快樂得起來？」

「我們就像一艘船，」老人繼續說：「航行過人生的海洋，風和暴雨——自然的災難和悲劇——會來了又走，可是只要你控制好你的舵和帆，你就可以航行到任何你想去的地方，風和暴雨都阻止不了你。事實上，風和暴雨還是可以豐富你的人生，端賴你怎麼看它們。」

「我不太了解你說的。」年輕人說。

「暴風雨會清理空氣，並帶來雨水，生命怎麼能夠沒有雨水呢？那就會沒有彩虹，

萬物不能成長，生命他不會豐盈。暴風雨帶來風，而如果你知道如何駕駛你的船隻，你可以利用風的力量為你帶來好處。」

「我懂你的比喻，可是我不同意。厄運怎麼可能會帶來好處？」年輕人說。

「你沒聽過因禍得福嗎？」

「當然，我聽過。可是那只不過個諺語，我從來沒有碰過這種事。」

「也許那是因為你從來沒去注意過。每一件事的發生都是有原因、有目的的，它帶來的課題將會豐富你的人生。很多人在人生中飄流，被情勢所困，任暴風雨擺佈，那是因為他們忘了自己還有舵和帆，也不知要利用它們。他們不知道如何駕船，卻責怪天氣。他們沒有看清一點，不論環境和情勢如何，他們還是可以選擇快樂。」

「可是你不能選擇所有的感覺啊！」年輕人堅持。

「只要是你眞誠相信的事，對你而言是眞的，那麼你就會很小心地選擇應該怎樣去感覺。」老人說。

「少來了！」年輕人爭辯著：「你確定一個人不管遭受什麼樣的狀況，都可以選擇快樂？那一個殘廢的人，或瞎了，或又聾又啞，這種人怎麼可能快樂得起來？」

「很明顯地，你沒碰過殘廢的人。」老人說：「一個比你不幸的人會比你更快樂，我知道這聽起來可能有點奇怪，可是這卻是眞的。你知道海倫·凱勒吧！一個終生又瞎、

又聾、又啞的人，當別人問她，身上有這麼多缺陷，她的人生怎麼過呢？你知道她回答什麼嗎？」

年輕人人聳聳肩。

「她說，」老人繼續說：「『我的人生是如此的美妙！』而偉大的作家米爾頓，他也是個盲人，他說：『當一個盲人並非不幸，不幸的是無法忍受看不見。』相似的道理，財富、健康、名聲和權力並不能保證你會快樂。拿破崙，法蘭西帝國當時最有權力的皇帝，有人問他是否感到快樂，他回答說：『我所能記得的快樂時光不超過六天。』」

年輕人聽了十分驚訝，「一個殘廢的人如此快樂，而一個擁有這麼多財富和權力的人卻不快樂。爲什麼會這樣呢？」

老人停下修車的工作，轉身面對年輕人，他說：「快樂，是生命中最偉大的禮物，而這是每個人都有的。你找不到快樂是嗎？那就去創造它啊！不管你的情境怎麼樣，你都有創造自己快樂的能力。」

「你怎麼創造快樂呢？」年輕人問道。

「這個宇宙是由一些法則所掌控的，萬事萬物因爲有這些法則才有了秩序。日昇日落，到四季的變化，都證明了自然是有法則的。科學家們發現了很多這類的法則——地心引力、自由落體和磁性原理等等。不過也有一些不那麼有名的法則，譬如其中之一就

是快樂的法則。」

「快樂的法則？」年輕人疑惑地問道：「那是什麼？」

「有十項永恆不變的原則，如果跟著原則走，就可能創造出快樂來。許多人在追求財富的過程中放棄了一些原則，也有很多人根本忘了，不過還是有一些人相信，並且保留著對它的信心，這些人相信這些『祕密』的法則是存在的。」

「我怎麼找到這些祕密呢？」年輕人問道。

「等一下……就快好了。好……完成了！跟新的一樣。」老人說，把手在衣服上擦拭著，「你很快就會發現的。這個……拿著。」他說著拿出一張紙條遞給年輕人。

年輕人低頭看著紙條，發現紙條上沒有寫任何法則或祕密，只是寫著一排人名和電話號碼，他把紙條翻過來，以為背面會寫些東西，可是背面完全空白，什麼也沒有。

「這是什麼，祕密寫在哪裡？」年輕人抬起頭，可是老人已經不見了。「喂！」他叫著，在車子附近走了一圈。「你在哪裡？這只是一張名單啊！」他一面叫著，一面在高速公路上來回張望，就是沒有看到老人的影子。

一輛維修拖車慢慢地靠過來，並且停在年輕人的車子前面，年輕人快步走過去，打開拖車的門。

「這只是一堆人名，沒有什麼祕密……」年輕人說到一半突然停止了，那個維修員

並不是中國老人。

「怎麼樣？」維修員爬下車來。

「等一下，」年輕人說：「老人呢？」

「什麼老人？你在說什麼？」維修員一臉疑惑地說：「你打電話說車子壞了，不是嗎？是你吧！」

「對！可是已經有人來過了，而且也修好了……那個中國老人……」

「什麼中國老人？我打電話回去問問看，可能有人先來過了。沒什麼好奇怪的，這種事經常發生的，服務中心的人很忙，有時候會把同一樁故障通知給兩個維修員。」

維修員爬回駕駛座，用無線電接通了服務中心。幾分鐘之後，他又爬出來。

「他們說只通知了我，這些都記錄在電腦上。而且，在這一區，我是唯一一個今天晚上有勤務的。反正不管怎樣，我人在這兒了，先幫你檢查一下。你可以發動車子嗎？」

汽車很快就發動了，而引擎也運轉得很順，維修員伸出手來，示意年輕人可以熄火了。

「一切都很正常，」他說：「看不出有什麼問題。」

維修員離開之後十分鐘，年輕人還坐在車子裡，百思不得其解，老人爲什麼突然就失蹤了。他到底是誰？從哪裡來的呢？他說的快樂的祕密又是什麼呢？又過了幾分鐘，年輕人發動汽車，繼續往家的方向前進。他的問題找不到答案，唯一的線索就是手中的紙條，以及上面的十個人名和電話。

祕密一

態度的力量

一回到家，年輕人就拿出老人給他的紙條，開始打電話給上面的人。他與其中六個人聯絡上，另外四個不在家，不過他已經留了話，讓他們回電給他。當他跟這些人聯絡的時候，有一件奇怪的事引起了他的注意，那就是這些人一聽到他提到中國老人的時候，都馬上變得很興奮、很主動。年輕人在隔週開始安排和這些人見面。

貝利・凱斯特曼，是名單上的第一個人，他在當地學校當老師。雖然第二天的課要到下午五點才能結束，但是他答應在下課後跟年輕人見面。

當年輕人進到他的教室時，凱斯特曼先生正在改學生的作業。他的外表看起來還很年輕，年輕人猜想他大概不是四十出頭，就是不到四十歲，絕對不會太老。

「嗨！請進！請進！」凱斯特曼先生熱情握著年輕人的手說：「見到你眞是太高興

了，請坐。」

年輕人坐定了之後，凱斯特曼先生繼續說：「所以你昨天遇見中國老人了？」

「是的！他幫我修車。」

「我的天啊！他真是樣樣精通啊！那他跟你提過快樂的祕密了？」凱斯特曼先生說。

「是的！你知道內容嗎？」年輕人問道。

「喔！當然！」

「真的有效嗎？」年輕人又問。

「基本上，是的！十五年前，我陷入人生中最大的低潮，我剛失去了工作，住在一間離家鄉五百公里遠的小套房裡，我沒有什麼朋友，感覺簡直糟透了，幾乎要崩潰了。我就像快要被一堆烏雲給吞噬，怎麼樣他看不清未來。」

「有一天，我獨自坐在公園的椅子上，眼前是美麗的湖景，可是心裡卻塞滿了像爛泥巴似的各種問題。幾分鐘之後，我突然發現有一個中國老人不知什麼時候坐在我旁邊了。」

年輕人想起自己跟中國老人相遇的經歷，脊椎骨不禁涼了起來。

「我可以做一些筆記嗎？」年輕人問道。

「當然可以。」凱斯特曼先生繼續他的故事說：「那時候的我，很明顯的就被看出被什麼困擾著，可是我還是很驚訝，那個老人竟然完全知道我的心事，好像可以看透我似的。我們談了一會兒之後，他告訴我，他正要去拜訪一個朋友，那個朋友現在非常的沮喪。他說：『我的朋友其實只是忘了那些快樂的黃金定律罷了。』我當然沒有聽過什麼快樂的黃金定律，不過他很快地又跟我解釋：『很簡單。只要你下定決心，要多快樂就可以多快樂。』」

「我那時並不太了解他說的是什麼意思，可是後來我發發現，他說的的確是眞的，而且老實說，我發誓，那些簡單的定律是我這一生所學會重要的課程。其中我認爲對我最重要的，就是態度的力量。」

年輕人聽得入神，凱斯特曼先生於是繼續說：「我解釋給你聽。就像許多人一樣，我一直認爲應該是事情讓我快樂，然而事實卻是，我們可以讓自己快樂。我記得有一次看到一場催眠秀。台上的人都被催眠了，然後有人給他們一顆生洋蔥，催眠師告訴他們說，這顆生洋蔥是他們這輩子吃過最美味的水果。這些人於是開始舔著嘴唇一大口一大口地吃著洋蔥，然後又有人給他們一顆桃子，催眠師告訴他們這顆桃子是腥味十足的胡蘿蔔，這些人咬了一口桃子之後，馬上把它吐出來，好像吃了什麼惡心的東西似的。」

「這就是他們在催眠狀態下被要求對洋蔥和桃子作出的『態度』。你可以看到，我

們在成長的過程中，經常以負面或消極的態度面對事實，而這態度就是造成我們不快樂的原因。」

「什麼樣的負面消極態度？」年輕人問道。

「最好的例子就是我們對生命的期望。譬如，我向來都是被教導著做最壞的打算來面對事情，因爲這樣就比較不會失望。」

「對啊！我也是被這麼教的。這說法很有道理不是嗎？」年輕人附和。

「這是一般的說法，可是它是錯的。」凱斯特曼先生說：「而這會摧毀我們的夢想，阻止我們體驗快樂的感覺。」

「怎麼會呢？」年輕人說：「如果你已經有了最壞的打算，它眞的發生時，你就不會太失望，因爲你已經有了心理準備，可是如果它沒有發生，你反而會很驚訝。如果你總是數期待著最好的，你只會讓自己承受更大的失望罷了。」

「我知道這樣說聽起來很有道理，可是，如果你總是期待最糟的，你就可能總是碰到最糟的。我可以證明給你看。現在你看看這個房間，試著注意所有棕色的東西。」

年輕人環顧房間一圈，看到許多棕色的東西：木製的畫框、椅子的扶手、木質窗櫺、書桌、書和其他許多小東西都是棕色的。

「好，」凱斯特曼先生說：「現在閉上你的眼睛……」

年輕人閉上了雙眼。

「……然後告訴我你看到的所有……藍色的東西。」

年輕人笑了起來，「我沒注意到有什麼藍色的東西。」

「張開眼睛，」凱斯特曼先生說：「你看看，這裡有很多藍色的東西。」的確，藍色的東西有：一個藍色的花籃、藍色的相框、藍色的地毯、桌上有個藍色的資料夾、書架上也有藍色的書，甚至，凱斯特曼先生穿的也是藍色的襯衫。他愈注意藍色，就發現愈多東西是藍色的。

「看這些你沒有注意到的東西！」

「可是你騙我。」年輕人說：「你要我找棕色的東西，而不是藍色的。」

「這就是我要說的重點，」凱斯特曼先生說：「你要找棕色的，所以你就只看到棕色的，而忽略了藍色。你的人生也是這樣，你一直要找最糟的，所以就總是看到最糟的，而錯過了那些好的。」

「這也是爲什麼很多有錢人和有名的人——那些擁有你所能想到的所有東西的人——還是會沮喪，很多還染上了嗑藥或酒精。他們把注意力集中在他們沒有的事物上，而不是那些他們已經有的，所以他們就只看到人生中的貧乏。」

「相反的，很多人生活在很樸素的環境中，可是依然十分快樂，那是因爲他們看到了自己所擁有的。這也就是爲什麼，一個看到杯子還有半滿的人，會比看到杯子已經半空的人，來得快樂。」

「所以你看，這跟我們一般的想法截然不同，任何身外之物——金錢、車子、名聲和財產——都跟快樂無關，而是我們對生活的態度決定快樂與否。所以，要體驗快樂，並不需要更多的金錢、更大的房子或更好的工作，而只要改變我們的態度。山謬・強生寫過這麼一段文字：

一個人的內涵之泉必須湧自他的心靈：而一個對人類的自然知之甚少的人，要以改變自己的本性去尋求快樂，並竭盡一生的力量去尋獲生命中的芬芳果實，卻終將悲傷於他所失去的。」

「我從來沒有注意到這一點，」年輕人說：「不過我想這聽來也有道理。」

「很有趣吧？如果你一直想著最壞的情況，你就會把事情往壞的方向引導過去。」凱斯特曼先生說。

「眞的是這樣嗎？」年輕人問。

「嗯，我舉個例子給你聽，如果你將要在上百人的場合發表一場演講，你可能會很緊張，還不斷地想像各種最糟情況的發生，譬如，你可能會當場忘了自己要講的話，你可能會緊張得結結巴巴，你還可能在上百人面前讓自己看起來像個白癡一樣。如果你一

直想著這些，你要如何好好地準備講詞呢？這會增強你的信心？還是讓你覺得更緊張？」

「當然是更加緊張了。」年輕人坦承。

「當然是這樣，誰不會呢？我們生活中的許多其他事情也是這樣。一個躺在床上想著今天將會發生什麼不幸的人，和一個期待今天將會很美好的人，哪一個人比較容易從床上爬起來面對新的一天？哪一個比較容易享受這新的一天？」

「我懂你的意思了。可是萬一你碰到超乎意料中的事呢？如果壞的情況發生怎麼辦呢？」

「記得黃金定律：你可以選擇自己的感覺！在任何情況下，你都可以選擇要看藍色和棕色，同樣的，你還是可以從任何情況中看到好的那一面的。」凱斯特曼先生說。

「那如果沒有好的那一面呢？」

「當然，有時候當悲劇降臨我們的生活時，可能很難找到好處。可是，應付悲劇的方法就是去找到積極的一面，在悲傷中找到有意義的東西。父母最大的悲劇可能是失去他的孩子，在很多這類的情況中，唯一能使我們從悲痛中復原的就是去創造某些積極的意義。」

「譬如，在加州，有一個母親的十三歲女兒在路上被酒醉駕車者撞死了。當這個母

親發現，這個駕駛有酒醉駕車肇事的記錄，而法律竟然沒有保障大衆免於他和這類人的危害。於是，她發起一個全國性的組織活動——反酒醉駕車婦女組織。這個組織成功地遊說國會議員通過一項反酒醉駕車法，並且很快地擴及到加拿大、英國和紐西蘭等國，而拯救了上百，甚至上千條人命。這完全因爲一個女人把失去女兒的悲痛轉化成更積極正面的行動。」

「人生中的所有經驗，都帶有許多面不同的意義，我們只需要選擇去尋找它，就可以找到。舉例來說，我當年遇到中國老人的時，我丟了工作，而我只是想著，自己是個失敗者，而且可能永遠也找不到其他的工作。可是那天和中國老人有了一場長談之後，我開始看見，丟了工作可能對我有某種非常正面的價值。」

「失業怎麼正面呢？」年輕人問道。

「首先，它給我一個機會讓我可以開始新事業。」凱斯特曼先生說：「所以，與其對失業終日沮喪，我不如用熱誠、樂觀、開朗的態度去面對。記得這個：『我們接觸事件的意義——非事件本身——是決定我們對事件的感覺。』」

「以這種態度來想的話，失業表示將有一個新的開始，一個我人生的轉捩點。當我誠實地面對自己的時候，我承認，我對工作從來都沒有熱誠過。而現在我有一個機會可以重新思考，我到底想做什麼。我希望能夠做點不一樣的，有正面價值，對社會眞正有

貢獻的事情。我決定要當一個老師，於是我又回到學校去進修。」

「我給你另一個好例子，」凱斯特曼先生說：「想像一下，你跟女朋友分手了，你可以決定這意味著：你是個沒有吸引力、不可愛的人，也永遠找不到女朋友了，那就是即使你遇到別的女孩子，你也無法再發展另一段關係了。或者，你可以想成，跟女朋友分手表示你有機會找到更好的，更適合你的人。你看，截然不同的態度，隨你怎麼決定都行。」

「你可以賦予生命中任何一段經驗一個正面的意義。在世界上的某些地方，甚至把死看成是人生一個值得慶祝的時刻，因爲他們相信，人死後靈魂會回到眞正的家，在那裡我們可以和所有的愛人、家人相遇。」

「可是要把每個情況都想出個正面的意義並不容易啊！」年輕人堅持。

「如果你不想的話當然不容易囉！如果你無法看到正面的意義，那表示你根本不想去找。我們也可以用正面的問題來問自己，以創造出正面的態度。以『我可以從這次經驗中學到什麼益處？』來代替問自己：『爲什麼這種倒楣事會發生在我身上？』」

「這樣問就可以了嗎？你可不可以再說清楚一點？」年輕人說。

「好！你整天都問自己問題，有關你看到的，你聽到的，你聞到的，你曾經做過的事，你必須去做的事，還有你將要去做的事。從早上起床到晚上上床爲止，你的潛意識

都一直在問自己問題。其實，思考的過程不過事一連串的自問自答。問題帶來答案，而答案帶來感覺。因此，如果你覺得不快樂或沮喪，通常表示你問錯了問題。你問自己哪裡錯了，而不是哪裡對了。」

「大多數的人，當他們面對困難的情況時，會問自己這類的問題：『我怎麼會碰上這種事？』或『我該怎麼辦？』這些都是消極的問題，沒有建設性的問題只會帶來消極，沒有建設性的答案只會創造出自艾自憐、絕望和沮喪的感覺。如果我們用積極的問題來問自己，便能夠製造出完全不同的感受。」

「什麼樣的問題才是建設性的呢？」年輕人問。

「那些創造力量和希望的感覺。譬如，當我發現自己處在一個困難的狀況中時，我會問自己三個有力的問題，而這些問題可以改變我看事情的方法。第一個題是：『這件事最棒的部分是什麼？』」

「那要是這個情況沒有最棒的部分呢？」年輕人打斷凱斯特曼先生。

「那我就再問：『這件事有什麼好的地方嗎？』這個問題讓你得以去尋找事件的好處，然後，就像你刻意要在房間裡找藍色的東西一樣，你會刻意地去尋找事件的好處。你知道的，凡事都『禍中有福』，當你重新去定義一件事時，你就會在這個經驗過程中擁有豐富人生的力量。而這就是第一個快樂的祕密。」

「老人給我一張名單，名單上的人都教了我一些快樂的祕密，而他們當中，很多人都曾經歷過人生的困境，但是他們都走過來了，因爲他們學會如何爲每一種情況都建構出正面積極的意義。」

「接著，第二個問題是：『什麼是美中不足的地方？』這是假設事情將會很完美，這樣的問題比問自己：『哪裡錯了？』更能創造出不同的感覺來。第三個問題是：『我怎麼樣讓事情變成我要的樣子，而且在過程中還會很有趣？』這個問題會讓你找出一些補救的方法，並且在過程中獲得樂趣。」

「我舉幾個例子讓你看這些問題怎麼幫助你。昨天晚上當你的車子故障時，如果你問：『這件事最棒的部分是什麼？』，你可能會想到：『還好我沒有受傷。』或者，『還好故障救援中心會幫我。』或『還好車子不是在荒郊野外故障。』」

「然後藉著問自己：『還有什麼美中不足的地方？』當然答案就是『我的車壞了。』』然後再問：『我怎樣讓事情變成我要的樣子，而且在過程中還會很有趣？』所以當你在等人家來幫你修車的時候，你可以利用時間放鬆一下，看看報紙，或看看書，或者聽一個以前沒有時間聽的廣播節目。你甚至可以利用時間計畫一下下一次的旅遊，寫信，或者開始寫那本你一直想寫的書，假設你有紙和筆的話，或者你可以爬到後座去，在服務人員來到之前休息片刻。」

「還有另外一個例子，假設你因爲太胖而心情不好。這也很好！因爲你終於確定太胖會讓自己不快樂，並且決定要改變這個事實。還有一個好處是，你終於知道減肥的重要了，否則太胖可能導致心臟病的危險。什麼是美中不足的地方呢？你的體重和體型。那麼你要如何改變它呢？去了解是什麼造成了肥胖，改變飲食，並開始運動。你要怎麼在減肥的過程中享受樂趣呢？加入一個減肥俱樂部，這樣你可以遇到其他有相同問題的人，或者，參加一個你喜歡的運動課，或者，光是跳舞就可以達到減肥的目的了。找一些健康的食物來吃，或者去學煮健康、低熱量食物。」

「這聽起來眞有趣。」年輕人說：「所以，期待最好的，留意生活中美好的，以及問一些積極的問題，人們就可以藉此改變他們的態度了。」

「沒錯！」凱斯特曼先生說：「不過，創造健康、快樂的生活態度可以總結成一個詞——感激！因此，快樂的祕密簡單地說就是去培養感激的態度。」

「你是怎麼做的呢？」

「尋找事物中值得感激的部分，」凱斯特曼先生回答道：「每天都問自己這個問題：『有什麼是值得我感激的？』」

「如果沒有什麼值得感激的話呢？」年輕人固執地問。

凱斯特曼先生揚起眉毛看著年輕人，他說道：「幾年前我去拜訪一個快要死去的朋

友，醫生說他活不到一年的時間，我以爲他會很沮喪，結果發現他不但很開朗，甚至可以說挺愉快的。」

「眞奇怪，一個活不過一年的人還怎麼愉快得起來？」年輕人不解地說。

「所以我就問他：『吉姆，你爲什麼這麼快樂呢？』他說：『因爲我今天早晨醒來的時候，發現我自己還活著！』我聽到他的答案之後，覺得很慚愧。一個將死的人都還能夠充滿感激之情，而我們這些健康的人爲什麼反而不能？」凱斯特曼先生繼續說：「不論多麼壞的情況，總有一些事——通常會有很多——值得我們感激的。一個活在神奇的生活中，和一個活在悲慘世界中的人，不同點不在他們所處的環境，而在於他們的態度。態度就像一枝心思的彩筆，我們可以決定自己生活的顏色，任何我們喜歡的顏色。」

在回家的路上，年輕人回想著今天所學到的，對於他自己和他的生活，的確有許多可以學習的地方，但是更重要的是，他終於發現自己爲什麼總是不快樂了。

「這天晚上年輕人把筆記拿出來，對今天的面談記錄做了一次複習：

快樂的第一個祕密——態度的力量

我快樂的基礎始於我對生活的態度。

我要自己多快樂，就可以多快樂，從今天起，我決心要快快樂樂地過活。如果我期待最好的，就會得到最好的！

快樂是一種選擇，我可以在任何時間、任何地方和任何狀況中做這種選擇。任何經驗都可以被建構出一種正面積極的意義。從現在起，我將從任何事情，任何人上尋找快樂。

遇到困難或壓力時，問這三個有力的問題：

這件事有什麼最棒的地方？

還有什麼美中不足的？

我該如何補救這個狀況，並且在其中尋找樂趣？

感激是快樂的種子。從今以後，我的心將充滿感激。

我是否快樂決定於我的思想，而非我的環境。我控制我的思想，因此，我便可以控制我的快樂。

祕密二

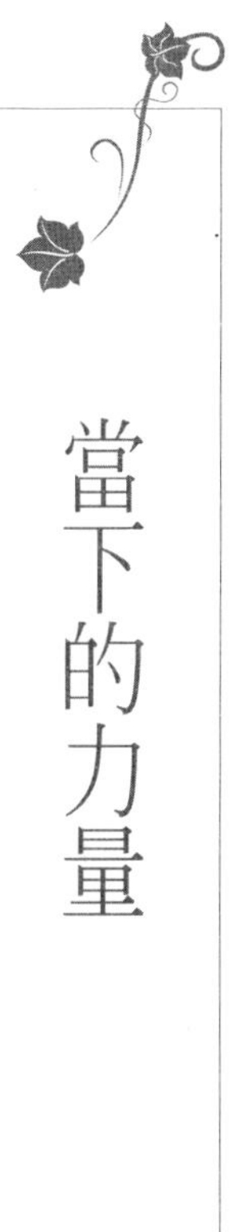

當下的力量

「那發生在二十年前。我的工作不順利，家庭也有問題。有一天下午四點左右，我走在市中心的街上，要去一個客戶那兒做簡報。突然，我聽見一長聲喇叭和一個女人的尖叫聲，我抬起頭看見一輛車正往我面前衝過來。」

「一切彷彿像是慢動作一般，我呆呆地站在那兒，充滿恐懼地望著衝向我的車，我腦子快速閃過——完了！我死定了！就在這千鈞一髮之際，我感覺有人抓住我把我往後猛拉。我告訴你，就差這麼一點點了，我甚至還感覺到車子擦過我的外套。差一公分我就會被撞到了，那可就必死無疑。我轉過身，驚魂未定地看著那個救了我一命的人，他竟然是個嬌小的中國老人！」

湯尼・布朗約有四十幾歲。他是個專業攝影師，作品經常出現在全國性的報紙和許

多雜誌上。年輕人和他約在他位於市中心的工作室裡見面。

「我眞是被那個意外嚇到了，全身發抖地坐在路旁的椅子上。」布朗先生繼續說：「那個中國老人也走過來坐在我旁邊，還關心地問我有沒有怎麼樣，我說我還好。『好險！』他說。我說：『我知道，謝謝你救了我一命！』我解釋說當我要過馬路時有點心不在焉，然後他說：『在我的國度裡有一個說法：安身立命，活在當下！』

「我們聊了幾分鐘，可是在他離開之前，他給了我一張小紙片……」

「上面寫了十個人名和電話號碼？」年輕人接著說。

「是的。」布朗先生微笑著回答：「這就是我如何學到快樂的祕密。」

「他們怎麼幫助你？」年輕人問。

「他們教我如何創造快樂。其中一個我印象特別深刻的是『活在當下的力量』。」

「光是當下這麼一霎那就包含了快樂的祕密嗎？」年輕人問。

「祕密不是那一刹那，而是『活在那一刹那』，」布朗先生說：「快樂不是花幾年、幾個月、幾個禮拜，甚至幾天去找來的，它是從活在當下裡面找到了。」

「這是什麼意思？」年輕人還沒有聽懂，「你的意思不是在說快樂不會超過一分鐘吧？」

「當然不是。我是說你只能在當下去體會當下的快樂。你看那些照片，」布朗先生指著牆上的照片說：「你看見什麼？」

年輕人抬頭研究著牆上的照片。每一張都捕捉到一種表情。有母親餵哺嬰兒的畫面、一對父子笑著在玩球、兩個老人抱在一起、兩個朋友在機場哭著、和一群在學校操場玩要的孩子們。

他一一看完之後說：「這些感情和情緒都很有張力，每一張都很不錯。」

「謝謝，」布朗先生說：「這些都是我試著想捕捉的情緒。這是照片美麗的地方，它記錄剎那的時間——一個無法再重複的時間——在那一刻我們經驗到一個情緒。你有沒有仔細思考過人們如何衡量價值？譬如電視機、電腦、汽車、金錢、衣服、珠寶……所有的東西都可以被輕易地複製。可是，生命中的時間是是我們永遠無法複製、重複的，然而我們卻認為它沒什麼價值。時間是我們最寶貴的資產，可是我們卻總是浪費它。我們把時間花在想想過去，擔心未來，猶豫現在。而現在——此時此地——才是我們所有的，也是我們僅有的。」

「我不確定我是不是眞懂了，」年輕人說。

「當你回首過去，」布朗先生解釋道：「想起過去的快樂時光，你的腦中出現什麼？」

「嗯……，我想想。」年輕人說著看向遠方。

他想到五歲生日的時候，那時他父親還活著，他們全家在海邊度假，還有大學畢業的時候……

「你如何記得那些時光？」布朗先生補充道：「你是用年、月、日……還是時刻去記憶？」

「我不確定。」年輕人猶豫地說。

「好，想一個特別的快樂時光。」

「嗯，我的五歲生日聚會。」

「你眞正感到快樂的時刻？」

「聚會開始之前，我記得我母親抱著我，對我喃喃地說：『你是我的小寶貝，我愛你！』有時候，當我閉起眼睛的時候，我還可以依稀聽見她在我耳邊這麼說。」

「很好！」布朗先生對年輕人所描述的內容很滿意，他說：「這就是一個時刻！每個小孩都曾有過這個快樂的一刻。想像一下，如果你那時心裡想著學校的功課，你可能就聽不到你母親對你說的話，也根本感覺不到快樂。而你的母親也可能因爲你的反應而失去了快樂的感覺。」

「我懂了。」年輕人說。

「我們的記憶是一個個片段的時刻——一個我們看見、聽見或感覺到的時刻。我們

記不得一整年、幾個月甚至幾天，而某個時刻，某個刹那卻會留在我們的腦海中。唯有好好地過每個時刻，我們才能好好地過生活。如果有某個時刻是特別的、神奇的，我們的生活也會因此變得特別而神奇。祕訣就是盡可能去收集更多那樣的時刻。時光是不會停留，也不會重複的，你只能去把每一刻都好好地過，好好地體會。永遠記得，這一刻可能不是你所要的，可是這一刻卻是你所能擁有的。」

年輕人想起了凱斯特曼先生對他說過的一個故事，一個因爲生病而走在生命末期的人，卻還能每天都很快樂，因爲他感謝每一個活著的日子。年輕人想，那個生命的人一定學過活在當下的祕密，才使他能夠每一天每一刻都活在快樂而非病痛中。

「有一個說法是，」布朗先生繼續說：「一天天地過，日子可能不好過，可是一分一秒地過，日子可就輕而易舉了。當我們把每件事都切成一小段一小段的話，所有的事都會變得很容易。如果你眞正地活在每一刻，你就沒有時間後悔，沒有時間擔憂，而只專注在眼前的時光中。」

不過年輕人還是有些疑惑，「你如何讓每一刻都是最好的呢？」他問。

「你要自己去知覺到這一點。」布朗先生回答道：「但丁說過：『想想吧！今天的黎明不會再回來！』如果你沒有知覺到有人給你一個蘋果，你就不會去拿。這有點像一個排名頂尖的網球選手在一場重大的比賽中，當他首先面對一個藉藉無名的選手時，心裡卻想著他最後將會遇上的歌手，結果，一個失手就輸了一分。他心裡掛記上一個失分，而無法專注地打下一球，於是，他又失誤了。他懊惱前兩次失誤，並開始擔心起來：『萬一我輸掉這一局怎麼辦？』結果不用說，擔心著尚未發生的事令他心神不寧，而不能專注在眼前的戰局，結果，他又失掉了另一分。在他知覺到這種情形之前，比賽結束了，他輸了這一局。」

「我們的生活也會發生同樣的情況。我們思索著過去，憂慮著未來，結果是：我們永遠無法對現在付出全部的注意力。這是個惡性循環，如果我們不能活在當下，我們就無法贏得人生的遊戲，於是我們會一直後悔著已經做過的事，並憂慮者還沒發生的事。」

年輕人從筆記本上抬起頭。很顯然的，他從來沒有用這種方式想過時間的重要性。

「如果我們要快樂，」布朗先生繼續說：「我們就必須學會感激我們所擁有的——此時此刻所擁有的。今天的抉擇是明天的事實，我們必須學會當事情來的時候抓住它們：當它們走時就該放手。就像蘇格蘭的散文及歷史家湯瑪士・喀萊爾所寫的：『我們該做的不是看著遠在天邊的東西，而是做已經在手上的事。』如果我們把焦點放在遠方的未來，我們可能會變得患得患失。許多人成天都在擔憂那些還沒有發生，甚至可能永遠不會發生的事。」

「蒙田，一個法國的散文哲學家，就曾經寫道：『我的人生充滿了可怕的不幸……，

而大部分都是從未發生的。』。這就是爲什麼有那麼多人身上背負著沈重的壓力和擔憂的原因，對他們來說，今天就是憂慮著明天的昨天！活在當下的人是沒有時間悔恨過去和擔心未來的。把焦點放在面前的事，而不要放在身後或遙遠的未知。」

「所以，活在當下——一次只專注於一刻，是克服憂慮和恐懼的最好方法。很多宗教都提到這種哲學。你知道基督徒怎麼禱告嗎？他們會這麼說：『感謝主賜給我今天的麵包和食物。』注意！不是明天的麵包或下個禮拜的麵包，而是今天的麵包。人們想要從悲劇中活下來的方法就是，每次只過一天的生活，如果這樣的哲學思想可以讓我們度過最艱苦的時刻，那將來只會更好而已。我相信你聽過有人這麼說：『每一天都是個新的開始！』我一直謹守這樣的態度在過日子。」

布朗先生說著從牆下取下一塊飾板，他說：「我每天讀一次，以提醒自己時時刻刻活在當下。它讓我把每一天都盡可能過得好，這樣我的人生就很完美了。」年輕人看著布朗先生遞給他的飾板，上面是一首印度短文，題目是：

向黎明問好！

看看這一天！

這就是生活，完完全全的生活。

在生活的課程裡，

讓你的存在充滿著真切的：
成功的喜悅，
生命的榮耀，
和美麗的色彩。
因為昨天終究是場夢，
而明天只不過是個想像，
但是華麗的今天讓每個昨天都是一場快樂的美夢，
而每個明天都是希望的想像。
所以，向黎明問好吧！因為每個黎明都將帶來美妙的一天。

——卡利達撒

「你自己試試看，」布朗先生說：「從今天起，把你心思的焦點放在眼前，而不要放在你已經做了，或將要做的事上。」

「我想我了解了，」年輕人說：「可是難道我們都不需要考慮未來的嗎？」

「我們只有活在當下，才有可能創造出我們想要的未來。每個時刻都提供我們許多選擇，而這些選擇則形成了我們的結局。思想是行爲的種子，行爲創造了習慣，習慣形成了性格，而我們的性格則創造了我們的結局。」

「我們在每一個時刻所選擇的思想決定我們下一步的方向。所以我說，在每一刻所作的抉擇和行爲會創造我們的未來。當你和人們交談的時候，你很快就會發現，太多人經常是活在過去或未來，在另一個時間另一個地方。這就是發生我身上的事，我經常想著別的時刻的別的事情，這讓我差一點沒命。如果你不是活在話下，或許還不至於被車撞死，但是你會失去許多和你擦身而過的經驗和機會。」

「所以你的意思不是建議人們不應該事先計畫吧？」年輕人又問。

「當然不是。計畫是我們做所有行動的要素，但是，當你做這件事時，別計畫著另一件事，而當你計畫著這件事時，也別做著別的事。不管你想或做什麼，就好好地把焦點放在你所想或所做的事情上。當你和人們談話的時候，就一心一意地談話，當你工作的時候，就把心思放在手上的工作，別犯跟我同樣的錯！」

「什麼錯？」

「當你過馬路時，注意車子！活在當下可以減低你的緊張和憂慮，讓你的工作表現得更好，增進你的人際關係，漸漸地，豐富了你的生命。這就是活在當下的力量。」

這次碰面之後，年輕人試著讓自己的精神專注於正在做的事。讓腦子一直專注在一件事情上並不容易，但是他漸漸地能夠做到了。面對一桌子待完成的紙上作業，他不再

慌亂無主，他專心地一次只處理一件公文，第一件處理完再處理第二件，而這是他進公司三年來第一次，在下班前他的「待辦」籃子空了。他和同事談話的時候也十分專心全意，結果讓他非常意外的，一個同事對他說：「謝謝你聽我說，你真的幫了我很多忙。」此時，年輕人真是感到快樂無比。

下班之後，年輕人用了晚餐，舒舒服服地坐在客廳沙發上，他拿出自己的筆記本，把和布朗先生的談話記錄再次複習一遍：

快樂的第二個祕密——當下的力量

快樂不是花幾年、幾個月、幾個禮拜，甚至幾天去找來的，它是從活在當下裡面找到了。

想要一個完美的人生，只要好好地過每一刻就行了。

回憶是由許多特別的時刻所組合成的——盡可能去收集更多的特別時刻。

活在當下可以避免悔恨，讓你克服焦慮，減低壓力。

記得！每一天都是個新的開始，一個新的生活。

祕密三

自我想像的力量

年輕人直到另一個禮拜才有機會見到他名單上的下一個人。露絲・摩斯解釋說，她將出城去為她的考古學課程做一個田野調查，但是她很樂意在回來之後馬上與他見面。

當他來到露絲・摩斯的公寓時，首先見到一位稍微年長，穿著粉紅色襯衫和藍牛仔工作服的女士。

「嗨！」他說：「我是來找露絲・摩斯的。」

「是的，你好！」這位女士微笑著說：「請進來。」

她領著年輕人進入大廳。

「別客氣，當成是你自己的家。」她說：「水才剛滾，你要不要來點茶？我有伯爵茶，無咖啡因的咖啡和一些家鄉味水果茶，有甘菊、薄荷和柳橙口味。」

「薄荷茶好了，謝謝妳！」年輕人回答道。

幾分鐘之後，這位女士捧著一壺開水、兩個杯子回來、一小瓶蜂蜜和一碟自己做的小餅乾進來。她坐在年輕人面前，並開始把茶倒在杯中。

「好，可以了。」她說：「我很高興接到你的電話，能不能再跟我講一遍你的遭遇？」

年輕人一臉疑惑地說：「對不起！……你……妳是露絲・摩斯？」

「當然！」她笑著說：「不然你以爲我是誰？」

「嗯……我不知道……可是，我記得妳在電話裡面說，妳是個學生不是嗎？」

「我是啊！我最近正在修一個考古學學位。老天保佑！明年我就會是個碩士了喔！你要不要在茶裡面加點蜂蜜？」

「哦！不了，謝謝。」

她把茶杯遞給年輕人，並放了幾塊餅乾在他的盤子上。

「妳不是在跟我開玩笑吧？」年輕人說。

「開什麼玩笑？」

「妳眞的是個研究生？」年輕人不可置信地說。

摩斯太太微笑著說：「是的，我當然是個研究生。」

「嗯……嗯，對不起，」年輕人試著掩飾自己的驚訝，他說：「是這樣的，我們通過電話之後，我以爲妳是個『年輕的』學生。」

「我是個年輕的學生啊！」摩斯太太笑著堅持：「正確地說，是八十二歲的年輕學生。」

年輕人笑了，「八十二歲的確年輕。」他說。

「好，我能幫你什麼呢？」摩斯太太問道。

年輕人把自己和中國老人的相遇說了一遍。

「你看這個。」摩斯太太說著遞給年輕人一張照片。

年輕人再把照片拿近一點，仔細地看，然後發現照片人在臉型、髮色和嘴型上，嗎？」

「不是，那是我。或者說，是二十年前的我。」

年輕人再把照片拿進一點，仔細地看，然後發現照片中人在臉型、髮色和嘴型上，的確有一點像坐在他面前的這個摩斯太太。

「妳看起來比照片中年輕多了。天啊！這世界發生了什麼事？妳是如何做到的呢？」

「我遇上了一個改變我一生的人……那位中國老人！大概在二十年前吧，我才剛退

休沒多久，生平第一次我開始感覺老了。晚上我很難睡得著，可是白天又容易疲倦。我開始失去了專注的力量以及記憶力，四肢也感覺僵硬而沈重。你可以想像，我變得滿慘的。然後有一天，一切都變了。我正在等巴士，旁邊站著一個背著登山背包的中國老人。」

「他對我微笑，所以我也對他微笑，然後我們就攀談起來了。他告訴我說，他正在環遊世界。我簡直不敢相信，怎麼可能像他這種年紀還可以背著背包去環遊世界？我當然對他提出了我疑問，他卻笑著說：『我們只不過跟我們自己想像的一樣老罷了。』我們開始談起六十歲以後的事情，這種年紀我只看到問題和困難重重，他卻看到刺激和機會。『一個充滿經驗和智慧的年齡。』他說。然後他問了我一些我以前從來沒有想過的問題：生命為什麼會因爲你活得夠久而開始走下坡呢？他說：『生活應該愈過愈好才對，因爲你已經練習了這麼多年。』」

「跟中國老人談話的那一天，讓我體會到一件事：『人老心不老！』讓一個人老的原因不是他的年紀而是他的心。我跟他談得很愉快，結果錯過了四班巴士。我成了快樂的祕密的俘虜——一些適合任何人、任何年齡、任何膚色的祕密——這些可以爲你的生命創造快樂的祕密。那就好像新生一樣，一切都好像從黑白變成了鮮豔、美麗而明亮的色彩。但是，當然啦！事實上除了我之外，沒有什麼改變的。而這就是對我最有價值的祕密——自我想像的力量！」

「自我想像？」年輕人疑惑地說著。

「是的。你如何看你自己，你對自己的信念是什麼。這世上爲什麼會有這麼多不快樂的人，原因就是這些人對他們自己不快樂。你相信嗎，很多人在內心深處並不喜歡他們自己的。許多人伴隨著某些情結成長，有的是身體上的，譬如：『我的鼻子太大。』或『我長得太醜。』或『我看起來太幼稚，』或『我看起來太老氣。』也有的是心理情結，譬如：『我不像別人那麼聰明。』也有人相信他們有某種性格上的缺陷，譬如：『我沒有幽默感，』或『我讓人覺得無趣。』而不管是什麼理由，如果你對自己不滿意，你如何過著滿意快樂的生活呢？」年輕人馬上想到了自己的複雜情結，簡直說都說不完。「這些情結是哪裡來的呢？」他問。

「從我們的生活經驗來，通常是童年輕驗。我記得有一個人跟我說：『我天生有我父親的說話方式，我父親的樣子，我父親的觀念……而我母親非常蔑視我父親！』」

「我們對自己的印象首先來自於孩童時期。我們不知道自己是誰？應該成爲什麼？但是我們從身邊的人身上學習，那些比較年長，比較有智慧，那些應該是愛我們的人。」

「我舉個例子給你聽：小吉米從學校回家，帶了一張表現不佳的成績單。他對自己產生疑惑：『我爲什麼這麼不好呢？可能是我看了太多電視，或是我不夠努力用功，還是我太笨，或者是我太懶惰了。』他把這成績單交給父親，父親看了他的成績單，沒有甲也沒有乙，只有丙和丁。於是他對小吉米說：『有一件事很明顯——你還算誠實。』可是當他看了老師的評語之後，他生氣了。他說：『吉米，你的問題就在，你不用功，又懶惰又笨！』」

「至此，吉米對毫無疑問地認爲，自己是又懶又笨，他帶著這樣的想法終其一生。每次遇到挑戰，他會對自己說：『我太笨了，又懶惰，我做不到。』所以他避免任何挑戰，在別人面前他自認矮人一截，他瞧不起自己。」

「那我們要怎麼克服這種情結或負面的想法呢？」年輕人問。

「這是個好問題。首先我們必須問自己一個最重要的問題：『我是誰？或我是什麼樣的人？』」

「爲什麼？」

「因爲這個問題的答案可以讓我們意識到自己是個多麼特別的人。譬如說，在你父親和母親相遇並結婚之後，生下你的機率不到三十億分之一！他們有三十億個機會生下跟你完全不同的人，但是卻生下了你！不只這樣，全世界，包括人類歷史上也不會有跟你一模一樣的人，將來也不可能會有人跟你一樣。」

「第二個必須問的問題，是：『我認爲自己是什麼？』」

「這意思是不是說：『我是醜的，或笨的』？」年輕人打斷她。

「是的。然後再思考，『我怎麼知道這個判斷是眞的？』是因爲有人這麼說或做過嗎？還是你自己知道這是眞的？你知道，大多數時候我們是以別人的說法來建構對自己的認知。別人就像是我們的心裡的鏡子。但是我讓你看樣東西。」

摩斯太太從抽屜中拿出幾面鏡子，她把每面鏡子都舉起來讓年輕人可以看到自己。這些鏡子都是扭曲不平滑的，年輕人的臉在鏡中都變形了，一面鏡子裡的他頭變得很長，另一面讓他的耳朵看起來像對翅膀，還有一面使他看起來像是全世界最肥的人。年輕人看著鏡子笑了起來。

「哪一個像你？」摩斯太太問。

「都不像。」年輕人說。

「你怎麼知道？」

「因爲這些都是『整人』的鏡子，不能照出眞實的模樣。」

「當然，可是如果你從來沒有看過眞的自己的話怎麼辦？你可能會被這些整人的鏡子嚇到了。還好，你知道自己長什麼樣子，因爲你從正常的鏡子裡看過自己的模樣。可是，你什麼時候從正常的鏡子裡看過自己的心裡長什麼樣子呢？當我們有了鏡子，我們可以看到自己的眞實長相，可是我們沒有可以照出心裡長相的鏡子。於是，我們從別人的反應來看自己的心裡長相。如果別人說你是自私的，你就可能相信自己是自私的。相

同的道理，如果有人說你是愚蠢的，你也可能相信。人們是你自己的鏡子，是的，不過他們卻是一面不平滑的鏡子——他們自己的偏見會讓你的形象產生扭曲。

「人生最大的錯誤就是，去依賴並相信別人對你的評斷。當父母或老師對一個小孩子說：『你眞頑皮！』或『你眞自私！』或『懶惰』或『愚蠢』，他們是在對孩子創造一個負面的——也是錯誤的——自我想像。的確，這孩子可能眞的說了或做了什麼頑皮、自私、懶惰或愚蠢的事，然而，這是孩子的行爲，而不是這個孩子本身。這個差距可能很微小，但卻非常重要。『你是個頑皮的女孩。』和『把果汁倒在地毯上是頑皮的。』，這兩種說法是完全不同的。」

「可是這就是同一件事嗎？」年輕人說。

「你有沒有做過事後反悔的事？犯了個愚蠢的錯誤或不明智的選擇？」

年輕人點點頭說：「不是每個人都會嗎？」

「對。但是做了一件愚蠢的事並不表示你是個愚蠢的人啊！」

「喔！我懂了。」年輕人說。

「很多人把行爲和個人混爲一談，這就造成我們對自己建構了許多不必要的負面看法，但這卻會跟隨我們一生。」

年輕人很快地記下一些重點。他說：「我明白了我們是如何在自己身上建構了錯誤的負面情結了。可是我們一旦有了這些情結，要怎麼去擺脫呢？」

「首先要去判斷這樣的情結是來自哪裡，」摩斯太太說：「有時候光是知覺到這個問題和答案，就可以解決問題。然而，有些想法在心裡已經根深蒂固了，要連根拔除需要做到比知覺更多。在這種情況，一個解決方法就是靠『正面的提示』。」

「什麼是提示？」年輕人問。

「一個提示就是你對自己說的一段聲明，可以大聲念出來或在心裡默讀。一個『正面的提示』可以像：我是一個可愛、聰明且特別的人。」

「這樣說有什麼幫助呢？」

「如果我們經常聽到什麼東西，」摩斯太太說：「次數夠多的話，我們就會開始相信了。這通常就是我們信念的緣起——就像小孩一樣，聽同一件事一遍又一遍，最後就學會了。做廣告的人經常用這種技巧。他們想出一句簡短口號，然後在媒體上一次又一次地播放，漸漸地，我們就相信它了。

「要掌控你的人生，就必須掌控你的信念。而用這種提示就是一種方法。」

「要重複多少遍這種正面的提示，你才會開始相信它？」年輕人問道。

「這要依你的負面想法有多深，來決定要重複多少遍提示。當然，用認真的感覺去說這個提示，就好像你真的相信一樣，會比你只是隨口念念要有效得多。我會建議你一

天至少三次——早晨、中午和晚上。如果你高興的話，也可以把它寫在一張小卡上，然後隨時隨地找機會讀它一遍。」

「另一個可以幫你改變你的自我想像的技巧，就是表現出跟你相反的行爲。譬如，如果你認爲自己很沒有吸引力，那就表現得好像你很有吸引力的樣子，或者如果你缺乏自信，那就表現出好像很有信心的樣子。」

「是不是假裝出某種你缺乏的特質？」年輕人說。

「對！但是當你表現出好像很有吸引力、有自信而且快樂的時候，奇蹟就發生了……你會眞的開始感到有吸引力、有自信而且快樂。我或許可以舉例來做更好的說明。想像一個自認爲很沒吸引力的女孩，跟她的朋友們去跳舞。她整晚都站在沒人看見的角落裡，結果一整晚也沒有人來邀她跳舞，這一點都不奇怪對吧？

「現在，同一個女孩如果表現出很有魅力的樣子，她可能會穿出更誘人的服裝，她可能會找更多機會跟人攀談，她可能會更放鬆，也更享受自己，自然而然，她對別人來說就有魅力了。」

「或者你也可以想像一個將要去發表演說的人，他非常緊張，緊張得膝蓋都微微地顫抖了。如果他一直覺得很緊張，他可能會臨陣脫逃。但是，他知道自己必須完成這件事，所以他刻意表現出很有信心的樣子。他以自信的語調做了簡短的開場之後，觀衆鼓掌了，然後他開始覺得有信心。

同樣的道理，有時候我們並不覺得快樂，但是如果我們表現出很快樂的樣子，並且逢人就微笑，通常人們也會回你一個微笑，而這會讓你眞的快樂起來。

「另一個增進我們自我想像的方法，就是去尋找我們喜歡自己的地方。」

「這點理論上聽起來不錯，可是實際做起來容易嗎？」年輕人說著從筆記本上抬起頭來。

「非常容易，」摩斯太太說：「你只需要問自己：『我喜歡自己什麼地方？』或『我擅長什麼？』。」

「對，可是答案可能是『很少』，或甚至更慘：『完全沒有』。」年輕人說。

「人類腦子最棒的部分就是，它永遠可以對任何問題找出答案來，即使是沒有答案，通常可以找到至少一個。大多數時候，我們問一個負面的問題——『我爲什麼沒有吸引力』，『我爲什麼這麼愚蠢？』，『我爲什麼找不到工作？』，你的腦子一定可以爲你自己找出答案的——『因爲你的鼻子很大。』，『因爲你生來腦袋就比別人小號。』，『因爲你不善於跟別人溝通。』，各種胡說八道的理由都有，但是，你一定找得到答案！

當我們問正面的問題時，通常可以達到正面的答案。甚至你想不出喜歡自己哪一點時，把問題改成：『如果我有一點喜歡我自己的話，那會是什麼？』這個問題會導引出

一個正面的答案。其他可以改變我們對自己的感覺的聰明問題有：『我的實力是什麼？』，『我擅長什麼？』，『我可以在哪方面有貢獻？』。」

「正面的提示，裝得好像那麼回事，以及提出正面的問題都不難，而且是改變我們對自己的感覺的有效方法。接下來就是必須停止接受別人對我們所作出的錯誤的反應。」摩斯太太繼續解釋：「我們一定要記住，人們是我們的鏡子，但是他們是個有偏見和不平滑的鏡子。」

「如果你今天要記得一件事的話，記住這一點：批評是不需要天分、不需要腦袋，也不需要人格的。只有上帝能創造出一朵花，可是任何愚蠢的孩子都可以把它剝成碎片！當人們粗暴或鹵莽時，當他們說出殘忍而不智的事情時，那通常都是他們自己靈魂的問題，而不是你的問題。因此，不要聽信別人告訴你說你是什麼樣的人——除非，當然，除非他說的是正面積極的。

「如果我聽信別人的話，你想我還可能在這種年紀進大學念書嗎？如果我接受人們經常對我說，你想我可能會在六十五歲的高齡去學滑雪嗎？或在六十八歲的時候去學畫畫？如果我聽信別人的，我可能不是已經死了，就是活在過去的回憶中。」

「人們說我在這種年紀去學這些事是愚蠢的。許多人甚至還覺得我有點瘋瘋顛顛的。或許我是吧！可是我告訴你——我活得可快樂呢！我曾經讀到文章說，人生最棒的

事就是了解自己，因爲只有到那種境界你才可能眞正地自由，超越別人加之於你的評論與限制的自由，以及依自我們自的意願生活的自由，以及眞正的快樂的自由。」

年輕人感到無比振奮，他說：「這些聽起來是如此地簡單，卻又很有道理。可是……這些眞的有效嗎？」

摩斯太太笑著說：「只有一個方法知道有沒有效，去試試看！」這天晚上，在上床之前，年輕人把今天的記錄拿出來複習：

快樂的第三個祕密——自我想像的力量

有人說：「人老心不老！」。我們認爲自己怎樣，我們就是那樣。如果我對自己不滿意，我將終生不會快樂。因此，要快樂地過一生，就必須先對自己感到快樂。

每個人都是特別而獨一無二的。每個人都是個勝利者，因爲他們在三十億分之一的機率中被生出來。

別人是我們的鏡子，可是他們是一面扭曲的鏡子。

要克服對自己的負面信念和矛盾情結，並創造出正面積極的自我想像，我必須：首先找到這些問題是從哪裡來的，以及它們是不是眞的。（如果是眞的，想辦法改變它。）

每天都對自己說出「正面的提示」，說出自己所希望的樣子。表現出我自己希望變成的樣子。

問自己喜歡自己的什麼部分，或自己擅長什麼。

祕密四

身體的力量

年輕人名單上的第四個人，名字叫做羅德尼‧格林威。他是個知名的健康顧問，不只因爲他創辦了一間有名的健康俱樂部，更因爲他寫過好幾本有關健康的國際暢銷書。

年輕人在約定的早上八點鐘準時抵達格林威先生的健康俱樂部，他在門口遇見一個高大、肌肉發達，穿著白色圓領衫和藍牛仔褲的男人，這個人就是格林威先生。他的膚色黝黑，深褐色的頭髮修剪得很短，淺綠色的眼珠在他微笑的時候閃著光芒。

格林威先生帶領年輕人進入他的辦公室，在他們兩個雙雙坐下之後，格林威先生開口問道：「你要不要吃什麼？或喝點什麼？我們有新鮮水果汁、礦泉水、青草茶……」

「果汁好了，謝謝！」年輕人說。

格林威先生倒了兩杯新鮮蘋果汁，並遞了一杯給年輕人。

「我能幫你什麼嗎？」他說。

「我也不太確定，」年輕人說著開始簡短地敍述了他的故事。

「快樂的祕密！」格林威先生說：「我是在十年前學到的，那時我還是個律師。」

「律師？」年輕人驚叫起來：「你是說，你放棄了律師的工作，然後變成一個健康顧問？」

「是的！沒錯。」

「可是，爲什麼呢？我是說，你怎麼能夠放棄你學了許多年的專長，而那樣的職業又是人人羨慕的，可以讓你無憂無慮地生活下去。」

「很簡單，」格林威先生說：「我不快樂。在學生時代，我眞的對自己要從事哪一行完全沒有主意，而法律看起來好像是個不錯的選擇。如果我考上了律師資格：即使我不喜歡，那樣的資格還算是個很棒的踏脚石，可以讓我往別的行業跨進。」

「可是絕不是往健康顧問跨進吧？」

「喔！那當然。我會成爲一個健康顧問實在是因爲我喜歡。我曾經做了幾年律師工作，可是心卻不在那兒，我變得愈來愈容易疲倦、沮喪，甚至在早晨，我愈來愈難從床上爬起來了。」

「我很淸楚那種感覺。」年輕人說。

「有一天我在辦公室加班，然後一個清潔人員進來了，他看得出我不太對勁，因為我把頭埋在手裡，還不停地揉著眼睛。告訴他我還好，只是有點兒低潮。他就問我說，要不要來點感覺『高潮』的。我說：『哦不！謝謝！我不嗑藥。』結果他說：『誰說我要給你藥來著？』我就很疑惑啦！除了迷幻藥之外，還有什麼可以讓人感覺『高潮』？」

年輕人從口袋裡掏出筆和記事本，開始記下一些重點。

「結果你知道那個清潔人員說了什麼嗎？他說：『運動！』」

「運動？」年輕人抬起頭來重複說著。

「對！就是簡單的身體運動。」

「天底下怎麼可能有什麼運動可以讓人『高潮』？」年輕人半開玩笑地說道。

「身體的運動不只是為了健康，它同時也可以維持長期的生理和情緒的健康。這樣說也很有道理不是嗎？你一定聽過有人說，沮喪的時候最好找點別的事來做做，最好是勞動體力的事。這眞的是不錯的建議。而我則用GOYB。」

「這是什麼？」年輕人問道。

「Get off your backside！把你的屁股抬起來！」

年輕人笑著低頭記錄在筆記本上。

「為什麼說這建議不錯呢？因為它真的有用。就像喬治・蕭伯納曾經寫過：『你想要悲慘一點嗎？祕訣就是沒事時想想你是否快樂。』別花時間在那兒想東想西的，站起來就是了。不過，起身去做點什麼事不只可以讓我們的心思遠離問題，它還可以改變我們對問題的感覺，並且紓解問題所帶來的壓力。」

「運動怎麼可能改變我們對問題的感覺，並且紓解問題所帶來的壓力。」

「運動怎麼可能改變我們的感覺呢？」年輕人不太相信地說道。

「我今天就是要告訴你一件最重要的事：行動影響情緒！」

年輕人低頭記在筆記上。

「當我們移動身體時，我們也改變了情緒狀態。很多人都知道，一個人如果不動的話，漸漸地就會導致肌肉萎縮，身體虛弱，骨骼流失鈣質，而且比定期運動的人更容易早死。但是，可能很少人知道，沒有定期運動的人會慢慢變得自閉、緊張和神經質，而且更容易受到壓力、焦慮和精神疲倦的折磨。」

「為什麼呢？」年輕人問道。

「科學家們發現一個很好解釋。他們發現，運動會讓大腦釋放出某種化學物質和荷爾蒙——安多芬——而這會使你感到精力充沛或者我們說『高潮』。」

「所以你的意思是說，定期的運動會讓我們感覺快樂些？」年輕人說。

「對！就是這個意思。」格林威先生點頭。

「哪種運動呢？」

「有氧運動。我並不是說你得馬上參加珍・芳達的有氧課程。」格林威先生繼續說：「『有氧』字面上的意思是指：『吸入氧氣的運動』，所以不管是什麼活動或運動，只要你在動的時候會吸入氧氣，譬如，游泳、騎自行車、慢跑，甚至跳舞都是。而另一方面，無氧運動就是指在運動時沒有用到氧氣，那些活動是在屏息的狀況下進行的，譬如短跑或舉重，那麼對情緒健康就沒有那麼大的好處了。」

「爲什麼呢？」年輕人好奇地問：

「因爲當你做無氧運動時，身體不是燃燒氧氣，卻是燃燒另外一種物質，而那是對大腦有益的東西。」

「要做多少運動才會開始對身體有益？」年輕人問。

「每天大約三十分鐘就夠了。」

「聽起來不難嘛！」年輕人說。

「是不難啊！」格林威先生說：「但是，就像你要改變生活習慣一樣，你必須定期持續地做，讓它成爲一種習慣。」

「這樣持續的運動就可以讓你快樂？」

「是的。不用懷疑。」格林威先生說：「那天晚上我跟那個清潔人員談了很長的時間，他提到快樂的十個祕密，我跟你保證，那些祕密都對我的生活有重大的影響。不過，有一個祕密是我特別需要學習，也是我現在最有資格幫助你的，就是——身體的力量。」

「身體？我想你指的就是運動吧？」年輕人說。

「不！當我們用到身體的時候，還有其他許多同樣重要的內容都對情緒有深入而立即的影響的，運動只是其中之一。」

年輕人在格林威先生說話的時候，非常專心地記筆記。

格林威先生繼續解釋道：「第一個是姿勢——他就是我們站、坐和走路的方式。如果姿勢不好，譬如彎腰駝背或身體偏向一邊，都會使我們的健康和情緒受到影響。」

「有這麼嚴重嗎？我們站立或坐著的姿勢怎麼可能影響情緒呢？」年輕人問道。

「我解釋給你聽，」格林威先生說：「你想像外面有一個人很疲倦、沮喪而沒有生氣，你想他會怎麼站或坐著？」

「我不確定。」

「嗯，他會抬頭挺胸還是垂頭喪氣呢？」

「可能會垂頭喪氣。」

「他的胸部會挺起來還是縮進來？」

「縮進來吧，我想。」

「他的臉部肌肉會上揚、微笑，還是鬆垮下來？」

「我想他不至於會微笑的。」年輕人笑著說。

「他的呼吸是沈穩的還是輕淺的？」

「輕淺的。好，我可以想像他的樣子了。」年輕人說：「我們的姿勢依不同的情緒而有不同，對吧？」

「完全正確，不過這是雙方面的，我們的情緒會影響姿勢，而姿勢也會影響情緒的。如果我們經常彎腰駝背，我們就會容易沮喪，相反的，如果我們打起精神抬頭挺胸，我們馬上會覺得好多了。這聽起來很難相信是吧？不過改變姿勢的確可以改變心情的。你知道嗎，如果你抬頭挺胸，深呼吸並保持微笑，你就不容易沮喪。」

「研究學者曾經找來一些躁鬱症患者，有些還服了超過二十年的藥物，然後用攝影機記錄他們對不同姿勢的感覺。科學家們很驚訝地發現，當他們姿勢良好地站著時，幾乎沒有人會感覺憂鬱，也不需要服用任何藥物。你能想像這有多神奇嗎？」

「不過，我想你不至於認爲要解決所有人的問題，就是叫他們把時間花在深呼吸、抬頭挺胸和面帶微笑吧？」

「沒錯！當然不是。不過這樣作卻是個好開始。這的確會讓人感覺好些，而且眞的有用啊！這是一個用身體的姿勢來控制情緒的簡單方法。快樂的祕密之一就是隨時注意你自己的姿勢。我們常不知不覺地就養成了壞習慣——工作的時候駝著背，或彎著腰坐在電視機前面——這些都會讓你感覺沮喪。」

「可是隨時直挺挺地站著挺不舒服的。」年輕人說：「這簡直像站崗的軍人嘛！」

「好的姿勢是習慣成自然。事實上，如果你要用到太多的注意力，那就是不好的姿勢。健康的姿勢應該是自然地讓你的背部伸直，並且放鬆，你不應該會感到任何的緊張或疼痛才對。有一種簡單的技巧可以幫助你改善姿勢，我稱它爲『繩索技巧』。」

「繩索技巧？聽起來眞好玩。」年輕人笑著說。

「這很直接，而且非常容易做。你只需要想像自己的身體是一根繩子，一個人在你的頭頂輕輕拉著繩子。」

年輕人試著照做，他馬上感到站得比較直了，而且好像也比較高了。

「當你做的時候，你會微微地有向上升直的感覺。」格林威先生說：「而且會覺得比較舒服。另一個很有效的技巧，可以讓身體幫助你改變情緒，叫做『下錨』。」

「下錨？」

「對。它很簡單，而且絕對有效。它就像巴夫洛夫的狗一樣，你知道人們每次餵巴夫洛夫的狗的時候，鐘聲就會響起。而這狗在潛意識裡就把鐘聲和食物聯想在一起，牠

每次聽到鐘聲的時候，就會流口水。人類也有同樣的情形。當你聽到牙醫的轉動鑽子聲時，你有什麼感覺？緊張？不舒服？同樣的道理，我們把鑽子的聲音和痛，不舒服及緊張聯想在一起了。」

「通常我們的潛意識會製造出一些『錨』，是對你的快樂有阻礙的。舉個例子，如果有兩個人經常吵架，他們就會變成只要一看到對方，或聽到對方的聲音就會想生氣。」

「你說了半天，我還是不懂這些跟快樂有什麼關係呢？」年輕人打斷格林威先生。

「我的意思就是，我們不但有那些負面的『錨』，同時也有正面的『錨』。你一定看過運動場上，即將上場的同隊隊友，會把手疊在一起，然後大喊『加油！』因爲這會讓我們感覺有信心，有精力。你現在自己試試看感覺一下。」

「哦，好，我會記著你說的方法。」年輕人猶豫地說。

「別只記著我說的方法，現在試試看。」格林威先生說：「站起來，握緊你的拳頭，然後大喊『加油！』」

年輕人於是站起身來，握緊了拳頭，然後說：「加油！」

「不對！不對！不是用說的，喊出來。」格林威先生說。

年輕人於是又做了一次，他這次卯足了勁大喊：「加油！」說來奇怪，年輕人馬上就感到精力十足。

「太神奇了。它眞的有用耶！」年輕人說。

「那當然！」格林威先生繼續說：「不只這樣，你還可以自己創造出別的『錨』，我教你怎麼做。回想一個你覺得特別高興的時刻。」

年輕人於是想起了十年前，當他得到第一份工作的時候。

「盡可能想得清楚。閉上眼睛，試著重新感受一次。你說了什麼？做了什麼？你怎呼吸的？試著留意所有的細節。」格林威先生說。

年輕人仔細地想像那個場景、畫面，突然，他感到格林威先生觸碰著他的右肩。

「現在，再仔細回想一遍。」格林威先生重複說。

年輕人已經可以看到那個畫面了。格林威先生又碰了他的右肩。

「你在做什麼？」年輕人說。

「別擔心，我們得多重複幾次。之後我會解釋。」

這個過程已重複了七遍，直到年輕人忍不住問道：「這樣是在幹什麼？」

「我正在幫你創造『快樂的錨』。想像你的經驗，感覺我的手。」格林威先生笑著說。

「我不懂……」

「我在幫你創造造『快樂的錨』。」格林威又輕觸他的肩膀，重複地說著。漸漸地，年輕人感到一點點莫名的快樂湧了上來。

「我在幫你把潛意識裡的快樂和碰觸右肩聯想在一起。」格林威先生解釋道：「你看，用『下錨』可以創造出快樂的感覺。你要做的只是：記得你曾經快樂的經驗，眞正的快樂經驗，然後在你回憶的尖峰，做一些不尋常的動作——撫摸耳朵，皺皺鼻子，轉轉手腕。只要是你平常不容易作的動作都可以。」

「爲什麼呢？」年輕人插嘴問道。

「就像巴夫洛夫的狗啊！如果牠成天都聽到鐘響，就不會把鐘響和食物聯想在一起了。最棒的是，你可以用『錨』來引發各種不同的情緒狀態——自信、憐憫或愛——基本上是任何情緒都可以的。」

「聽起來眞是不可思議。」年輕人說：「所以，舉例來說，如果我需要自信，我只要回想以前有信心時的經驗，然後在我回憶的時候做一個特別的動作，譬如拉拉耳垂，然後一直重複多做幾次，漸漸地，當我要感覺自信時，拉拉耳垂就行了？」

「對！就是這樣。你可能需要多練習幾次，把過去特別的經驗想清楚，然後在你眞的體驗到那次經驗的高峰時刻，作出『下錨』的動作。習慣之後你就知道這其實很容易的。」

「這聽起來好像有點太簡單化了。」年輕人說。

「我知道，可是眞的有用呢！事實上在廣告界，很多知名的廣告人都知道這個祕訣，他們用來讓你把好的感覺和他們的產品聯想在一起。」

「怎麼說呢？」年輕人不解地問：「廣告人又碰不到你。」

「這個『錨』可以是任何的感知——碰觸、聲音、味覺、嗅覺或視覺。巴夫洛夫的狗用的是聽覺，然後你記得嗎？我剛剛說的例子，兩個經常吵架的人，他們只要一聽到或看到對方就會生氣。」

「哦！我懂你的意思了。」年輕人說。

「廣告人經常做的就是找一個當紅的明星，把他們的歌曲拿來當廣告配樂，人們一聽到歌曲或看到明星就會感覺很好，於是就很容易把這種感覺和廣告產品畫上等號。不然你想爲什麼有飲料商會願意付麥可・傑克森一百五十萬美元，把他和他的歌放在廣告中？」

「廣告人經常用這種把戲，而我們也可以用同樣的方法，只不過用在我們自己身上罷了。這是你身體的妙用。不過，還不只這樣。用身體來影響情緒還有其他一些重要的方法。就拿食物來說吧！」

「食物也跟這有關係？」年輕人說。

「我們吃進身體裡的食物影響我們感覺的方式。譬如，加工甜食的白麵包、蛋糕和

巧克力，都會都會增加血糖的含量，這將讓你感覺容易疲倦且易怒，而咖啡、茶和酒類大家都知道含刺激性，這會導致憂鬱的感覺，其他一些人工添加劑也會造成沮喪。在一些宣稱『無糖』的飲料和食物中，其實含有一種人工甜味，研究報告指出，這種東西會也讓某些人產生沮喪。」

「有沒有什麼食物可以讓我們感覺好一點呢？」年輕人問道。

「醫學研究曾報導，蕎麥中含有某種可以影響腦波並紓解壓力的物質。不過基本上，多攝取完整的食物、多種水果蔬菜和完整的穀類，譬如糙米、燕麥、小米、大麥、豆類，以及沒有去麩的麵包和通心粉，就沒有錯。因爲這些都能夠穩定血糖，減低躁鬱並幫助壓力的紓解。」

年輕人想起自己習慣吃的食物，說實在的，那些電視晚餐是不會新鮮營養到哪去的。說不定這就是導致他倦怠憂鬱的原因之一。

「不過有一個東西是好心情所不可少的，」格林威先生補充說：「那就是我們身體所需的自然日光。」

「自然日光？」年輕人說著低頭記在筆記本上，「這東西我們都有，是吧？」

「如果是這樣就好了。可是很不幸的，我們通常沒有。很多人有沒有窗戶的辦公室或工廠工作，或者雖然有窗戶，可是經常緊閉，這通常阻隔了陽光的進入。

「冬天因爲白天比較短，所以情況更慘。其實，因爲缺乏日光所導致的憂鬱，在醫學上有個說法叫做季節性憂鬱，這種情況因爲冬天陽光缺乏而更容易使人在這個季節自殺。」

「那怎麼辦呢？」

「如果不能每天出去曬一個小時的太陽，至少也要去做做人工日光浴，如果可能的話。」

「這聽起來挺有意思的，」年輕人興奮地說：「我從來不知道身體對我們的感覺有這麼重要，可是爲什麼大家都不知道呢？」

「所以我們才叫它『祕密』啊！」格林威先生說：「我想，事實上我們都知道如何運用身體來讓我們感到快樂——這是最自然不過的本能——只不過我們活在這個現代化社會中，早把這些都遺忘了。」

「我第一次學到這些的時候，便開始嘗試，並使它成爲我生活的習慣，每天早晨在工作之前我會去慢跑，我隨時提醒自己是否保持良好的姿勢，並且開始攝取大量的蔬菜、水果以及天然的米、麥、通心粉，同時還每天都出門去曬一個小時的太陽。」

「結果非常驚人。一週之後，我對自己身體和情緒的感覺好多了，所以也開始跟其他人一起分享這樣的經驗過程。我在物理治療中心和一些私人健康俱樂部授課，一個禮

拜有幾個晚上，加上週六下午。幾個月之後，我的事業愈做愈大了，所以就開始做全職的健康顧問。當你眞的樂在工作的時候，那種感覺眞是太棒了。其實也不能稱做是工作啦！說玩樂可能比較正確一點。」

「我想這都要感謝你那個辦公室清潔工。」年輕人說。

「對！沒錯。幾個禮拜之後我曾試著要聯絡他，並感謝他的幫忙。可是竟然沒有人聽過他。」

「等一下！」年輕人警覺地說：「他是不是……一個中國老人？」

格林威先生笑著回答：「你說還會有誰呢？」

當年輕人回到家中，他馬上坐下來開始閱讀自己的筆記：

快樂的第四個祕密——身體的力量

行動影響情緒。

運動可以紓緩壓力，並釋放出一種能夠讓人快樂的化學物質。規律的運動——可能的話每天運動三十分鐘。

我的姿勢影響我的感覺。正確的姿勢創造快樂的氣質。

快樂的感覺可以用「下錨」的方式來形成聯想。

食物影響我們感覺的方式。避免咖啡、茶、酒精、甜食及人工添加劑。攝取大量的新鮮水果、蔬菜，沒有去麩的穀類和豆類。

缺乏自然日光將導致憂鬱沮喪。如果可能的話，每天都出門去曬一個小時的太陽。

祕密五

目標的力量

兩天之後，年輕人見到了名單上的第五個人——朱利斯・法蘭克博士。法蘭克博士是市立大學的心理學教授，雖然已經七十高齡了，確保有相當年輕的體態，這讓年輕人想起了那個中國老人。

「我在好多好多年前遇到中國老人，」法蘭克博士解釋道：「那是二次大戰期間，我在遠東地區的俘虜集中營裡。那裡的情況很糟，簡直無法忍受，食物短缺，沒有乾淨的水，放眼所及全是痢疾、瘧疾、或中暑等疾病叢生。有些戰俘在烈日下無法忍受身體和心理上的折磨，對他們來說，死已經變成最好的解脫。我自己也想過一死了之，但是有一天，一個人的出現扭轉了我的求生意念——一個中國老人。」

年輕人非常專注地聽著法蘭克博士訴說那天的遭遇。

「那天我坐在囚犯放封的廣場上，身心俱疲。我心裡正想著，要衝上通了電的圍籬是多麼容易的事。一會兒之後，我發現身旁坐了個中國老人，我因為太虛弱了，還恍惚地以為是自己的幻覺。畢竟，在日本的戰犯營區裡，怎麼可能突然出現一個中國人？」

「他轉過來問了我一個問題，一個非常簡單的問題，卻救了我的命。」法蘭克博士停了一下。

年輕人馬上提出自己的疑惑：「是什麼樣的問題可以救人一命呢？」

「他問的問題是，」法蘭克博士繼續說：「『你從這裡出去之後，第一件想做的事情是什麼？』。」

「這是我從來沒想過的問題，我從來不敢想。但是我心裡卻有答案：我要再看看我的太太和孩子們。然後，突然間，我想起了自己必須活下去，那件事情值得我活著回去做。那個問題救了我一命，因為它給我某個我已經失去的東西——活下去的理由！」

「從那時起，活下去變得不再那麼困難了，因為我知道，我每多活一天，就離戰爭結束近一點，也離我的夢想近一點。中國老人的問題不只救了我的命，它還教了我從來沒學過，卻是最重要的一課。」

「是什麼？」年輕人問。

「目標的力量。」

「目標？」

「是的，目標，企圖，值得奮戰的事。目標給了我們生活的目標和意義。當然，我們也可以沒有目標地活著，但是要眞正地活著，快樂地活著，我們就必須有生存的目標。偉大的艾德米勒・拜爾德說：『沒有目標，日子便會結束，裂成碎片地消失。』」

「什麼東西裂成碎片？」年輕人問。

「靈魂。你知道爲什麼很多人退休之後很快地就會失去健康，然後死去？你是否覺得奇怪，爲什麼很多有錢或有名的人，最後竟然染上嗑藥或酗酒？」年輕人點點頭。他的確經常想不透爲什麼人一退休之後，很快就會變『老了』；而他也不明白那些名人富豪——有好幾間房子和別墅，錢也多得一輩子花不完，有美好的家人和顯赫的事業名聲——可是不是嗑藥、酗酒，就是莫名其妙地自殺了。

「原因之一，」法蘭克博士解釋道：「就是他們覺得生活沒有目標、沒有意義。你聽過海倫・凱勒吧？」

「聽過。我知道她除了又瞎、又聾、又啞之外，她熱愛她的生命。」

「沒錯。不過你知道她爲什麼熱愛生命嗎？」法蘭克博士問：「因爲她賦予她的生命意義。當她被問到爲什麼她的身體有這麼多的缺陷，她卻還能如此快樂，海倫回答說：『很多人都錯估了快樂，它並非來自於自我滿足，而是透過對目標的堅持。』人類靈

魂最基本的需求就是尋求生命的意義，而這意義也就是『目標』所帶來的。」

「目標創造出目的和意義。有了目標，我們才知道要往哪裡去，去追求些什麼。沒有目標，生活就會失去方向，而成了行屍走肉。人們生活的動機往往來自於兩樣東西：不是要遠離痛苦，就是追求歡愉。目標可以讓我們把心思緊繫在追求歡愉上，而缺乏目標則會讓我們專注於避免痛苦。同時，目標甚至可以讓我們更能夠忍受痛苦。」

「我有點不太懂，」年輕人猶豫地說：「目標怎麼讓人更能夠忍受痛苦呢？」

「嗯，我想想該怎麼說……好！想像你肚子痛，每幾分鐘就會來一次劇烈的疼痛，痛到你會忍不住呻吟起來，這時你有什麼感覺？」

「太可怕了，我可以想像。」

「如果疼痛愈來愈嚴重，而且間隔的時間愈來愈短，你有什麼感覺？你會緊張還是興奮？」

「這是什麼問題？痛得要死怎麼可能還興奮得起來？除非你有被虐待狂。」

「不，你是個懷孕的女人！這女人忍受著痛苦，她知道最後她會生下一個孩子來。在這種情況下，這女人甚至可能還期待痛苦愈來愈頻繁，因爲她知道陣痛愈頻繁，表示她就快要生了。這種疼痛的背後含有具意義的目標，因此使得疼痛可以被忍受。」

「同樣的道理，如果你已經有個目標在那兒，你就更能忍受達到目標之前的那段痛苦期。毫無疑問的，當時我因爲有了活下去的目標，所以使我更有韌性，否則我可能早就撐不下去了。我看見一個非常消沈的戰俘，於是我問他同一個問題：『當你活著走出這裡時，你第一件想做的事是什麼？』他聽了我的問題之後，漸漸地，臉上的表情變了，他因爲想到自己的目標而兩眼閃閃發亮。他要爲未來奮鬥，當他努力地活過每一天的時候，他知道離自己的目標近了。」

「我再告訴你另一件事。看著一個人的改變這麼大，而你知道你說的話對他有很大的幫助，那種感覺眞是太棒了！所以我又把這當成自己的目標，我要每天都盡可能幫助更多的人。度過最困難的時期的祕密，其實跟走過最好的時期是一樣的。唯一的祕密就是——目標。如果目標可以讓一個在戰俘集中營的人有活下來的慾望，你想它對活在和平日子裡的人不就更有效果了嗎？」

「戰爭結束之後，我在哈佛大學從事一項很有趣的研究。我問一九五三年那屆的畢業學生，他們的生活是否有任何企圖或目標？你猜有多少學生有特定的目標？」

「百分之五十。」年輕人猜道。

「錯了！事實上是低於百分之三！」法蘭克博士說：「你相信嗎，一百個人裡面，只有不到三個人對他們的生活有一點想法。我們持續追蹤這些學生達二十五年之久，結果發現，那有目標的百分之三畢業生比其他百分之九十七的人，擁有更穩定的婚姻狀況，

健康狀況也比較良好，同時財務情況也比較正常。當然，毫無疑問的，我發現他們也比其他人有更快樂的生活。」

「你爲什麼認爲有目標會讓人們比較快樂？」年輕人問。

「因爲我們不只從食物中得到精力，尤其重要的是從心裡的一股熱誠來獲得精力，而這股熱誠則是來自於目標，對事物有所企求，有所期待。爲什麼有這麼多人不快樂，一個非常重要的原因就是因爲他們的生活沒有意義，沒有目標。早晨沒有起床的動力，沒有目標的激勵，也沒有夢想。他們因此在生命旅途上迷失了方向和自我。」

「如果我們有目標要去追求的話，」法蘭克博士繼續說：「生活的壓力和張力就會消失，我們就會像障礙賽跑一樣，爲了達到目標，而不惜衝過一道道關卡和障礙。所以我總是建議我的病人去學『搖椅技巧』。」

「那是什麼？」年輕人問。

「那是一種很簡單的技巧，就是想像你已經活過了一輩子，現在坐在一張搖椅上回想你的一生。你會希望記得什麼？你要自己做了什麼？你去過什麼地方？你擁有什麼樣的關係？而最重要的是，你希望自己是個什麼樣的人？」

年輕人低頭記了一些筆記，這些都是很有力的問題，而他以前卻從來沒有想過。

「這個技巧幫助你創造出長期的目標。然後我們再依同樣的方法想出短期目標來

——十年、五年、一年、六個月、一個月甚至一天的目標。然後我會要求我的病人把這些都寫下來，每天早晨第一件事就是把它讀一遍。這樣，你每天都有一個積極的目標幫助你起床，並讓你的每一天都充滿熱誠與興奮。」

「我會試試看，」年輕人說：「早上我總是很難從床上爬起來。」

「如果在一天當中和晚上上床之前，都能再讀一遍，也是很好的，這樣做會讓你把這些牢牢記在心裡。」

「如果我改變主意，決定不要其中一個目標的話怎麼辦？」年輕人問道。

「好問題。我們的價值觀和優先考慮的事物，的確會因爲年歲的增長和經驗的累積而有所改變，我們只要根據自己的想法改變目標就可以了。所以『搖椅技巧』應該經常做，至少一年一次。這樣我們就一定有一些自己已經想清楚的目標去遵循，這可以爲我們的生命創造目的和意義，讓我們有動力。」

「目標提供我們快樂的基礎。人們總以爲舒適和豪華富裕是快樂的基本要求，然而事實上，眞正會讓我們感覺快樂的卻是某些能激起我們熱情的東西。這就是快樂的最大祕密——缺乏意義和目標的生活是無法創造出持久的快樂的。而這就是我所說的『目標的力量』。」

「你有再遇到中國老人嗎？」年輕人突然問。

「沒有。事實上，有時候我會覺得他說不定只是我自己幻想出來的虛構人物。」法蘭克博士說。

「爲什麼？」

「因爲我以前從來沒有在戰俘集中營裡見過他，之後也沒有再看到他了。有時候烈日的確會讓你頭昏眼花的。可是戰後不久，我發現他是眞的存在的。」

「你怎麼發現的？」年輕人問。

「我收到一封年輕人寄給我的信，他說我的地址就是中國老人給他的。」

年輕人回到家後，把今天和法蘭克博士面談的記錄拿出來看。

快樂的第五個祕密——目標的力量

目標賦予我們的生命意義和目的。

有了目標，我們才會把注意力集中在追求喜悅，而不是在避免痛苦上。

目標讓我們早上有起床的動力。

目標可以讓痛苦的時光好過一些，而快樂的時光則更好過了。

「搖椅技巧」幫助我們決定一生的目標——從短期到長期。把所有的目標寫下來，

在以下的時間讀一遍：

早晨起床的第一件事。

白天的某個時間。

晚上睡覺之前。

記得至少每年兩次重複做一次搖椅技巧，以確定自己的目標仍然適用。

祕密六

幽默的力量

「這可能有點荒謬，起先，我以爲它只是讓你對自己的問題覺得高興或好笑，可是之後你會發現，其實這是克服頹喪的最好方法，同時也創造了快樂。」

說這話的人正是約瑟夫・哈特先生，一個矮小但精力充沛的五十多歲男人，他是個有專業執照的計程車司機，也是年輕人名單上的第六個人名。

「十年前，」哈特先生繼續說：「我生意垮了，被幾個大客戶拖垮了，他們付給我的幾筆數額很大的支票全跳票了，結果我周轉不靈，又調不到頭寸，只能眼睜睜看著我辛苦撐起來的生意垮掉，一切都沒有了。」

「你可以想像，我非常生氣，也很沮喪。因爲我完全看不到希望了。我在市中心的希爾頓大飯店的十三樓租了一個房間，隨你信不信，我那時是準備要結束自己的生命

的。」

年輕人聽了哈特先生的故事，驚訝得說不出話來。

「我坐在床沿，雙手抱著頭，極力想生出一點勇氣來做我已經計畫好的事。最後，我鼓起勇氣走到陽台上，就在我來到陽台欄杆邊緣的時候，突然聽見身後有聲音。我轉身，看見一個服務生進到我房裡來，問我一切好嗎。我點點頭，然後他也走到陽台上，問我需不需要什麼服務。我說不用了。他俯瞰城市，一陣風吹過來，他深吸一口氣，然後說：『多美好的一天！』

『有什麼美好的？』我沒好氣地說。然後他說了一些話，讓我彷彿被潑了一頭冷水。他說：『如果你試著失去一點點，之後你就會發現什麼是美好的。』我因爲長期處於壓力狀態下，一聽到他這麼說的時候，竟然當著他的面就哭起來了。他問我怎麼回事，於是我告訴他說我已經失去我所有的了。

他的表情看起來很迷惑，他說：『你是什麼意思？你還看得見吧？』

我說：『當然！』

他說：『很好！所以你還有眼睛嘛！你也還聽得見，也能說話，而就我看你也還能走啊！所以，你到底失去了什麼？』我告訴他說是金錢，還有所有我賺來的東西都沒有了。『啊！』他叫起來：『你指的所有東西是在說錢啊！』然後他又潑了我一桶冷水，

他說：『一個得了絕症的百萬富翁，和一個健康的窮光蛋，你想當誰？』」

「我當時完全答不來。那個服務生繼續解釋說，許多人只是因爲一時看不到前途，就沉淪在不快樂的情緒中。跟服務生的談話雖然沒有解決我的問題，可是卻讓我看事情的方向有了一點不同。而這已經足夠讓我對自己的生活重新再思考一遍，同時，我一直沒有機會告訴他，他那些簡單的智慧阻止了我當時的計畫——結束自己的生命。」

「就在他離去之前，他給我一張小紙條，上面寫著十個人名和電話號碼，他說這些人可能可以幫助我解決目前的問題。我以爲他的意思是他們可以借錢給我，而事實上，他們給我的卻是比金錢更有價值的東西——快樂的祕密。

「就是那些祕密，讓我漸漸地學會重新站起來，並且爲我自己創造快樂。我自己和我的生活都有許多需要學習的，包括信心的重要性，以及我們的態度、身體的健康、寬恕和關係……等等，但是有一件事是我特別需要學會的，那就是『幽默的力量』。」

「我是那種對什麼事都很嚴肅看待的人。如果你從來不笑，恐怕很難快樂起來。」

「不過這不是本末倒置嗎？」年輕人說：「我的意思是，應該是先有快樂的感覺，然後才會笑，也才會把事情看得不那麼嚴肅，不是嗎？」

「沒錯！你說得沒錯。笑，是快樂的產物，但是它同時也是製造快樂的元素。你看，在笑的過程中——或者微笑也是一樣——會讓你的腦子釋放出一種化學物質，這可以創

造出一種興高采烈的感覺。事實上，專家學者曾經指出，當我們笑的時候，血液中的壓力荷爾蒙——腎上腺素和可體松——會降低，因此我們就會感覺比較不焦慮。」

「可是爲什麼有很多諧星，他們自己都有很嚴重的憂鬱症呢？」年輕人反駁說。

「我可以跟你保證，人們不會因爲笑得太多而變得沮喪。」哈特先生說：「很多人本能地利用笑或幽默的力量，去幫助他們自己度過憂傷。只是你要記得，幽默只是十個快樂的祕密的其中之一，如果我們要創造快樂，就必須把這些祕密都結合起來才行。只用幽默的力量就希望能夠得到快樂，就好像一個人要健康，可是只懂得運動，卻不知道飲食、休息、壓力等等，許許多多的因素都會影響我們的健康。」

「事實上，研究報告也指出，笑，會增進我們的專注力，並且對我們解決心理問題的能力也有很大的效果。馬里蘭大學的研究者在幾年前做過一個非常有趣的實驗，他們讓兩組人做一種解決問題的試驗，不同的是，第一組人在解決問題之前，先讓他們看三十分鐘的教育錄影帶；而另一組人則在試驗前，讓他們看三十分鐘的喜劇節目。結果，那組看喜劇節目的人解決問題的速度平均比另一組人快三倍之多。」

年輕人從筆記本上抬起頭來，他說：「可是當某人遇到問題，或感覺沮喪、憂鬱、緊張、擔心時，他們怎麼可能還笑得出來呢？」

「沒錯，他們會笑不出來。可是這就是問題所在了！如果他們能夠笑一笑的話，就可以幫助他們改善狀況，因為笑，不僅會讓他們感覺比較好、比較沒有壓力；同時也可以讓他們更容易把問題解決。你有沒有這種經驗，你因為某事而生氣或沮喪，可是幾個禮拜之後，你竟然可以把它當笑話一樣講給朋友聽？」

「有，我想每個人都有這種經驗吧！」

「當你取笑這件事情時，你會覺得不妥嗎？」

「不會啊！怎麼會呢？」年輕人笑著說。

「這就是我所說的重點！」哈特先生說：「怎麼會不妥呢？當然不會！所以如果我們能夠早一點笑出來的話，不是更容易讓你早點把問題解決嗎？這有什麼不好呢？」

「是的，我懂你的意思了。可是事情正在發生的時候，你怎麼笑得出來呢？」

「祕密就是，去『找出』好笑的地方，然後你就可以找到。我們選擇自己的思想，我們選擇要把心裡的焦點放在哪裡。而不要把注意力放在：『這件事有多糟？』我們可以很輕易地問自己：『這件事有多好玩？』」

「那如果這事一點也不好玩呢？」年輕人固執地說。

「那就問你自己：『它有沒有可能有一點好玩？』每一件事總有一部分是你可以拿來笑一笑的。問題就是去找到那個部分。如果沒有什麼好笑的，那就去找別的有趣的部分，因為笑通常就是解決了一半的問題了。」

「理論上聽起來有點道理，可是實際上，不是每種狀況都那麼容易就可以找到有趣的地方。」年輕人堅持。

「當然不是每種狀況都可以拿來笑。」哈特先生同意，他說：「可是大部分情況都是可以的。重點在於，如果你想找出有趣的地方，你就可以看到事情有趣的那一面。我記得我聽過一個有趣的故事，是有關美國阿波羅計畫的第一個太空人，約翰・葛林。約翰正準備好要登上火箭的時候，一個記者擋住他，說：『約翰，萬一你在太空中，火箭的動力引擎突然熄滅了，結果讓你無法返回地球的時候，你會怎麼辦？』約翰轉向這個記者，然後笑著說：「你知道嗎？那眞的會毀了我那一天！』

「你想想看，天底下有幾個人在有生之年可能面臨約翰的這種龐大壓力？恐怕很少，甚至大部分的我們都不會碰到。可是如果我們都能夠用他那種幽默的態度去面對挑戰，我們將在人生的道路上經驗到更多的快樂。

阿波羅計畫成功之後，在一場公開的記者會上，另一個記者又問約翰說，當他成功地返回地球，進入大氣層時，他心裡有什麼想法。結果約翰回答道：『當我返回地球大氣層時，我心裡在想……我乘坐的這艘太空船是由最低價得標的廠商所製造的！』」

「這的確是很恐怖的想法，可是約翰以他的幽默克服了他的恐懼。我這麼說的用意是要告訴你，不管你面對的挑戰或難題有多棘手，你所能問自己最好的問題就是：『這

件事有什麼好玩的地方？』或『這件事是否可能有一點好玩？』」

「大部分人的問題就是，他們看待人生的態度實在太嚴肅了。如果我們停下腳步，問自己：『十年之後這對任何人會有什麼影響嗎？』，如果答案是『不會』的話，那它就不可能眞的太嚴重，是吧？這就有點兒像反壓力的兩階段祕方一樣。」

「反壓力的兩階段祕方？那是什麼東西？」年輕人問。

「第一個階段是：別在意小事。」

哈特先生停頓了一下。

「那第二個階段呢？」年輕人問道。

「記得！第二個階段就是：大多數的事情都是小事！」哈特先生繼續說：「我這裡有一張小紙條，由一個病得很嚴重的八十五歲老太太所寫的，」哈特先生把紙條遞給年輕人，然後說：「這有很大的智慧在裡面。」

如果我能再活一回，我會試著多犯一些錯誤，我將不再如此完美，我會輕鬆一點，愚笨一點。其實，很多事我都可以不需要太認真，我要瘋狂一點。

我會抓住更多的機會，旅行更多地方，爬更多山，游過更多河流，去更多我沒有去過的地方。我還要吃更多冰淇淋，少吃一點豆子。

我願意去面對更多實際的問題，而不要只是在腦子裡想像。你看，我就是那些身體健康、心智健全、平平穩穩活過一天又一天的人。嗯！我要擁有自己的時刻，如果我能從頭再來一次，我要經歷更多屬於我自己的時刻。

我曾經是那種沒有溫度計、熱水瓶、漱口劑、雨衣和洋傘就出不了門的人，如果我能從頭再來一次，我要旅行得更輕便一點。

如果我能再活一次，我要早一點從春天來臨前光著腳丫，直到秋末。我要欣賞更多次日昇日落，我要和更多的小孩玩在一起，如果我能夠從頭再活一次。

可是，你瞧，我無法重新來過。

年輕人微笑地讀著，「你說得對，這有很棒的訊息在裡面。我能保留一份嗎？」

「當然可以。」哈特先生笑著說。

「謝謝你跟我分享這一切。」年輕人說：「我今天得到很多啓發。」

「太好了。很高興可以幫助你。」哈特先生說：「我有沒有告訴你喬治・伯恩所說的快樂的祕密？」

「沒有。」

「喬治・伯恩說：『快樂的祕密是什麼？很簡單，一根好雪茄、一頓好餐和一個好

女人──或一個壞女人，一切都決定於你能掌握多少快樂而定。』」

年輕人走到門口，又回過頭來問哈特先生：「你還沒跟我說你怎麼認識那個給我你的地址的中國老人？」

哈特先生微笑著，「我沒告訴你嗎？他就是那個旅館的服務生啊！我一直沒告訴他，我本來想在旅館做的事。第二天早晨，我想到服務台去謝謝他，讓他知道我得到他的幫助，可是竟然沒有人聽說過他。」

「所以你也一直沒有機會謝謝他？」年輕人問。

「是的，我沒有。」哈特先生笑著說：「可是我感覺他知道。畢竟，是他給了你我的電話的，不是嗎？」

那天晚上，在上床之前，年輕人再次把筆記拿出來複習一遍。

快樂的第六個祕密──幽默的力量

幽默可以紓解壓力，並創造快樂的感覺。

笑，可以增進我們注意力的集中，以及解決問題的能力。

在任何經驗中，如果你執著於尋求趣味的一面，你就可以找到。

不要問：「這個經驗有多可怕？」；而要問：「這有多有趣？」或「這有可能多有趣？」

記得「反壓力的兩階段祕方」：別在意小事；以及，大多數的事都是小事！

祕密七

寬恕的力量

第二天，年輕人坐在他名單上的第七個人的辦公室中，他是哈伍德．傑柯布森醫師。傑柯布森醫師體型非常高大，頭髮濃密，眼珠湛藍，今年四十二歲，是市立醫院有史以來最年輕的外科主治醫師。他的辦公室位於醫院建築物的頂樓，有兩面牆是落地玻璃，面向城西的視野相當漂亮。

「我第一次聽到快樂的祕密是在二十年前。」傑科布森醫師說。

「對你有幫助嗎？」年輕人問道。

「當然有。」傑科布森醫師說：「我的生命完全改觀了。我成長的過程從來沒有很快樂的感覺，我總是處於『即將可以』快樂的地步。原本，在我考上大學的時候，我以爲『即將可以』快樂，可是等我進了學校，開始念書，卻什麼也沒有改變。然後我想，

等我考上醫師執照的時候，我就會快樂了，可是當我眞的考上了外科醫師執照後，甚至等我結了婚，有了小孩之後，事情還是沒有改變。事實上，除了擁有成功的事業，甜美的家庭和可愛的妻子之外，我可以說沒有眞正快樂過。」

「回首過去，我想問題應該導因於十歲的時候，被我父親送到寄宿學校去就學，這是我所不願意的。我母親在我九歲那一年死於一場車禍，她是當場死亡的，可是我的父親，也在同一部車子裡，而且是開車的人，卻只有輕微的擦傷。我想，在我的潛意識裡，我把那場意外全歸罪到父親身上，雖然這麼想是很殘酷的，可是我的確在痛恨父親的心態下成長的。」

「爲什麼？」年輕人問。

「那時我認爲他把我送去寄宿學校是因爲他不愛我，或根本不要我了。」傑柯布森醫師停頓了一會兒，眼睛看著窗外。

「我在這種憤怒中過了十五年。」他降低了聲調，繼續說：「當你帶著這麼深的怨恨和憤怒在心裡，實在很難快樂得起來。」

「然後有一天，我在機場準備出發去參加一個醫學會議，當擴音器傳出『傑柯布森醫師，請與服務台聯繫』時，我趕到服務台去，有人給了我一個緊急訊息——我的父親心臟病發，目前正在市立醫院的加護病房中。我坐了下來，重新看著手上的紙條，疑慮著不知道下一步應該怎麼辦。我幾乎有五年沒有跟父親講過一句話了。」

「就在我揉搓著手上的紙條，準備把它丟進身旁的垃圾桶中時，有一個人來到我身邊，詢問旁邊的位子有沒有人坐。我搖搖頭看了那個人一眼，他是個矮小的中國老人。他坐下來之後，馬上就跟我說起話來了。他正要搭飛機去看一個在意外中失去一條腿的朋友，一輛車在他過馬路的時候把他撞倒，然後輾過他的右腿，可是很幸運的，他的朋友沒有死。那個司機顯然正在趕時間，居然沒有看到有人正要過馬路。『我最恨這種人了。』我說。結果這個中國老人聽了之後，竟然一臉惶恐，他說：『爲什麼要恨一個人，只因爲他犯了個錯？每個人都會犯錯，如果你因爲人們犯錯就恨他們，那你不是要恨所有的人嗎？包括你自己在內。』」

「然後他轉向我，微笑地看著我說：『在我的家鄉有一個說法，不能寬恕的人，就無法快樂。』」

「我辯解說：『寬恕並不是那麼容易的，要看犯多大的錯誤而定。』」

「然後他說：『如果眞的這樣，那天國一定是個很寂寞的地方。』」

「他又說了一會兒，提到生命的法則和快樂的祕密。我以前從來沒聽過這些東西，可是這時心裡卻被某些東西攪亂了。幾分鐘之後，老人在離去之前，看到了我手中的一團紙。不過這時候，我已經知道該怎麼做了。」

「我取消了機位，到醫院去看他。父親躺在床上，身上插滿了管子，身旁還有一台心電圖螢幕。我走過去坐在他床邊，然後做了一件我自小就不曾做過的事，我握住父親的手。他躺在那兒一動也不動，話也不能說，而醫生還不確定他到底聽不聽得到。我彎下腰，在他耳畔輕聲說：『爸爸，是我，哈伍德。』然後，一件最美的事發生了，一顆眼淚從他臉頰滑下，而許多、許多年來第一次，我哭了。在那一刻，我原諒了他，也讓過去的一切都過去。」

「之後的兩個禮拜，我每天都去看他，雖然他的眼睛仍然無法張開，可是當我握著他的手時，可以看見他的眼皮輕微地閃動，他的手也緊緊地握著我的。最後，我天天祈禱的奇蹟發生了，有一天我到醫院，竟然看到他完全清醒過來，正在喝著一杯茶。」

「我們高興得相互擁抱，這是我們從小就不曾做過的舉動，然後我們就聊起天來，談了一整個下午，比我們十五年來談話的總和還多。然後，我終於了解了那個奪去我母親生命的車禍過程，和爲什麼會被送去寄宿學校的原因。一輛載貨卡車在結冰的公路上打滑，失去了控制，撞上了母親那邊的車門，導致她的死亡。那不是誰的錯，而完全是場意外。雖然父親那時並沒有表現出來，可是他內心卻飽受愧疚的煎熬。」

「我父親在談著往事的時候，忍不住熱淚盈眶。他們是青梅竹馬，我從來沒有想過父親遭受這樣打擊的痛苦，只想著自己。之後父親得到一份高薪的工作，可是卻必須經常到遠東和美洲大陸去出差，爲了想給我更好的教育，和更完整的照顧，才把我送到寄宿學校去讀書。」

「人們說，時間可以治癒一切，可是它並沒有。經過許多年之後，時間的確可以讓氣憤和痛苦漸漸淡去，可是除非我們已經準備好要寬恕一切，否則它是不會完全從你的靈魂深處釋放出去的。寬恕的關鍵並不在於時間的流逝，而是在於理解。印地安蘇族人有一則很棒的祈禱文說：

『哦！偉大的靈魂啊！讓我不要評斷、批評一個人，除非我穿著他的鹿皮鞋兩個禮拜以上。』」

「我們經常批評別人，可是卻從來沒有想過，如果我們有著跟他一樣的經歷和環境，我們會跟他有什麼不同的反應嗎？譬如，我從來沒有想過父親在遭受喪妻之後的心情，以及爲什麼他堅持要把我送到寄宿學校去。我只是從我自己的角度去看他。結果，我以爲他送我去寄宿學校是因爲他不愛我，或不要我了。然而事實卻正好相反，他之所以這麼做是因爲愛我，他認爲這樣對我最好。他失去了我的母親——他的青梅竹馬——他不知道該如何照顧我，以及因爲工作狀況而無法照顧我。」

年輕人想到他自己的生活。有一大堆人曾經令他很生氣，其中兩件事很快地浮現他的腦海：他的老闆，總是不斷地打擊他；還有一個好朋友，跟他借錢，超過一年了都還

沒有還他。年輕人馬上警覺到，他都是以自己而非別人的角度在考慮這些事。

「我可以理解，如果沒有惡意，事情可以很容易地被原諒，可是如果有人惡意中傷你，你爲什麼還要原諒他呢？」年輕人問。

「爲什麼不？」

「因爲有些事就是不可原諒的！」年輕人堅持道。

「我不確定，」傑柯布森醫師說：「拿小孩子的惡作劇來說，他們都是故意的，而且很多都會造成不可原諒的後果，你同意嗎？」

年輕人點點頭。

「可是你知道嗎？百分之九十五的小孩都曾經惡作劇，你現在當然會很痛恨這種行爲，可是，你怎麼確定，如果你也是個小孩，你不會做跟他們同樣的事？」

「這麼說是沒錯，可是要原諒還是很不容易啊！」年輕人說。

「我沒有說容易啊！你沒聽過一個說法嗎：『人都會犯錯，可是只有神能夠寬恕。』但是我們可以試著多從別人的角度來看事情。而如果你無法寬恕，會發生什麼事？到底誰會受罪？誰會得胃潰瘍，又是誰會得血壓高？你自己啊！」

「可是聖經上不是說：『以牙還牙，以眼還眼』嗎？這意思不是說，復仇才能使靈魂安息啊！」年輕人堅持。

「馬太福音第五章也寫說：『要忍受暴力，忍受侮辱』，『把復仇留給神』。如果我們每次都以復仇來尋求解決的話，就會如同聖經所言：『整個世界將全是瞎子和無恥之徒。』報復不能帶來和平，只會帶來無窮盡的冤冤相報，惡性循環。」

「如果你的心裡充滿了恨，如何還有空間再容得下愛和快樂呢？寬恕讓你的靈魂自由，並容許愛和快樂進駐內心深處。」

傑柯布森醫師走向房間的另一頭，那裡有兩張高背椅靠著牆壁。

「就像這兩張椅子，」他說：「一張是愛和快樂，另一張是氣憤，你無法同時坐在兩張椅子上。」

「你可以寬恕，可是你無法忘記。」年輕人辯解道。

「那就不是寬恕。寬恕是必須把所有的痕跡都擦掉，完全清除掉。放手讓氣憤和怨恨離開，就像放掉手中的大石頭一樣。抱著大石頭會讓你過度沈重，放掉它你才能減輕重量，才能得到眞正的自由。孔子也說：『知錯能改，善莫大焉。』」

「世上的每一個宗教都強調寬恕的力量。如果我們都不能原諒彼此，如何期待上帝原諒我們呢？一個無法寬恕別人的人，就像一個過河拆橋的人，因爲他忘了自己遲早也可能需要被寬恕。」

「可是你能寬恕一個人幾次呢？」

「他犯多少次錯就寬恕他多少次。永遠記得，如果你無法寬恕，唯一一個痛苦的人會是你自己，因爲怨恨和氣憤是附著在你身上的，寬恕讓你從痛苦中獲得解放。所以如果你想要快樂，寬恕是唯一之道。你只有在釋放了批判和忿恨之後，才有可能體會快樂和歡愉。當然，在此同時，我相信每個人都必然要爲自己的錯誤付出代價，不管是這一世，或是來生。如果宇宙有律法的話，那就是因與果。」

「你應該聽過：『種什麼因，得什麼果。』我們的所作所爲最後都會回到我們自己身上來。如果你相信這點，就不該抓著怨恨、痛苦或氣憤不放。當然，我不確定宇宙是不是依著這種原則運行，我也可能是錯的，不過我選擇相信，而且我也因此比以前更快樂。」

「不過，你知道什麼人是最難以原諒，和最難以同情的人嗎？」傑柯布森醫師問。

「不知道。」

「你自己！」

「你是什麼意思？我爲什麼要原諒自己？」

「當你做了什麼，或犯什麼錯，你馬上會後悔。可是你知道，大部分的人在大部分的時間都做了他們最好的表現。我們都是人，而人難免都會跌倒或犯錯。當我們做了一些讓自己感到羞恥或困窘的事，我們便會在下次機會中尋求改變。而這樣的反省可以讓

我們更加看清自己。如果我們不愛自己或不尊重自己，我們怎麼能夠快樂起來呢？而如果神都能原諒你，你當然也能原諒自己。有句古老的話說：『智者每天都會跌倒七次，但是他們也七度重新站起來。』」

「我以前都沒有想過這點，」年輕人說：「這些聽起來都有道理，可是我想，這恐怕不容易去做到。不過我一定會試試看的。」

在年輕人上床睡覺之前，他把筆記拿出來又看過一遍。

快樂的第七個祕密——寬恕的力量

寬恕是開啓快樂之門的鎖匙。

如果你帶著恨意和不滿，你就無法快樂。記得，沒有人會承受這些，除了你自己以外。

錯誤和失敗是人生的課程，寬恕自己，寬恕他人。

記得印地安蘇族人的祈禱詞：「喔！偉大的靈魂啊！讓我不要評斷、批評一個人，除非我穿著他的鹿皮鞋兩個禮拜以上。」

祕密八

給與的力量

兩天之後，年輕人坐在運動中心的游泳池觀衆席上，他正等著名單中的第八個人，一個叫做彼得・坦斯渥德的人。觀衆席上空無一人，可是他卻能聽見游泳池內傳來的小孩尖叫嬉水聲。

「嗨！你是上個禮拜和我在電話中談過話的人嗎？」一個穿著運動夾克的人在游泳池畔叫著。

「你是坦斯渥德先生？」

「是的，」穿著運動夾克的人笑著走上階梯。

「再過十分鐘我就可以過來了，課快要結束了。」

「沒問題，」年輕人也叫著回應：「你忙吧！」

眼前的情景再平常不過了，沒有什麼特別的，大約二十來個小孩正在上著游泳課，可是當孩子們爬上游泳池的時候，年輕人注意到有一個小男孩只有一隻手臂，另一個只有一條腿。他再仔細觀察其他的孩子們，發現這些都是身體有缺陷的小孩。

幾分鐘之後，坦斯渥德先生走過來加入年輕人。

「嗨！真高興終於見到你了。」坦斯渥德先生說著，和年輕人熱烈地握手。坦斯渥德先生膚色稍微黝黑，眼神晶亮，看起來好像總是微笑著一般。年輕人簡短地提起他和中國老人相遇的經過，以及之前他所見過的一些人。

「當我遇到那個中國老人的時候，大約五年前，那也是我一生中最大的轉捩點。」坦斯渥德先生說：「那個時候，我擁有一間很成功的電腦公司，營運得很不錯，賺錢是我一生最大的目標，當我三十五歲那年，我已經是個千萬富翁了，可是，我卻很不快樂。」

「為什麼？」年輕人問道。

「你知道有句話說：『一個人如果失去了靈魂，那他的生命還有什麼意義呢？』這正是我當時生活的寫照。當我爬上事業的高峰，同時也失去了那些對我眞正重要的東西：我和太太離婚，身旁沒什麼朋友，每天只是拚命去賺錢，錢多到我根本花不完。」

「記得有一年聖誕節，我因為太過沮喪而為自己買了一個勞力士手錶，想以此讓自己開心一點。它花了我五千英鎊，剛買的時候，我的確很得意，可是不到兩個小時，我

的心情又開始低落了，就跟沒有買這個手錶之前一樣沮喪。現在想起來，我發現當時自己也不知道，爲什麼認爲買一個手錶可以讓自己快樂，那個錶跟其他的錶沒有什麼兩樣，都只是告訴我時間而已。

那天的情形我記得很清楚，是個聖誕夜，街上人滿爲患，我坐在購物中心的休息座椅上，看著各式各樣的人從我面前走過，可是我卻感覺到從來沒有過的孤獨感。我成了一個眞正孤獨寂寞的人。」

「聖誕節可以是一年裡最美妙的日子，也可以是一個最孤寂悲慘的日子。每年都有成千上萬的人活在悲慘中，他們沒有家人或朋友，沒有錢，沒有食物可吃，也無家可歸。對他們來說，聖誕節只是個顯現他們匱乏的日子。那天，我深刻地感覺到人生的悲慘與孤寂可以到達如此程度。但是，接下來的事件卻改變了我的一生。」

「是什麼？」年輕人問。

「一個瘦小的中國老人坐在我身旁。」

年輕人微微地笑了起來。

「他轉過身來對我說：『你知道第一次世界大戰經過了四年的戰爭，士兵們唯一一次放下武器和平地相處，是在一九一四年的聖誕節嗎？』我不知道，也沒有興趣，可是他自顧地繼續說：『英國和德國的士兵在諾曼地爬出他們各自的戰壕，然後向對方祝賀，並分享食物和飲料。』」

坦斯渥德先生停了一下之後，繼續說：「你仔細想想，那眞的很不可思議吧？」年輕人點點頭，「是的，我想是的。」

「中國老人接著說：『人們藉著別人給與、服務我們的過程得到快樂，可是聖誕節卻是一個讓我們發現，給與、服務別人更能獲得快樂的日子。』

「老人的話讓我想到我自己的生活。我以前總認爲得到某樣東西我們才會快樂──得到更多錢，得到好工作，得到更大的房子更棒的車子……。然而事實卻是，我已經擁有了所有的東西，卻仍然無法擁有快樂。」

「我跟中國老人討論了很久，然後，我第一次聽到了有關快樂的十個祕密。透過他，我遇到了一些很棒的人，他們跟我分享了許多祕密，而對我的生活有著很大的幫助。不過其中有一個祕密對我來說特別重要，那就是──給與的力量。

你很難想像，一件你朝思暮想卻難以得到的東西──快樂──卻可以經由給與而如此容易就得到。這是宇宙中最神奇的法則──你給得愈多，所得到的也愈多。這就好像播種一樣，你播的種子愈多，你將會有愈多的收穫。」

「可是你還沒有得到的東西怎麼給出去呢？」年輕人問。

坦斯渥德先生笑了，「這就是最美妙的地方了！」他說：「你就是可以透過給與而

得到。當你給與歡樂，你就會得到歡樂。就像香水一樣。」

「香水？」年輕人不解地問。

「你把它倒在別人身上，自己卻可以聞到香味。拿微笑說吧！當你對別人微笑，通常別人會回過來也對你微笑。就像回力棒，你把它丟出去，它遲早會回到你手上的。」

「我相信你一定有這種經驗吧？當你對別人作出一些沒有特別動機的事，即使是最小的事，譬如爲別人指出方向，或幫助盲人過馬路，或甚至只是記得朋友的生日，或給別人一些眞誠的建議，或表示出你的感激，對別人道謝。」

年輕人點點頭說：「是的，我有過這種經驗。」

「那會讓你心裡感覺不錯吧？不只是因爲別人會對你的幫助表達感謝，更因爲人們對於給與一個人類幫助，會自然生出一種很好的感覺。」

年輕人想起幾年前，有一次他遇到一個在市區迷了路的外國女人，她需要別人告訴她正確的方向。她要找的地址有三英里遠，那時是冬天，而且正下著雪，這女人凍得要命。在那樣恐怖的天氣裡，她實在找不到要去的路。所以他就載她過去。而現在，他回想起來，仍能記得當時他自己的感覺有多麼美好。

「人類的內心深處並不全然是自私的。我們會爲別人做的事可能超出我們自己的想像之外。比如，大部分的父母，都願意犧牲自己的幸福或舒適而讓孩子過得更好。」

「那天我跟中國老人談過之後，獨自穿過購物中心，看到一組救世軍唱詩班正唱著：『這個聖誕節，幫助無家可歸的人吧！』我想都沒有想就走回店裡，把勞力士錶退還給他們，並拿回五千英鎊的支票，當場捐給救世軍唱詩班。結果你知道嗎？我從來沒有看過一個人的臉上充滿了這麼迷人的驚訝與感激，那個收下我支票的女人把錢拿給她的同事們看，瞬間，眼淚從她的臉頰上滑了下來。『這可以幫助多少人啊！』她感激地說：『謝謝你，上帝保佑你！』那一刻我終於體會到中國老人說的，因爲我把支票捐出去，而讓許多人的生活可能有點不一樣，雖然幫助可能很小，可是卻比我一輩子戴著那隻錶還更令我快樂。」

「我記得曾讀到一則故事，有關一個父親要在他兒子還小的時候教導他給與的價值。那是他兒子六歲生日那天，他收到祖母送給他的許多彩色氣球。生日聚會結束後，父親告訴兒子說，他有一個點子，可以利用彩色氣球來製造一點好玩的事——把氣球送出去。不用說，男孩對這個提議沒有什麼興趣，可是父親跟他保證，這樣一定可以很有趣的。最後，男孩同意了。

「他們來到一所破舊的收容所，小男孩走進大廳，把手中的二十個彩色氣球分送給在場的每一個人。突然間，每個人都笑著，興奮地談論著。其中一個老太太已經有三年沒有人來探望她，她被小男孩的舉動感動得流下眼淚。男孩的舉動就如同點亮了屋子裡的燈光一樣，每個人都過來跟他道謝，跟他說他實在太可愛了，然後每個人都笑著爭相要擁抱小男孩。男孩感覺很高興，在回家的路上，他問父親他們什麼時候可以回來再做一次。這是男孩一生都難以忘懷的一課，從那天起，他每天都在找機會付出。」

「這個故事眞不錯。」年輕人說。

「我再告訴你另一個特別感動我的故事，」坦斯渥德先生說：「幾年前，我遇到一個叫做保羅的人，他告訴我他如何在還是大學生的時候學會了給與的力量。保羅在他十八歲生日的時候，從哥哥那裡得到一輛全新的車子，於是他就開到學校去現給同學們看。一個學弟繞著他閃亮的新車看，露出愛慕的表情。『你覺得如何？』保羅問。『太棒了！眞是太棒了！』學弟興奮地說。然後保羅告訴他說這是他哥哥送給他的生日禮物，結果學弟露出十分驚訝的表情，他說：『你哥哥給你的？啊！我希望……』保羅知道這個學弟想說：『我希望我有這種哥哥。』可是出乎意料之外的，這學弟說出了跟保羅所想的完全不同的話來，這讓保羅一輩子都記得。學弟說：『我希望我能當這種哥哥。』」

「保羅深受感動，他讓學弟在午休時間開他的車子去兜風。學弟掩不住興奮地要求是否可以在經過他家門口的時候，稍微停一下。保羅對學弟笑笑，他以爲自己知道這個學弟要做什麼：他要對街坊鄰居和朋友們展示他開著一輛嶄新的車。

十分鐘之後，車子停在學弟的家門口，學弟跑進屋裡，一會兒之後，學弟出來了，推著一個坐在輪椅上的男孩。『哇！』小男孩睜大了眼睛叫著。然後發生了一件事，讓保羅忍不住流下淚來。學弟對他的弟弟說：『山姆，總有一天我要買一輛這種新車送給你！』聽到這句話，保羅說：『嘿！山姆，你要不要跟我們去兜風？』他把這個雙腿萎縮的男孩抱到車子上，然後三個人一起開車去兜風。那天，保羅終於第一次體會到人們所說的：『施比受更有福！』」

「所以你看，」坦斯渥德先生繼續說：「對別人付出，我們相對的也減輕了自己的問題與負擔。對我來說，這就是快樂的最大祕密。你只需要對別人付出，就可以得到快樂和歡樂。」

「這就是爲什麼我總是在尋找可以幫助別人的機會，不只是金錢，也包括我的時間。所以我結束了電腦公司的生意，開始教殘障的小孩游泳。讓這些孩子們的生活有所不同，使我感到非常快樂。我認爲，給予別人幫助，或帶給別人歡樂，是世上最快樂的事了。」

在回家的路上，年輕人把坦斯渥德先生說的話，跟自己的生活聯想在一起。在過去幾年裡，他總是只想著自己的問題，卻從來沒有爲別人想一想。他沒有想到，幫助別人或爲別人付出些什麼，尤其是一些跟他特別親近的人，其實就是在幫助他自己。

當他到家之後，年輕人把今天的筆記做了一點整理。

快樂的第八個祕密——給與的力量

收受、追求和獲得，並不能讓你得到快樂，快樂必須從付出和給與中才能找到。

我們付出愈多的快樂和歡愉，我們得到的就愈多。

每天，我都要找機會幫助別人，爲別人付出些什麼，好讓自己能得到更大的快樂。

祕密九

關係的力量

隔了兩天，年輕人在城裡一家咖啡屋與名單上的第九個人見面。艾德・漢森獨自住在城東一間小公寓裡。他並不是一直獨居的，有一段時間，他和他的妻子以及兩個小孩住在一間有四個房間的雙併式豪宅裡，不過那是很久以前的事了，在他開始酗酒之前。

「我沒什麼好抱怨的，」漢森先生說：「是我自己搞砸的，我只能怪我自己。其實，我很高興有自新的機會，我已經清醒了十年了。」

「到底是怎麼開始的呢？」年輕人問。

「那是很多很多年前，工作的壓力和緊張、擔憂、焦慮，你可以想像得到的。

有一天晚上，我和幾個同事去城裡一家小酒吧裡喝酒，我喝了幾杯，想放鬆一下。結果酒精的作用眞的讓我覺得很輕鬆，所以第二天晚上，我又去了。在我還沒感覺到之

前，我已經是每天下班都要喝掉一整瓶的酒，然後很快地，變成兩瓶、三瓶。沒過多久，大約幾個月吧，我想，我開始連白天也喝了。然後你可以想像，我陷入了片片段段的日子裡，我整天不是瘋瘋癲癲的，就是委靡不振，結果我被解僱了，我太太也帶著孩子離開了我，我沒辦法支付房租和帳單，於是被逐出那間大房子，接下來的日子簡直不堪回首，反正最後我成了無家可歸的人，睡在街頭以行乞維生。」

漢森先生的故事給年輕人不小的震撼。他還沒有碰過以前當過乞丐的人呢！他總以爲無家可歸的流浪漢是懶惰；或無法適應社會；或腦筋有點不正常的人，跟平常人是不太一樣的，可是漢森先生看起來很正常啊！他現在才發現，任何人只要不快樂或無法紓解壓力，都可能輕易地陷入這種悲慘的狀況。

「那你是怎麼重新站起來的？」年輕人問。

「那眞是不容易，我受到了幫助，那時我一直不願意承認我需要幫助，可是我確實是需要的。我感覺自己被困住了，完全無力。我記得一個冬天的晚上，我凍得要命，連喝酒也沒辦法減輕痛苦，我以爲自己就快要死了，我已經三天沒有吃東西了，只能躲在紙箱子裡發抖。我只求能趕快死去，最好是沒有痛苦地死去。」

「之後我記得，有人站在我面前，當時太暗了，我看不清楚是誰，可是他的聲音非常溫暖柔和。他說：『艾德，跟我來，是你該離開這裡的時候了。』然後他伸出手來。

我以爲自己可能已經死了，因爲他一碰到我的時候，我的痛苦馬上消失了。他帶著我在街上走著，幾分鐘之後，我們來到一棟大建築物前面。我轉頭看他，他是個中國老人。他交給我一張紙條，然後說：『拿著，艾德，這就是你的新生活開始的地方。保重！』我看著他給我的紙條，可是當我再度抬起頭時，他已經不見了。」

年輕人已經可以猜得出艾德的救命恩人是誰了，但是他沒有說話，只是等待漢森先生繼續說下去。

「那棟建築物裡面正進行著會議，」漢森先生說：「一個匿名酗酒者聚會。那裡十分溫暖，混合著濃濃的咖啡香味，於是我就待在那裡。我又看了一眼那個老人給我的紙條，上面……」

「上面寫著十個人名和電話？」年輕人接著說。

「對！」漢森先生笑著回答：「可是奇怪的是，名單上的最後一個名字，竟然和會場白板上寫著的名字一模一樣，就是那個演講的人，約翰·麥普倫先生。聚會結束之後，我走到麥普倫先生面前，把紙條拿給他看。他看了之後把手搭在我的肩膀上說：『別擔心，艾德，這裡都是朋友，如果你需要幫助，可以在這裡找到幫助。』如同中國老人所說，那個晚上我又重新活過來了。雖然我的外表又髒又臭，可是他們都把我當朋友看待。生平第一次，人們願意不帶評價或批評地聽我說話。

我開始定期參加這個稱做『AA』的聚會，在那裡，我終於漸漸地清醒了。其間，我又遇到了名單上的其他人，他們開始教我如何學會快樂的祕密。那些祕密對我都有很重大的幫助，但是其中眞正救了我的生活的是『關係的力量』。」

「關係？那是什麼意思？」年輕人不解。

「這是指沒有條件的愛的關係。沒有了關係，生命就是空的。畢竟，生命就是一場宴會，自己一個人總是不太有趣，你說是吧？

人類是社會的創造者，我們需要談話，需要溝通，需要感覺被需要。我們都需要彼此。聖經上也說：『獨自一人不是辦法。』」

「當我回想過去，」漢森先生解釋道：「我發現當我為事業奮鬥的時候，是多麼地忽略了朋友和家人。或許這也就是我第一次開始飲酒的原因。雖然我懂的不多，但是我卻知道，如果沒有這一屋子的陌生人，他們帶著愛和支持，理解並接受我，給我幫助卻不求回饋，我是不可能獨自解決自己的問題的。有時在人生中，你會突然發現自己掉進一個深洞裡，你無法靠自己的力量爬出洞口。這時你會需要別人拉你一把。」

漢森先生停頓了一下。他繼續說：「如果你問我，我學到了什麼生活的課題，我首先會說：『你的關係的品質，就是你生活的品質』。」

「怎麼說呢？」年輕人問道。

「快樂的緣起，首先是從你自己的關係中而來，但是接下來就是從你和別人的友誼及愛的關係中而來。畢竟，獨自一個人做事會有多少樂趣呢？」

「這倒是眞的，」年輕人說：「去年我獨自一人到塞席爾島度假，雖然那兒每件事都很美好，可是總覺得少了什麼。我想那是因爲沒有人可以跟我分享吧！」

「沒錯，」漢森先生說：「跟你所關愛的人在一起，的確會讓美好的經驗更加豐富；而他們也會讓痛苦的時刻更好過一些。你可曾注意過，當你跟別人談論了你的問題之後，通常都會舒服一點？他人可能並沒有給你什麼建議，或有效的幫助，而你的問題也可能還是沒有解決，可是多多少少，你都會覺得好一點。」

年輕人點點頭。他的確有很多這種經驗，當他對朋友說出自己的問題或困難之後，確實覺得好多了。

「可是有時你可能沒有注意到，」漢森先生繼續說：「我們常刻意地把焦慮、擔憂、沮喪或不快樂壓抑在自己內心。如果我們把問題藏在心裡，我們很容易就鑽起牛角尖來，漸漸地，問題就愈來愈糟，而我們自己就會產生嚴重的無力感。中國俗語說：『三個臭皮匠，勝過一個諸葛亮。』這是千眞萬確的，並不是說三個腦袋眞的比一個腦袋管用，而是在分享、訴說問題的過程中，問題就在無形之中紓解開了。」

「關係豐富我們的生活。如果你分享歡樂，你會得到更多的歡樂；而如果你分享問

題，你將會紓解問題。英國詩人拜倫曾經寫道：『所有擁有歡樂的人都將勝利，分享它，快樂將會雙倍地湧現。』」

年輕人覺得這些都很有道理。他就是那種把問題藏在心裡的人。雖然他也有親密的朋友和家人，可是卻很少跟他們討論自己的問題。而事實是，他因此而很難發展出更親密的關係。

「這些都很好，」他說：「我也了解你所說的，可是有些人就是很難去找到關係。」

「如果你發現關係很困難，那麼你會發現生活也很困難。」漢森先生說。

「對！」年輕人同意，「以我來說，我就一直有些孤僻。我總是很難去跟人做朋友或發展親近的關係。」

「你聽過有句話說：『過去並不等於未來』？」

「沒有。」

「這句話的意思就是，昨天發生過的事，並不表示明天也會發生同樣的事；你過去有拓展關係的困難，並不表示你的未來也會有同樣的問題。很可能是你過去用錯了方法，走錯了方向。」

「這是什麼意思？」年輕人問道。

「唔，你爲什麼會喜歡一個人？」漢森先生反問。

「我也不知道，有時候我就是會跟某人一見如故，不過這也不一定。」

「好。讓我們從另一個方向來看。你覺得哪一種人比較容易接近，是雙眼看著你的人，還是眼光迴避你的人？」

「我想是看著我的人吧！」

「好。你在什麼情況會覺得比較自在，是某人跟你用力地握手，還是有人用泥鰍似的手跟你握手？」

「當然是用力握手。」

「這是當然的。你比較喜歡只顧著談他自己的人，還是除了他自己之外，對你的問題也有興趣的人。」

「我喜歡對我也有興趣的人，」年輕人說：「可是這些都很明顯啊！」

「你說對了，」漢森先生說：「這些都很明顯，可是當你第一次跟某人見面，你會意識到這些嗎？你可能很驚訝，因為大部分的人都不會注意到這些。而這些人卻經常覺得奇怪，為什麼自己很難跟人發展出關係。」

年輕人仔細想了想，說：「你是對的。老實說，我不認為自己眞的想過這些。」

「如果我們想維持住朋友，就必須學會接受他人原來的樣子，甚至接受他們的缺點，而不是只注意他們的優點或好處。當他們犯錯時，我們必須願意去原諒，就如同我們也

希望他們原諒我們一樣。」

「是，」年輕人說：「上個禮拜，我就曾跟一個人長談過有關寬恕的力量。」

「寬恕對快樂來說，是很重要的。」漢森先生說：「因爲如果沒有了寬恕，我們最後就會孤獨而終，且非常痛苦。當我們重視自己的關係，我們自然而然會以不同的態度對待別人。而當我們對別人好，別人也會對我們好。」

「可是，我還是覺得關係並不容易，不是嗎？」年輕人說：「任何關係中都有許多問題及摩擦。」

「當然，不過我找到一個技巧，這個技巧對我的所有關係都很有幫助。」

「是什麼技巧？」年輕人問。

「我總是以一種我似乎永遠不會再看到他們的假想去對待別人。你想想看，如果你想像自己永遠不會再看到這些人，你對待你的朋友，家人甚至陌生人的態度將會有多大的不同。」

年輕人搖搖頭說：「我不太明白。」

「你會如何對待你的妻子或女朋友，如果你認爲可能再也看不到他們了？你會沒有親吻或擁抱，就讓他們離開嗎？」

「不會。」

「你會在爭吵還沒有得到和解之前，就對他們說再見嗎？」

「不會。」

「你會讓他們離開，在還沒有告訴他們你有多在乎他們之前嗎？」

「不會。」

「那麼換成是工作上的夥伴或朋友或其他的家人呢？如果你認爲自己再也見不到他們了，你會試著盡可能跟他們好好地相處嗎？你會不會盡量避免在感覺很壞的時候跟他們分手？」

年輕人點點頭。漢森先生的話讓他想了很久。他想到自己最後一次見到母親的時候，那是一個很熱的夏天，母親正要出國去度假，而他則趕著要跟朋友去打網球，他匆忙地在母親臉頰上親一下。他不知道母親就這麼一去不回了，而這是他最後一次跟她道別。他認爲這一切都如此平常，而那一刻卻是他這一生最後悔的時候。他現在終於明白，該如何避免這種事情再度發生在他親愛的人身上。很簡單，如同漢森先生所言，「對待人們如同你不會再見到他們一般」。

「很多人，」漢森先生說：「不重視他們的關係。我重視事業甚於我的家庭，結果，我兩個都失去了。很多人選擇賺錢甚於經營他們的關係。你可能會很驚訝，多少兄弟姊妹、父母孩子因爲金錢而爭吵。他們犧牲了最親密的關係，卻沒有意識到，在此同時，

他們也犧牲掉了自己的快樂。」

這天晚上，年輕人把白天與漢森先生的談話筆記做了一個整理。

快樂的第九個祕密——關係的力量

我們關係的品質，就是我們生活的品質。

沒有人可以忍受隔絕，我們都需要關係。

親密的關係讓快樂的時光更加快樂，而同時讓痛苦的時光更容易度過。因爲分享歡樂，你會得到雙倍的歡樂；分享問題，則幫助你紓解問題。

對待每一個人如同你不會再見到他們一般。

祕密十

信心的力量

年輕人隔了一個禮拜才又有機會見到名單上的最後一個人。這段時間裡，年輕人開始複習並練習一些他學過的東西。他把快樂列爲第一優先，並總試著以正面的態度看待每個困難的情況。他還開始用身體的力量，特別是定期運動以及注意飲食。

他體驗了活在當下的祕密，這對工作尤其有益，他注意到自己更加穩定、成功，也比較少緊張和擔憂了。甚至連他的老闆也注意到年輕人的改變，還曾當面稱許他的努力表現。年輕人每天都重複背誦著他的正面宣言，幫助他自我想像，他發現一早就開始自問五個有力的問題，使他更加有熱誠，更加渴望去面對每天的挑戰。

不只如此，他還運用了搖椅技巧，找出自己的終生目標和短期目標，並且寫下來每天讀個三次，讓自己牢牢地記住。他發現當他有了目標，並努力朝目標前進的時候，自己比以前更有精力和熱情了。

年輕人也開始試著改變自己的態度，盡量發現事物有趣的一面，特別是在壓力大的情況之下。同時，他也注意以最後一次看見人們的態度面對所有的人，他絕不在尚未讓別人知道他的感謝之意以前，讓他們離開，包括他的家人、朋友和工作夥伴。

另一個年輕人幾乎馬上感覺到不同的改變是，當他開始對別人付出關懷和幫助，散播快樂出去的時候，也同時讓自己感到快樂。他還發現當他對別人微笑的時候，自己也感覺很好。他深深地體會到，能夠對別人的生活造成一點小影響，實在是很美妙的感覺。

是的，毫無疑問的，他眞的比以前更加有精力，而且日子從來沒有這麼愉快過。他此刻終於相信，快樂的祕密眞的對他也很有效。

「然後呢？」他想著，「最後一個人可能再教我什麼嗎？」

珍‧韓德森小姐住在城市北邊離市區幾英里之遠的郊區小公寓裡。她是個很漂亮的女人，四十出頭的年紀，嬌小玲瓏的，金色及肩秀髮，碧綠的大眼睛。

「所以你見過中國老人了。」韓德森小姐說。

「是的。他是幾個禮拜前，我的車子故障時出現的。」

「很奇妙是吧？當你最不在意的時候，事情就悄悄地發生了。」韓德森小姐說。

「我也是這麼想。」年輕人說。

「有一個叫做『第十一個小時的原則』，你有沒有聽過？」

「沒有。」年輕人搖搖頭說。

「很簡單，那就像是晚上最黑最冷的時候，都是在天亮之前的黎明，當事情看起來似乎無路可走的時候，通常就會有個戲劇化的轉機，發生一件美好的事，然後讓事情轉好。那個中國老人通常就出現在第十一個小時。」

「我想這倒是眞的。」年輕人同意。

「我遇到中國老人的時候，正好在很不快樂的時候。」韓德森小姐說。

「爲什麼？」年輕人問。

「那時我母親才剛剛去世一個月，我很淸楚地記得，就好像是昨天才發生的事一樣。」

年輕人對自己的問題，導致韓德森小姐說出這樣的往事，覺得十分抱歉。他說：「對不起，我很遺憾。」

「謝謝，不過沒有關係，眞的。我那時才二十一歲，剛剛結束了大學最後一年的考試。我當時很震驚。我的母親，除了是個菸癮極大人之外，身體一向很好。可是她卻突然在一個禮拜天心臟病發，然後就去世了。」

「有一天我正坐在我們公寓的陽台上，想著母親。也不知道過了多久才突然間發現

自己不是一個人的。鄰居的陽台上有個中國老人。我們四目相對，他笑著跟我打招呼，然後我們便開始交談了。很奇怪，我以前從來沒有見過他，可是我們卻像熟識多年一般。」

年輕人想起自己跟中國老人的相遇，也是讓他非常舒服，且在五分鐘之後就熟稔起來了。

「那個老人是那麼的有智慧，有風度，」韓德森小姐說：「他似乎知道我有點不對勁，而且很有趣的地方是，他主動把我們的談話引導到有關死亡的主題上。他解釋說，在他的國家裡，死亡是個值得慶祝的時刻，而不是悲傷的時刻。」

「你所愛的人死了，而且永遠再也見不到了，怎麼會值得慶祝呢？」年輕人困惑地說。

「我也是這麼問他的，」韓德森小姐說：「而中國老人隨即解釋起快樂的黃金定律來。」

「嗯！對！他也有告訴我。」年輕人接著說：「是我們的態度和信念，而非情境，決定我們的感覺。」

「沒錯。」韓德森小姐微笑著：「老人解釋說，在他的國度裡，人們相信，我們是早在出生之前就存在世上的。我們在這個世上的生命就像學校一樣，學完了就自然地畢業了。當人死去時，他們的靈魂還在繼續著他的旅程。很多重要的宗教都相信，身體死

了以後，靈魂還在另外一個時空中繼續活下去，在那裡我們可以再次遇到自己所愛的親人朋友。即使聖經也曾這麼形容死亡，它用『沈睡』來比喻死亡，而有一天我們都會醒過來。」

韓德森小姐指著靠近年輕人身邊牆上的一塊飾版。她說：「我第一次讀到這些字是在一塊有三百年歷史的墓碑上。上面寫著：『有個古老的信仰，在某個莊嚴的湖濱，超越憂傷的領域，親愛的朋友們將會再見。』」

「如果你相信死亡就是結束，完全的分離，那它就會眞的成爲廢墟。但是如果相信分離只是暫時的，靈魂一直都活著，那它就不會眞的結束。」

「可是，即使死亡並非永久的，但任何分離都是悲傷的，不是嗎？」年輕人說。

「是的。即使是短暫的分離也是悲傷的。」韓德森小姐說：「雖然有些東方的信仰認爲死亡是應該喜悅的，因爲他們相信人的靈魂將會回到它眞正的家，那是一個更高層次的學習境界。但是，跟中國老人談話那天，並不只是減輕我的憂傷，而是讓我重新審視自己的信念。」

「在哪一方面？」年輕人問。

「嗯，你可能不相信，可是我曾經是個很憂愁的人，」她說：「你相信嗎？當我才十二歲的時候，我就憂慮著有一天將會死去！我憂慮每一件事，每一件所說過、做過或

即將做的事，以及我做錯或可能做錯的事。而如果我沒有什麼事可以擔心，我又會擔心是不是有什麼事應該擔憂。」

年輕人完全能夠理解這一點。他也是把大部分的時間都拿來擔憂這擔憂那的，包括工作的期限、帳單、健康……，他總認爲一定有什麼不對勁，遲早會出錯。

「坐在那兒跟中國老人談話，」韓德森小姐繼續說：「我擔憂的所有事幾乎都是不重要的。面對一個人的死亡對我來說是最嚴重的，其他的什麼帳單、債務、考試、工作……相對的都不再重要了。中國老人跟我介紹了快樂的祕密，而我可以很誠實的說，那眞的改變了我的一生。」

「那對我是一個啓示，我從來沒想過自己就是讓自己快樂或悲慘的主宰者。

我學會了，譬如說，我的態度和信念的重要性，我身體對情緒的影響力，自我想像的力量，目標和幽默感的必要性，而我也學會了每一天和活在當下的價值。但是，我認爲我最需要去學會的祕密卻是『信心的力量』。」

「信心？」年輕人問道：「信心跟快樂有什麼關係嗎？」

「我們都需要某種程度的信心去活著，去快樂，」韓德森小姐說：「我舉個例子，你開車嗎？」

「開啊！」

「你怎麼知道你的車子是安全的？」

「我才在一個月前送車去檢修。」

「那你怎麼知道引擎運作得很好呢？」

「嗯……我是不太確定啦！可是……」

「所以你必須對引擎有信心。而且，當你開車的時候，你怎麼確定你不會出意外？」

「我開得很小心。」年輕人回道。

「所以，你對自己的開車技術有信心。那很好。可是路上會有其他開車不小心的人，不是嗎？」

「可能。」年輕人承認，「可是我想大多數的人都很小心。」

「所以你也對路上的其他駕駛人有信心。你明白了嗎？爲了要開車，你必須對製造車子的人有信心，你還必須對自己和其他駕駛人的技術有信心。你可以想像，爲了要活下去，如果你不想每天活在恐懼和焦慮之中的話，你必須有多少信心呢！」

「我懂了。」年輕人說。

「然而，有一種信心是我們最需要的，」韓德森小姐說：「那就是對神的信心，一種更高的力量，一種宇宙的力量，反正隨你怎麼稱呼都可以。」

「你的意思該不是說，我們必須對神有信心才會快樂吧？」年輕人問道。

「我不是說如果沒有對神的信心，就無法快樂。而是沒有了這種信心，你就很難找到持久的快樂。就好像有兩個人在蓋他們自己的房子，一個用石頭蓋房子；另一個用沙蓋房子。當天氣好的時候，他們都很快樂，可是一旦暴風雨來臨，那個用沙蓋成的房子就遭殃了。信心就像是蓋成快樂之屋的石頭，它可以抵抗任何摧殘，並讓擁有它的人擁有希望和勇氣。」

「威廉•詹姆斯曾寫道：『信心是人們生活的力量之一，沒有了信心，就表示崩潰。』而甘地也說：『沒有信心，我恐怕早就變成了瘋子了。』沒有了更高力量的信心，生命就會陷入猶豫、憂愁、焦慮及恐懼。心理研究也指出，人們擁有強烈的宗教信心，會比較能夠忍受壓力和沮喪等失調狀況，也更能應付失落。事實上，你看這個，」她說著從書架上取出一本書，是由卡洛•傑恩博士所寫的《尋找靈魂的現代人》，她說：「你聽傑恩博士寫的：『在我所有步入人生第二階段的病人，也就是三十五歲以上，沒有人的問題不在尋找他們生命中的最終信仰。這也就是說，這些人之所以感到奄奄一息，是因爲他們失去了生命的信仰，而當他們尚未找到信仰之前，他們是無法眞正康復的。』」

「我了解你所說的，」年輕人說：「可是，我不確定自己相信神眞正存在。」

韓德森小姐想了一下，說道：「如果我告訴你說，海盜二號太空船是在幾百萬年前，由金屬、塑膠和好幾種化學合成物所結合完成的，你一定會說我瘋了，對不對？」

「那當然！」

「那是因爲你看到海盜二號是被現代人所設計出來的，所以你確定它一定是有設計者的，是吧？」

「是的。」年輕人肯定地說。

「當你研究人體的時候，你會發現人體的設計比海盜二號還更加複雜，」韓德森小姐解釋道：「舉例來說，哥倫比亞太空梭是由五百二十萬個部分所組成的；然而光是人體的眼部，就有超過一億個部分。科學家只能驚嘆人體的功能，而以目前的科技來說，我們恐怕需要一個像帝國大廈那麼大的電腦，才能以此跟人類的頭腦相比。我們看見超自然的不可思議的設計與精確度。」

「可是如果有上帝或神的存在的話，」年輕人堅持，「爲什麼世上還會有那麼多的不幸？」

「你說幾個禮拜以前，你很不快樂，」韓德森小姐說：「爲什麼是那時不快樂，而不是現在呢？」

「因爲我已經學會了快樂的祕密。」年輕人說。

「那如果你有創造自己快樂的力量，那誰有創造別人快樂的力量呢？」

「所以你的意思是說，我們每個人都有創造自我快樂的責任。」

「當然！所以如果我們不快樂，那是從我們自己的思想和行爲而來的。對我來說，快樂的祕密最棒的一課是：只有一個人可以讓你快樂或不快樂，而那個人就是你自己。」

年輕人點頭同意，「是的，我相信這是眞的。」

「最後，」韓德森小姐解釋說：「信心是我們每個人都必須從自我去尋找的東西。但是我堅貞地相信，如果你要尋找眞理，你就會找到它。而有時候當我們感到非常疑惑失落的時候，某件觸動我們靈魂的事情就會發生——一個小奇蹟——如果你要的話。」

「譬如說……」年輕人試探地問。

「譬如一個和中國老人相遇的奇蹟！」

這天晚上，在上床之前，年輕人反覆地讀著今天的筆記。

快樂的第十個祕密——信心的力量

信心是快樂的基石。

沒有信心，就沒有永恆的快樂。

信心創造眞理，引領心靈走向平和，釋放靈魂的疑慮、擔憂、焦慮和恐懼。

尾聲

他在進入車子之前，讓幾滴雨水滴在額頭上，幾分鐘以後，暴雨就來了。雷電交加帶來的豪雨重重地打在擋風玻璃上。他的思緒被拉回到某個夜晚，大約一年前，他在那個晚上遇見了中國老人。他淸楚地記得自己當時是多麼地悲慘，然後他笑了，他看到那個暴風雨的晚上，自己在風雨中走回車子，卻還不知道他將遇到一個神奇的人，那個人改變了他的生命。

自從那次相遇之後，年輕人的生命大大地改變了。他更有精力，更有熱情，也更加快樂。他身邊的人也都注意到了，他的眼睛充滿著光彩，脚步輕盈，而微笑更是經常浮現在他的臉龐。雖然他還是做著原來的工作，住在原來的公寓裡，開著當初那輛車子，有著原來那批朋友。只有一件事改變了……那就是他自己！

人們常常問他，爲什麼他總是這麼高興的樣子。這時，他總會說出那個和中國老人相遇的故事，和他學到的快樂的祕密。跟別人分享他所學到的東西讓他感覺很快樂，因爲他知道，這將改變他們的生命，如同他的經驗一樣。很多人打電話給他，謝謝他讓他

們的生活有所不同。此外，他們還建議他把這些寫成書出版……。

突然，一聲巨響之後，他車子的引擎蓋冒出白煙。年輕人把車子緩慢駛向路肩，然後走了兩英里半的路程去打電話給故障服務中心。

當他走回車子，等待修車技工的來到，他忍不住又笑了起來。他變得很興奮，希望會看到那個中國老人彎著腰檢視他的車，如同一年前的情景。他要謝謝中國老人，並讓他知道快樂的祕密改變了他的生命。可是事與願違，中國老人不在那兒。

年輕人走到駕駛座那邊的車門，正當要拿鎖匙開門的時候，他注意到地上有個黃色的東西。他彎腰拾起它。

「你能相信嗎？」年輕人對自己喊道。他的手上是一頂黃色的棒球帽！當他坐進車子裡等待修車人員的時候，突然冒出一個想法。他拿起筆，打開筆記本，開始寫：「那是在一個又濕又冷的十月的晚上……」

健康的祕密

Secret of Health

序幕

未來的醫生將不需要對患者使用藥物，而是以人性化的關懷、食物控制、預防疾病的措施來取代。

湯瑪士・愛迪生（Thomas Edison）

我們都渴望擁有健康，但是爲什麼很少人能達成心願？爲什麼過去這麼多年來，隨著現代醫學愈來愈發達、藥物銷售量大增、營養食品愈來愈多樣化，但心臟病與癌症等疾病卻愈來愈盛行？我們是不是在以錯誤的方式尋求健康呢？

我相信我們得對自己、下一代的健康負責，同時我們不僅有力量去創造健康，更可以創造出豐富的健康生活。豐富的健康生活並不表示說不怕任何的疾病——有許多人並沒有顯見的疾病徵候，卻持續的感到疲倦或虛弱——而是一種具有充沛精力、並且讓我們能完全舒展身心的豐足狀態。這本書中的許多案例都是經由眞人實事發展出來的（只有中國老人是我所遇過的許多有智慧的老先生女士所綜合而成的）。當然了，他們的名

字都已經做了更動；而且也在各個章節中順利的治癒了他們的疾病。我希望這些故事能激勵您開始採取行動，去創造並經歷生命中豐富的健康生活。

亞當・傑克森

一九九五年三月

病人

當他離開醫師的診療室時，臉色是慘白的。他顫抖著手關上身後的門，眼睛腫脹、神情呆滯地望著自己的脚步。當他走下走道，來到這所大學醫院的掛號處時，他茫然了。突然，他感到一陣虛弱，房子開始旋轉起來，而他所能做的只是抓住最近的一張椅子，把自己拖過去坐下來。

雨點狂亂地打在入口旁的大窗子上，一個苦澀的問題不停地撞擊著他，這是一個當每個人面對這種危機時，都會問的問題：「爲什麼是我？」

他只注意到現在身上的苦痛，卻沒意識到毛病是肇因於過去的問題：這樣做，對於問題的解答當然一點幫助也沒有。所有的疑惑只帶來更多的煎熬與苦悶，最後他再也忍不住地自內心流下了淚水。

一切都發生得這麼快，幾乎就在一夜之間。他才剛在學院的第一年安定下來，而且以高分通過了所有的考試，大家都認爲他將有一個美好的未來。但是現在，人的一生中最重要的事卻讓他跌落谷底——健康。

健康應該是一個人最珍貴的財產，但人們卻總是把它視爲理所當然而忽略。許多人照顧他們的車子遠比照顧自己的身體來得細心，這個年輕人也不例外。

但是健康是永遠忽視不得的。這天遲早都會到來，我們會像這個年輕人一樣被迫去正視這個問題。他現在所能聽到的就是醫生說的最後幾個字：「我很抱歉，我沒辦法做什麼……這是沒救的。」

他的生活突然全亂了，永遠不再像從前了。

在大廳的角落裡，這個年輕人把頭放在兩手中間，帶著絕望、恐懼及孤獨，他做出了一件他從童年起就不曾再做過的事——祈禱。但這不是一般的禱告，這是一個來自他內心深處的聲音：「喔！天父！請幫助我，請指引我出路。」

祈禱帶來神祕的力量，一種難以捉摸的力量把靈魂和更高的精力連結在一起，這股力量如果引導正確的話，能夠克服任何的困難，治療所有的疾病。在心智和靈魂上對神的溝通會帶來平靜，一種可以超越所有痛苦的平靜，並且，如果祈禱誠摯而意志堅定的話，奇蹟就發生了——祈禱有了回應。

相遇

「你遇到什麼麻煩了嗎？我可以幫你什麼？」

年輕人轉身，發現一個中國老人站在他身旁。他是個矮小、謙遜的長者，有著深棕色的眼眸，頭頂光禿，只剩兩道雪白的鬢髮。「我會沒事的，謝謝你。」他低聲說。

老人還是坐下。「你知道，」他說：「在我的國度裡，我們相信任何問題都同時帶來一個禮物。」

「我的問題裡沒有禮物。」年輕人喃喃說著。

「嗯！我跟你保證一定有。」老人說道：「有時候它不容易被看見，不過一定有，即使在生病中。」

年輕人相當震驚。這個老人是什麼意思呢？爲什麼他會說到「生病」這字眼呢？他不記得自己曾經遇見過他，可是他卻有種熟悉的感覺。不是他的臉孔，他不會忘記這張臉孔的。那是一個仁慈、溫文的臉，眼神溫暖。可能是他聲音，可是他肯定自己必然不會忘記這種柔軟的東方口音。不！他眞的不知道，可是這中國老人的確讓他覺得似曾相識。他只能猜測這個老人可能是正在休假中的外籍老師。

「生病可能帶來什麼『禮物』？」年輕人虛弱地說。

「痛苦經常爲未來帶來更大的喜悅。就像黑夜帶來黎明，生產的痛苦則誕生自然界最偉大的奇蹟。這就是透過病痛，我們所得到的健康的禮物。」

年輕人迷惑了，他想：「病痛怎麼能製造出健康？」他還沒來得及問出口，老人又說了：「病痛只是身體治療它自己的一種方式。傷風或發燒只是一個徵兆，表示你的身體正跟入侵的病菌戰鬥。當你覺得肚子痛，那是身體在告訴你，你吃下了不對的東西。甚至當你背痛，通常也是身體在告訴你，你的肌肉太緊繃，它需要休息了。」

「你瞧，生病、痛楚、疾病是我們眞正的朋友呢：它們是上天派來的信差，當事情不對勁時，它們是來通知我們的。疼痛是一個向我們求救的聲音。」

「喔！那是個我聽到了也無能爲力的『聲音』。」年輕人突然插話。

「喔，是嗎？」老人問道：「想看看，如果你無法感覺到任何痛楚，你的生命會是什麼樣子？你怎麼死的自己都還不知道。你可能有一天坐在爐火旁，然後低頭發現手臂已經被燒壞了，這就是因爲你聽不到那痛楚的聲音，在告訴你把手臂移開。」

「大多數人都跟你一樣，認爲痛楚是他們最糟的敵人，而想要殺死它，或以藥物來使它閉嘴。然而，光是殺死痛苦並不能解決問題，如果導致疾病的原因沒有被解除，疾

病只會愈來愈糟。最後，就需要愈來愈強的藥物來解決痛苦，而那些藥物通常會帶來更多問題。」

年輕人想著自己的經驗，的確當他開始使用醫師開給他的處方之後，徵兆卻愈來愈多。

「如果這個疾病是沒有辦法治療的呢？」年輕人進一步問道。「很少疾病是無法治療的，」老人說：「可是卻有很多無法治療的病人。他們是一些不能或願意讓自己被治癒的人。」。

「可是，不是每個人都希望健康嗎？」年輕人辯解。

「在他們的意識裡，可能是這樣沒錯：可是在他們的潛意識中，有時候卻不是如此。如果每個人都希望健康，他們會去做那些不健康的事情嗎？他們不知道抽菸、喝太多酒和吃垃圾食物會毀壞他們的健康嗎？」

「我懂你的說法。」年輕人說。

「當這些人生病時，他們拒絕改變生活型態，反而緊抓著那些殘害健康的習慣不放，直到傷害已無法挽回。你知道嗎？這些人從他們剛開始生病時就已經無法治療了。不是病痛本身無法治療，而是他們讓自己沒救了。這些人對於建立健康的身體沒興趣，只是一味的避免痛苦和疾病。」

「可是，身體的狀況卻比這要複雜多了。」年輕人辯稱。

「不盡然。事實上很簡單，你想人們第一次生病是什麼原因？」老人問。

「我不知道。這種事就是這麼發生了，不是嗎？這是我的醫生說的。我想這是命運或運氣不好吧！」

「眞的嗎？你不認爲應該有個原因，才會造成病痛的嗎？」

「我不確定。」年輕人聳聳肩。

老人看著年輕人說：「你能想像自然界有什麼事，是沒有任何原因就發生了？看看外面的雨，它是碰巧掉下來的嗎？是雲的形成造成的嗎？」

老人繼續說：「自然界是有定律的。水要到一百度才會沸騰，不是九十九度，也不是一百零一度，而正巧就是一百度。相同的道理，水在剛好零度C才會結冰。」

老人從口袋中掏出一枚硬幣，說道：「如果我放手，這個硬幣會發生什麼？」

「會掉在地上。」年輕人說。

「爲什麼落到地上？是碰巧還是運氣？」

「不！當然不是。它是因爲比空氣重才會掉下去，這是萬有引力原理。」年輕人說。

「完全正確。」老人說：「萬有引力是自然界許多法則的其中之一。所以你可以知道，宇宙間沒有什麼是碰巧發生的。健康和疾病也不是運氣那碼子事。相反的，健康是活在和諧的自然法則下的指標；而疾病則是活在違反自然法則下所導致的。一個抽菸的人會有健康的肺嗎？」

「當然不會有。」年輕人回答。

「一個吃垃圾食物的人，他會吸收到營養嗎？」

「喔。我懂你的意思了。」年輕人說：「可是，那細菌和病毒呢？它們導致疾病，卻跟我們的生活有什麼關係呢？」

「它們是見風轉舵的，」老人解釋著：「只有在不健康的環境中才會累積。你想在家中得到它們嗎？有一個方法，就是不要清理房子。如果你保持房子乾淨清潔，病毒就不會被引來，因爲它們沒有東西可吃。」

「可是我們有時候還是會接觸到細菌。」年輕人說。

「細菌本身不至於會造成疾病。如果說病毒靠我們居家環境的髒亂而累積的話，那麼，細菌就是靠我們體內的骯髒環境爲生。而病毒無法在乾淨的環境中生存，因爲無以爲生，同樣的，細菌也無法在健康的血液中存活。」

「人們把太多心思放在病菌身上，反而忽略了引來病菌的環境。不管他們怎麼努力，只有消除病菌賴以存活的東西，我們才有可能遠離病菌。」

「這就是爲什麼健康可以被創造出來，而只有健康地生活著，才能擺脫疾病。想要健康和被治癒，必須從改變一個人的生活型態開始，使其能符合自然法則。」

「聽起來是有點道理，不過是不是想得太簡單了。」年輕人說。老人微笑著說：「因爲這本來就很簡單。因爲太簡單了，所以反而許多人都很難了解。這是自然界固定不變的規則，遵循它，就創造了健康，同時也可以確信的，如果踰越了它，你就製造了疾病。」

年輕人可以明白老人的一套觀點，可是他不確定這討論的邏輯到底立足於何處。

「讓我解釋給你聽。」老人說：「所有的疾病都是身體內產生不舒服的感覺，對嗎？」

「是的。」

「所有的『不舒服』都是有原因的，對吧？」

「我想是的。」

「如果要根絕『不舒服』，而創造『舒服』，就必須把導致不舒服的原因除去，是吧？」

年輕人點頭同意。

老人繼續說：「你看一下那邊那位先生，」老人說著指向坐在另一排椅子邊緣的男子，說道：「他從十年前開始，每個禮拜都要承受偏頭痛的痛苦，他的偏頭痛事實上起因於他的飲食習慣。他吃很多巧克力、起司和肉類，而且每天都要喝好幾大杯的酒。他

可以藉著改變飲食習慣，而擺脫偏頭痛的導因。可是，相反的，他選擇以藥物來壓抑疼痛。」

「大約一年之後，他需要效力更強的藥物，可是這種新的藥物卻有使血壓上升的副作用，所以他又用了更多的藥，來控制高血壓。今天，他得了動脈硬化，這個病不但危害他的心臟，更完全改變了他的生活品質。他必須每天服藥，他的心臟太虛弱，以致無法跑步，甚至走得太快也不行。他要求動手術裝一個電子心臟定調器，來強化他的心臟。」

「到頭來，他還是受偏頭痛之苦，而且更頻繁。他如今的狀況是被自己製造出來的，因爲他選擇把當初的疼痛壓制下來，而不是眞正把問題的導因解決掉。」

「你看，眞正的治療並不來自於膠囊或藥水。藥瓶子或醫生的手術刀中，並不能找到健康。當然，我並不是否定全部的醫療和手術方法——在緊急的情況中，它們可以救人一命——但它們本身並不能創造健康。身體以外的任何東西都不能治療或創造健康。」

「可是，如果醫學不能創造健康，那什麼可以？」年輕人問。

「好，想像一下，」老人說：「你正把一個釘子往牆上釘，然後，你一個不小心沒敲到釘子，卻敲到拇指了。它會復原嗎？」「當然會。」年輕人說。

「沒有任何膠囊或藥膏，它也會復原。對吧？」

年輕人點點頭。

「爲什麼？」老人反問。

「就是會自己好啊！」年輕人說。

「對啦！你看，『就是會自己好』，因爲你的身體內有治療的力量，而這可以治癒任何疾病。」老人說：「可是如果第二天，你又敲到拇指了，第三天還是敲到它，之後每天你都敲到它，會發生什麼事呢？不停地敲到它，它會好嗎？」

「如果我一直傷到它，當然不會囉！」

「當然，因爲你沒有把痛楚的導因消除掉，而你的身體自癒力量在沒有擺脫問題的原因之前，它是無法工作的。然而，一旦你停止敲打拇指，它就會開始治療自己，因爲你的體內有非常完美的治療力量存在。」

「自然界的萬事萬物都是因循著同樣的道理。樹木被砍掉枝椏，樹汁流出來，然後它會修復自己。每個人都被自身的自癒力量所保護著，在適當的情況下，身體能夠治癒自己的所有疾病，只要我們處在正確的法則之下。」

「長久以來，許多人生活在糟糕的習慣中，爲自己製造愈來愈多的問題，這就好比我們每天都用榔頭敲擊著自己的身體。要消除身上的疾病，我們首先必須停止敲打的行爲。把導致疾病的原因排除了，也就等於排除了疾病。」

「我的朋友啊！在這個世界上，要想收割得先播種，這是因果法則。你必須相信自

己能夠掌控自己的命運，永遠不要懷疑。健康或生病完全任由你自己創造，了解到這一點，你就走上健康之路的第一步，然後你也擁有了改變現況的力量。」

「每個人不只有治療自己的能力，更能夠創造源源不斷的健康……只要改變你的生活型態。你要做的只是了解到自然的法則，並且有你將爲自己的身體狀況負責的信念。沒有其他人可以爲你的健康負責，包括醫生、父母、老師、心理醫生等。當你接受這種責任的時候，就是你開始戰勝疾病的時刻，也就是你開始創造出源源不斷的健康時刻了。」

年輕人至此完全明白了。他從來沒想到他的健康是被他自己所創造或毀滅的，因此，他也從來不曾學習，讓身體需要處在完全健康的狀態。

年輕人再次看著老人，他第一次這麼仔細看他，發現他並不是一位普通的老人。他想著，老人應該是老態、虛弱的，應該是容易生病的樣子，可是這個特別的老人挺拔而強壯。事實上，就他的年紀來說，他的外貌算是相當引人注意的。他的皮膚富有彈性，眼睛閃閃發亮，年輕人幾乎很少看到這麼精神奕奕的人，更別說是這種年齡的老人了。如果他是如自己所說的方法的方式保持健康，那麼，他所言或許眞有幾分眞實性在。

「記得，」老人說：「我們都有戰勝病魔，以及創造源源不斷的健康的能力。健康就是精力、力量，是生活的趣味，生命的喜悅。」

「你要做的只是生活在和諧的自然定律之內，宇宙間的每件事都掌握在精確的法則手中，包括你的健康。這些法則包含了許多祕密，可以讓你戰勝所有疾病，並在生活中創造永久的健康。」

「那是什麼祕密？」年輕人問。

「是健康的祕密。」老人說著，在一張紙上寫下十個人名和他們的電話號碼。「跟這些人一一聯繫，他們會教你一些你想學習的東西，他們都學會了，並且掌握住源源不斷的健康的祕密。」

「可是記得，在健康和疾病這些事情中，沒有比這更簡單，卻也更重要的事，那就是『每個徵兆都有一個治療的方法，如同每個問題一定有解決之道。』」

「聖經裡就說過，『那些提出要求的，就會被給予：門必然會爲那些敲門者而開，而那些去尋找的人，必會找到。』因此，全心全意地去尋找你的健康，你必定會找到它。」

說完，老人把紙條交給年輕人。年輕人仔細看了紙條一眼，可是當他再度抬起頭來時，身旁的座位已經空了，老人走了，跟他出現時一樣迅速。

年輕人還有許多問題想問。他到教務處去尋問這個新來的中國老師是誰，以及哪裡可以再找到他。

「你說的是誰？」教務人員問道：「我們沒有新來的中國老師啊，也沒有新的日本

或台灣老師。」

「你確定嗎？」年輕人不願放棄。

「當然，我很確定。事實上，我們唯一的東方教師是數學系的張女士，而她已經在這裡教了五年了。」

年輕人完全迷糊了。到底這個中國老人是誰呢？他從何處來？更重要的是，這老人說的有可能是對的嗎？健康法則眞的存在嗎？一切都發生得太快，就像個夢一樣，這老人可會是他自己想像虛構出來的？可是他又低頭，他確定這個老人是眞的，這場談話絕不是夢，因爲證據就在他手上——老人臨走交給他的紙條。

祕密一

意念的力量

紙條上的第一個人，是個叫做凱倫・莎爾斯頓的女人。

他沒有浪費一點時間，回到家後的第一分鐘就打電話給她。他把今天的故事跟她解釋，她聽了之後馬上顯得很熱心地想跟他見一面。於是，他們同意在第二天下午三點鐘相見。

第二天整個早上，年輕人無法克制地一直想像這第一次的會面將會帶來什麼。下午三點，他準時坐在第一位老師的面前。莎爾斯頓太太是個結了婚，有兩個小孩的女人，同時，她也是個臨床心理學家。年輕人想不透心理學跟他的健康有什麼關係，至少，到目前爲止，他知道自己並沒有心理方面的困擾。

「所以你想學習有關健康的法則是嗎？」莎爾斯頓太太問年輕人。

「眞的有健康法則嗎？」年輕人問。

「當然囉！」莎爾斯頓太太回答：「跟自然法則一樣是眞實存在的。健康法則從人類存在開始就已經有了，當我們了解了這些法則，並且知道它是如何運行的，我們便能夠超越任何疾病，而創造出所有人都夢想的健康境界。

創造健康有許多層面，但是其中有一項是我特別重視的，同時，這一項也是對我的人生有最重大影響的，那就是『意念的力量』。人們常常錯以爲心裡的意念只會影響我們的情緒和精神健康，然而事實卻是，意念是健康的發源地，包括精神和身體的。而所有的疾病當然也是源自於意念。」

「意念爲什麼這麼重要呢？」年輕人問道。

「因爲你的意念控制著你的身體。你每天都可以看到意念的力量，人們困窘的時候，臉會發紅；當他們驚嚇的時候，臉色會發白；而當人們緊張的時候，手心會潮濕、膝蓋會發抖。這些都是心理影響身體的實際例子。」

「我做個實驗給你看。」她說：「現在，閉起你的眼睛，試著去想像一個檸檬。」

年輕人坐在他的椅子上，依言閉上了雙眼，「好，我看到檸檬了，」他說。

「現在，想像你咬下一口檸檬。」

年輕人的臉苦澀地扭曲，他可以感覺到牙齒一陣酸楚，彷彿他眞的咬到了檸檬。

「你看到你的意念有多強了吧。」莎爾斯頓太太說：

「你只不過想像一個檸檬，而你身體的反應卻好像那是眞的。這就是意念的力量。你的意念控制你的思想，而你的思想控制身體的每一部分。剛剛的實驗是，讓你意念的力量去使嘴裡分泌唾液；同樣的方法，我們可以用在免疫系統，讓它製造出更多的白血球；我們也可以用同樣的力量去減輕疼痛，甚至幫助我們治療許多疾病，包括癌症在內。」

「當我第一次學習的時候，我看起來跟你一樣迷惑。」

她說：「可是相信我，我的意念力量使我救回了我的生命。十年前，我的腦袋裡長了個惡性腫瘤，我的醫生告訴我說，這個腫瘤連動手術都很危險，沒有辦法可以治療它，而我被宣告活不過一年。你可以想像，我完全被擊敗了，而且我眞的想著我就要死去了。可是你可以看到，我還活著。」

「怎麼回事呢？」年輕人迫不及待地問。

「我遇到一個人，他幫助我救回了我的生命。一個矮小的中國老人！」

年輕人感覺一陣興奮爬上脊椎。當他想到自己的反應，他馬上明白，這正是另一個意念影響身體的例子。

「我在市立圖書館碰到他，」莎爾斯頓太太繼續說：

「那時，我在工具書部門當一個助理圖書館員，有一天他走進來，問一本關於視覺創造力和一本意念治療力量的書。」

「我們沒有進這些書，所以我必須去訂。通常書籍的訂單需要一個禮拜才會送到，可是這兩本書卻在第二天早上就送到我桌上了。書名讓我覺得好奇，所以就自己先看了。其中一本書的作者是名醫生，主要內容是說，靠著意念的力量可以治癒最嚴重的病症。裡面記錄了許多個案，包括從癌症腫瘤中存活下來的病人，而他們只是單純地以意念力量就戰勝了癌症。這似乎不可思議，所以我決定依照上面所建議的技巧自己試試看。」

「你怎麼做呢？」年輕人問，急切地想知道答案。

「首先，我做了所謂的『視覺創造力』，這是一種技巧，就是在心裡創造出治療的意象。我試著想像出我腦袋裡的腫瘤，然後想像它正被小鯊魚吃掉。每天早上和晚上，我會舒服地躺下或坐在椅子上十五分鐘，然後想像腫瘤被吃掉的畫面。而每次這麼做了之後，我真的感覺好多了，強壯多了。」

「真的?!」年輕人說。

「真的。你可以自己試試看。我們何不現在就在這裡做一次。閉起你的眼睛，深呼吸幾次……很好……現在，在心裡看見你身體的問題……好，想像它正被殺死。你可以用任何你想用的方式，槍、太空人、牛仔或印地安人等等，隨你的幻想去發揮。你甚至可以想像你的問題像太陽底下的冰塊，正被融化掉。你怎麼想都沒有關係，重要的是想像你的身體正被治療中。」

年輕人想像一艘超級太空梭，在他的身體裡射殺目標，然後想像自己看起來、感覺起來已經更健康而強壯了。

幾分鐘之後，莎爾斯頓太太要他停止。

「你現在覺得怎麼樣？」她問。

「妳相信嗎？」他驚叫：「我非常放鬆，然後感覺到自己彷彿眞的比以前的精力更旺盛了。」

「很好。這就是你會得到的感覺。現在想像如果你持續做久一點，譬如十五到二十分鐘，每天兩次或三次，你會有什麼感覺？」

「我懂妳的意思了。」年輕人說。

「另外有一個很重要的技巧，我經常把它利用在我的意念的力量當中，稱做『治療宣言』。」莎爾斯頓太太說。

「對不起，我沒聽懂，什麼是『治療宣言』？」年輕人問道。

「『宣言』只是一個說法，你選擇它來對你自己宣告。也就是說，你對自己一遍又一遍地重複說，不管是大聲念出來，或在心裡說都可以，不過大聲地說更有效。」

「這樣有效嗎？」年輕人問。

「當你一直重複某件事，久了之後它就會印在你的心中，想忘掉都沒辦法。舉例來說，如果我告訴你不要想著一隻粉紅色的大象，穿著紫色和白色的圓點短裙，你的腦袋裡有什麼畫面？」

年輕人卻不自覺地在腦中出現一個畫面，正是一隻粉紅色的大象穿著紫白色圓點短裙。

「我知道你的意思了。」年輕人說：「我不是刻意想著，而是當我把『治療宣言』一遍一遍地重複告訴自己之後，我的腦子就無法避免地自然把焦點放在治療和健康上。」

「完全正確！」莎爾斯頓太太說：「治療宣言是一個簡單的正面說詞，每天持續地重複念著，讓它印記在你的心裡。雖然一開始你可能不相信這個說法，可是它卻會變成你潛意識的一部分，而當它深藏在你的潛意識中，它就會變成你身體的一部分。因此，宣言重複得愈多遍，影響力就愈大，實現得也愈快。

「治療宣言的價值首先在上個世紀，被艾彌耳・庫耶博士所發現。他會要求他的病人盡可能地經常重複——早晨、中午和晚上，盡可能無時無地不想著——一個很簡單但是很有效的宣告『每天，在各方面，我都會愈來愈好。』

「而你知道嗎？大多數遵循著他指示的病人，的確變得更好了。」

「所以，妳用視覺創造力，和治療宣言克服了妳的疾病？」年輕人問。

「是，我還做了其他的努力。我完全改變了我的生活型態，我改變飲食習慣，經常運動，還做深呼吸練習，我還甚至學習笑，和把生活看得不那麼嚴肅，這些都幫助了我。我確信你將會從比我更合適的人身上學到這些，但是我可以跟你確定，在我復原的過程中扮演最重要角色的是『意念的力量』。我眞的對它的影響印象深刻，一年之後，當我完全恢復，而腫瘤也不見了，我回到學校研讀心理學，去學習更多這方面的知識，好讓我可以幫助其他人。

如果說我學會了什麼，我會說：『健康和疾病的根基在於意念。』意念眞的是一股非常強大的力量，可以引導我們的行爲和態度，並且掌控你身體裡的每一個器官、每一個細胞。我給你看樣東西。」她把一卷帶子放進錄放影機裡，然後按下按鈕。她說：「你將看到我親眼的見證，我實際做了一些記錄。」

螢幕上出現的影片的確難以相信。它從一些人開始，許多不同的人，他們光著脚走過發紅的熱炭球，年輕人在影片中認出莎爾斯頓太太本人，她正走過熱炭球。

「這叫做『逾火經驗』，超過一百個人，赤脚走過燃燒著的煤炭，溫度高達攝氏一千度，然而，沒有人感覺到任何疼痛，也沒有人因此燙出任何一個水泡。」

「這不可能！」年輕人大叫。

「相信我，這世界上很少不可能的事。」她微笑著說。

「可是……這些人是怎麼做到的？」

「意念的力量！」

影片繼續播出另一個畫面，這次是一個孕婦躺在醫院的病床上，身旁有個男人正跟她說著話，一會兒之後，孕婦就顯得非常的平靜。然後，一群戴著手術面罩的人魚貫進入病房。

「那是在幹什麼？」年輕人問。

「那個女人正準備接受『凱撒式生產』。」

「這有什麼特別的嗎？」

「那是不用麻醉劑，也不使用任何止痛藥的，只靠她自己的意念控制疼痛。她已經被催眠了，還完全知道所有事情的進行，但她不會感覺疼痛。」

一個醫生用手術刀切開她的腹部，傷口有鮮血流出，幾分鐘之後，另一個醫生小心地將嬰兒拖出來，他們把臍帶打結、剪斷，然後當嬰兒吸進第一口氣時，他震天價響地大哭起來。而這母親還在催眠狀態，在控制中仍完全清醒，沒有任何疼痛或不舒服。

「這眞是太不可思議了！」年輕人看得目瞪口呆。

「看下去，還有。」

接下來的片段出現一個皮膚上布滿潰爛傷口的小女孩。

「這個女孩是濕疹的一個很特別的案例，她用了所有的藥物、藥膏，甚至抗生素，可是完全沒有幫助。然而，經過六個禮拜密集的心理催眠治療之後，她的皮膚完全恢復了。」

這時，影片拍出同一個小女孩，六個月之後，皮膚變得光滑而乾淨。

莎爾斯頓太太按下按鈕停止了影片。

「我想你應該開始抓到重點了吧。你可以看到意念控制身體的程度。」她說：「聖經上說：『一個人，就是他心裡所想的樣子。』你的意念控制著你的身體，而很少，如果有的話也是很少的，很少是它無法為你做到的。那些你認為不可能的事，譬如在熱煤炭上行走，消除疼痛和治療癌症，其實都很容易，只要你善用意念的力量，你只需集中思想，讓潛在的信念力量解脫出來。」

「什麼是潛在的信念力量？」年輕人問。

「那些你認為自己不可能達到某種境界，或完成某事的信念，就是潛在的信念。你想那些你在錄影帶上看到的人們，可能沒有這種信念，就能赤脚走過熱煤炭嗎？當然不能。治療疾病和創造健康也都是同樣的情形，把所有的意念力量都集中在一起。」

「而你用視覺化和治療宣言來集中你的意念？」年輕人試著問。

做的呢，就只是找出一樣事物來讓它當成目標來集中力量，而你可以運用視覺和宣言來做。」

「答對了！你是個學得滿快的人。」他的老師說：「這力量已經在你體內了，你要

「那要多久做一次呢？」年輕人問。

「你必須每天至少三次，早上、中午和晚上各一次，當然愈多是愈好的，每次至少十五分鐘，用視覺創造的方法，讓你的意念去治療身體。而治療宣言則必須寫下來，大聲地念出來，愈頻繁愈好。你可以用任何聽起來會讓你覺得健康的宣言，譬如：『我每天都比以前更容光煥發而健康。』，『我是強壯、有力且健康的』，或『我的身體現在同心協力、合作無間，為我的健康努力不懈。』，或『每天，每天，我都會愈來愈健康。』」

「你甚至可以用意念來控制你的情感。但是不管選擇什麼宣言，你必須每天大聲地把它說出來，愈頻繁愈好，至少要早、中、晚，一天三次。這樣比較容易開始讓『健康』的意念進入你的腦海中。」

「我今天跟妳學到的真是太令人振奮了，我能對我自己做些有益的事，實在太棒了。」年輕人說：「可是能不能告訴我，那個叫我來找妳的中國老人到底是誰呢？」

「我根本不知道他是誰，從哪兒冒出來的？他一直沒有回來拿他預定的書，而且老實告訴你，我也不會期待他來。因為我想他根本是為我訂那些書的，希望能夠指引我，

在我需要的時候給我信心。我唯一確定的事是，他救了我一命，他教了我最重要的一課，甚至到今天爲止。」

「什麼是那最重要的一課？」年輕人問。

「很簡單，就是沒有什麼是你的意念無法達到的，而那些從病痛中復原，和沒有復原的最大區別，在於他們的信念。這是健康的第一個法則……健康和病痛的基礎全仰賴於意念！」

莎爾斯頓太太說完，從她身後的架子上拿出一個金屬飾片，她說：「這上面的字說明了一切。」

而這金屬飾片上正刻著：「能克服一切的人，是相信他們能夠的人。——湯瑪士．愛普森」

這天晚上，年輕人拿出今天的筆記重新細看一次。

健康的第一個祕密——意念的力量

健康和病痛的基礎全仰賴於意念。

意念的力量可以克服所有的痛楚，治療所有的疾病，並且幫助你創造源源不斷的健康。

你可以把意念集中在健康及治療上，藉著：

視覺治療（例如：花至少十五分鐘，一天三次，做視覺治療）

治療宣言（重複念出治療宣言，早上、中午、晚上）

年輕人此時覺得好多了，他覺得自己的健康正朝逐漸進步中。那天，他學到了最不可思議的力量。他從口袋拿出一張小卡片，大聲念著他寫在上面的字：「每天，每天，我會慢慢好起來。」

祕密二

呼吸的力量

兩天之後，年輕人坐在一個教堂大廳裡，一面看著瑜伽課程，一面等著和瑜伽老師談話，她是個叫做維琪・克夫特太太的人，是名單上的第二個人名。如同他的第一個老師一樣，克夫特太太一聽到中國老人，就十分熱誠地希望能跟年輕人見面。

下課後，學生們跟老師道過謝，就陸續解散了，留下年輕人和克夫特太太。年輕人向克夫特太太走去，並自我介紹。

「很高興能見到你，」克夫特太太帶著微笑說：「是一個中國老人建議你來找我的囉？」

「是的。」年輕人答道：「雖然我連他的名字都不知道呢！」

「我自己也只見過他一次，」克夫特太太說：「那是好多年前的事了，我永遠不會忘記。」

「爲什麼？」年輕人問道。

「因爲他救了我一命。」

年輕人驚異地說：「他救了你一命?眞的嗎？」

「我那時受著慢性氣喘病的折磨，這個病從我小時候就一直惡化下來，那時我呼吸得很辛苦，非常痛苦而困難，我得用呼吸器的輔助才能把症狀控制住。日子過下來，氣喘病愈來愈嚴重，我對呼吸器的仰賴更迫切了，上樓梯也讓我喘個不休。」

「有一天，我在追趕公車之後狠狠地發作了一次，我推開周圍的人，想要呼吸空氣，我把呼吸器拿出來，可是它竟然失效了，裡面的化學藥劑都用完，那一刻，我眞的以爲自己就要死了。」

「之後我只記得，一個矮小的中國老人把他的手放在我背上，突然間，我的痛苦消失了。眞是太奇怪了，我感覺到一股強大的精力湧上來，然後就能夠呼吸了。我以前從沒有過那種經驗，那種輕鬆的效果甚至比使用呼吸器還好。我問他爲我做了什麼，他說，他只是把擠壓在我上背部的一股氣放鬆出去罷了。」

「我其實並不完全了解他所說的意思，可是我知道他對我做的是一個神奇的經驗。我不知道他的名字，也沒有再碰到過他，可是他卻是我的救命恩人。」

「他那天坐在旁邊的椅子上，我回復了之後，他告訴我有關健康的法則，而這就是我克服氣喘病的方法。」

「你是怎麼克服氣喘病的？」年輕人問。

「我完全改變了生活方式，從吃的食物，到紓解壓力的方法，還有運動的數量和型態。健康的祕密有十條法則，每一條都很重要，可是其中對我最重要的就是——呼吸的祕密。」

「那到底是什麼？」年輕人問道。

「生和死的差別，就是存在於我們的一呼一吸之間。深呼吸對我們的健康有關鍵性的影響，如果我們要追尋健康，我們必須先學會正確的呼吸。」

「可是怎樣才是『正確』的呼吸？」年輕人問：「我們不是靠著本能呼吸嗎？」

「是的，呼吸是本能的，而且它是完全自然的過程，可是許多人都失去了這項本能。當你成天坐著，拘禁在空調辦公室中，做一點點運動，或甚至不運動；很快的，你的橫隔膜和胸肌都變得虛弱了，這就使你實際上無法正確地呼吸。」

「爲什麼呼吸正確這麼重要呢？」年輕人問。

「呼吸是維持生命的必需品。身體可以一星期沒有食物，幾天沒有喝水而仍可能存活，可是沒有了氧氣，人體不消幾分鐘就沒辦法活了。」

「這個道理太簡單，而且人人都懂得，因此很少人會把它拿來認眞地思考，然而不可否認的，這卻是健康和自然療法的最根本關鍵。你看，當你呼吸的時候，你實際上是在幫助身體獲得滋養，因爲氧氣是運送養分的交通工具，它把你吃下去的食物及養分都往身體其他部分運送出去。你可以吃世界上最好的食物；吞下最昂貴最有效的維他命、礦物質等輔助品，可是在它們被送到全身的每一個細胞裡之前，這些都是沒用的東西。而爲了要能夠有效地發揮運輸效果，你必須好好的呼吸。」

「同時，呼吸還有另外的好處，」克夫特太太說：「我們吸入的氧氣，事實上可以創造出精力的。」

「這是什麼意思？」年輕人問。

「嗯，你看過大火沒有？」

「當然有。」

「你對著大火吹氣，會發生什麼情況？」

「火燄會增大。」

「而且……」

「火會燒得更旺？」

「對！」克夫特太太說：「火會燒得更旺！我們身體裡也會發生同樣的情況，當細

胞正燃燒熱量時，氧氣會讓熱量燒得更旺盛，這不就創造了精力！」

「我明白了，所以呼吸運送養分到我們的身體各部位，並且幫助我們的身體創造精力。」

「對了！你抓住重點了。不過還有其他的，呼吸不但控制著全身的氧氣動線，還控制著身體的淋巴液動線。」

「淋巴液？」年輕人不解地問。

「淋巴液是一種類似血液的液體，包含著白血球，可以保護我們的身體，抵抗細菌和病毒。在我們身上有許多淋巴液，事實上，淋巴液比血液多四倍以上。淋巴液在我們的身體裡航行，而基本上，是我們身體的汙水處理系統。」

「它是這麼運作的。血液從心臟壓出來，從動脈流到細小的毛細管中，血液把充滿養分的氧氣送到毛細管中，而在這毛細管中，養分和氧氣被散布到細胞周圍的淋巴液。你身體的細胞知道自己需要什麼，取走了健康所需的養分和氧氣，並排出毒素。有些毒素依自己的方法回到毛細管，可是大多數像死細胞、血蛋白和其他有毒物質，就會被淋巴系統除掉。」

「原來是這樣，」年輕人說：「可是，又是什麼讓淋巴系統運作呢？」

「問得很好。身體中的淋巴系統主要由兩種方法來使其活化——運動和深呼吸。其實，研究報告顯示，適當的身體運動配合深呼吸運動，可以使淋巴的排泄速度增加十五倍。對了！光靠簡單的深呼吸和適量的運動，就可以有百分之一千五百的進展。」

年輕人覺得驚訝，爲了怕忘掉，他趕緊埋頭記下自己剛剛所聽到的。

「身體細胞仰賴淋巴液，把過剩和有毒的物質排除出去，」克夫特太太解釋說：「如果這些有毒廢物沒有排送出去，它們會在身體內累積。你能想像，如果你家的垃圾筒沒有定期傾倒乾淨的話，會有什麼後果？」

「那一定會發出怪味道來。」

「沒錯。因爲黴菌和眞菌會長出來，老鼠和蟑螂也會出現。」

年輕人點點頭。

「所以，當我們體內的有毒物質沒被排除的話，也會發生一樣的情況——細菌繁殖起來、寄生蟲長出來、病毒侵入。這也是爲什麼運動員比一般人較少罹患慢性惡性疾病，譬如癌症，心臟病和糖尿病等的原因。其實，根據一項最近的醫學研究顯示，非運動員比運動員更容易罹患這些疾病的比例是七倍。」

年輕人在筆記本上寫下更多重點。

克夫特太太繼續說：「呼吸的技巧對於控制疼痛也有效果，所以愈來愈多的孕婦，開始學習一種特別的呼吸方法，以幫助減輕分娩時的疼痛。」

「學習正確的呼吸還有另外一個非常重要益處，」她說：「就是對我們情緒上的影響。深呼吸可以紓緩胸部的肌肉，同時，對神經系統也有鎮靜效果。」

「所以每當人們感到緊張或激動的時候，就會被建議深呼吸幾口氣來放鬆，道理就是在此，是嗎？」年輕人問。

「完全正確，」他的老師說：「我經常在教授瑜伽的時候會很緊張，然而當我作一些深呼吸，我馬上就感覺平靜而輕鬆多了。再看看抽菸的人，不是香菸使他們放鬆，而是深呼吸。可惜抽菸會帶來大問題，香菸中的毒素會毀壞我們的肺，讓肺部充血。」

「這些聽起來都挺有道理的。」年輕人說道：「可是，我要怎麼學習正確地呼吸呢？」

「這個問題很好。」老師說：「答案也很簡單，你必須重新教導你的肺如何呼吸。在加州曾經舉行一個臨床研究，就是把一個攝影機放入人體內，然後觀察記錄哪一種深呼吸對淋巴和血液循環，有最好的正面效果。結果發現最能有效活化身體，刺激淋巴循環的運動，是這一種呼吸法。

試著依照這些頻率呼吸：用一拍吸氣，停四拍，然後兩拍吐氣。因此，如果你花四秒吸氣，你必須憋住那口氣十六秒之久，然後花八秒吐氣。用這種比率作十次深呼吸——一拍吸氣、停四拍、兩拍吐氣。不要勉強自己，從三、四秒的吸氣開始，再慢慢增加。從腹部呼吸，想像你的胸部像個眞空吸塵器，正把所有毒物吸出你的身體。」

「我了解，」年輕人說：「可是爲什麼呼氣必須比吸氣多兩倍時間？」

「因爲在你吐氣的時候，正是淋巴系統清除毒物的時候。」

「那又是爲什麼，我必須比吸氣多四倍的時間來憋住氣？」

「因爲那是血液完全氧化，而淋巴系統充分活化的時候。」

「這個運動要多久作一次？」年輕人問。

「至少要一天三次，早上、中午、晚上各一次，漸漸的，不用特別想著，你的肺就自然而然可以深呼吸。正確、深沈，橫隔膜式的呼吸會再度成爲你的本能。」

「只要試著作這種簡單的運動，十天之內，你的精力就會增加，而感覺像換了個人似的。」

「我會的，謝謝妳！這眞的是很棒的一次談話。」年輕人愉快地說。

「隨時歡迎你，」克夫特太太說：「把我所學會的教給別人，總是讓我很開心，也同時使我的健康有很大的進展。」

當天晚上，年輕人仔細讀自己的筆記。

健康的第二個祕密——呼吸的力量

生與死的差別，只在一呼一吸之間深呼吸：

可以幫助克服疾病，幫助血液和淋巴液的循環；

可以放鬆神經系統；協助我們創造精力，紓緩精神和情緒上的壓力；

可以豐富、清潔、放鬆我們整個身體，並使心靈平靜；

早上、中午、晚上請按照下面指示練習：

盡可能舒服地吸氣，

吸住氣停止四倍的時間，

以兩倍的時間吐氣，

重複十次。

祕密三 運動的力量

年輕人在隔天下午，就跟名單上的第三個人相約，在市立公園裡的跑道旁見面。她叫做瑪莉・歐丹尼爾，是大學田徑隊教練，有一張清新的臉龐，穿著翠綠色運動服裝、跑鞋，頭髮紮成一束。他們並坐在看台上的椅子上，向下俯瞰著跑道。

「我是在很多年前遇到中國老人的，」瑪莉說：「可是我到今天都還記得非常清楚。那天正是我被診斷出患有多發性硬化症的日子，你知道，這種疾病會使整個中樞神經系統都崩潰，它會嚴重地損壞身體機能。我的醫生告訴這是無法根治的，只能以藥物控制，使它不要惡化得太迅速。你可以想像，我聽到這個消息時，簡直嚇呆了，感覺到生命無望。那個下午，我來到這個公園，就坐在這個位子上，一個人不停地流淚。」

「然後，當我抬起頭，就看到一個中國老人坐在我身旁的椅子上，我們談起話來，話題很快就提到有關自然療法和健康的祕密。這些都是我第一次聽到的，當然也讓我想了很多。在老人離開之前，他給我一張紙條，他說這上面的人可以幫助我，並且，他還給我一篇從健康雜誌上剪下的文章，他說我也許會有興趣。」

「我發現那篇文章不只有趣，簡直叫我不敢相信，它專門談到有關多發性硬化症。」

「這有什麼不能相信的？」年輕人不解地問。

「因爲我沒有跟他說我得了這種病啊！我也很少跟別人說起我的健康問題。」

「那篇文章中提到好幾個從這種疾病康復的人。我非常興奮，因爲這是我第一次覺得有希望，覺得自己可能有救。我於是決定，如果他們都可以克服病魔，我也一定可以。非常幸運的，以我的例子來說，雖然我曾經很虛弱，但是我還可以走路，這個疾病還停留在當初那個早期的階段，沒有再惡化下去。」

「你們是怎麼做到的呢？」年輕人問。

「有很多實際的方法，包括飲食、心理態度及身體的鍛鍊。我學會了有關健康的祕密，並且馬上把所學用在實務上。我改變我的飲食和生活型態，但是其中對我的健康具有最戲劇化影響力的，不用懷疑，就是有氧運動。」

「妳說的『有氧』運動指的是什麼？」年輕人問道。

「就是指能夠使我們的肺活動更劇烈，呼吸更快速的運動。『有氧』字面上的意思就是『含有氧氣的運動』，所以競走、跑步、騎單車和游泳都是非常好的例子。我開始每天都競走和游泳，雖然一開始的時候很困難，我的腿像鉛塊一樣沈重，經過一段長時間的堅持，我的腿才漸漸強壯起來，幾個月之後，我進步很多，幾乎可以在公園跑步了。」

「然後我開始規律地在這個跑道上跑步，直到我可以跑上八圈為止，可是我的腿在那時會變得非常疲憊，第九圈永遠都是遙不可及，我一直無法突破。有一天我決定要克服這個瓶頸，我要跑完九圈。」

「我慢慢地開始跑，然後腿就愈來愈沈重，就在第八圈的時候，已經快要不行了。我向第九圈邁出艱難的步伐，雙腿感覺非常的虛弱，就像這個病症第一次襲擊我一樣，我感到無法再多走一步了，就在我打算放棄的時刻，突然從我身後傳來一個聲音對我說：『繼續！妳可以的。加油！不要放棄！』

我回頭，想看看是誰跑在我旁邊，結果是那個中國老人。他微笑著看著我，說：『繼續！就快要到了。』中國老人在我最需要的時候，給予我激勵，他陪著我跑完最後一圈，也就是我一直要突破的第九圈，我不但做到了，我的健康也因此有了非常重要的轉變。」

「在我跑到第九圈的時候，我的身體開始冒出大量的汗，我身體裡好像有個水閥崩裂了，汗水就順勢傾瀉而出。這是多年來我第一次體會到汗流浹背的感覺，從此以後，我跑得比以前更快更堅定。這是我的一次大突破，也可能是我復原過程中最重要的一步。」

「你的意思是說，運動在你復原的過程中，扮演著非常重要的角色？」年輕人一面記筆記，一面問道。

「是的。」瑪莉說：「在那最戲劇化的進步發生之前，我必須一直把自己往極限推去，可是對大多數人來說，只要規律地做有氧運動，通常就足夠了。」

此時，一個中年男子正疾步走過他們面前，「早啊！瑪莉！」他說。

「嗨！史坦！今天好嗎？」

「嗯！再好不過了。」他回答。

「你一定不相信，他去年得了心臟病，」女人對年輕人說。

「心臟病！妳說眞的嗎？」年輕人說。

「當然。規律的運動也救了他一命。你看，定時定量的有氧運動，譬如跑步、走路、游泳和騎單車，會降低你的血壓，也會減低你血漿中的膽固醇。」

年輕人低頭寫著重點，瑪莉繼續說：「你看到那邊慢跑的女士沒有？」瑪莉指著一個嬌小，穿著運動衫的女人說：「她的膝蓋和臀部經年累月的疼痛，醫生告訴她說是關節炎。可是在她開始每天做運動的幾個禮拜之後，那疼痛消失了。」

「因爲運動會增進身體內各關節的活化循環，可以避免關節炎的問題產生，甚至讓

骨骼保持健康。事實上，缺少運動會導致肌肉萎縮、循環不良，並使骨骼中的鈣質流失，而造成骨質疏鬆。」

「運動對我們的健康眞是太重要了。很多人長久過著案牘生活，你知道嗎，如果你在一個小空間裡把手綁起來三天，你的手部肌肉就會開始萎縮或耗弱。」

「眞的嗎？」

「是的，有句話說——『如果你不用它，你就失去它了！』不運動的話，整個身體都會虛弱下去。動，帶來力量。這就是健康的第三個原則。」

年輕人吃驚地想著，他知道運動會讓身體健康，可是他從來沒想過，運動眞的這麼重要！他想到自己這些年來根本很少運動，所以毫無疑問的，他的身體一定非常虛弱不健康。

「運動對我們的心理健康也很重要，」瑪莉繼續說：「很多人都不知道，運動得愈少，他們的性格就愈容易傾向內向、緊張、過於敏感或容易沮喪。因爲我們的情緒，事實上是被行爲動作所影響的。臨床實驗證實，運動可以幫助人們解放部分精神困擾，包括緊張和沮喪。你一定有這種經驗，當你覺得有些悶悶不樂時，站起來做些耗體力的活動，就可以慢慢使你忘記了沮喪。」

「我同意，可是道理是什麼呢？」年輕人問。

「很簡單，」瑪莉解釋道：「第一，運動會讓你的腦子釋放出一種像嗎啡的化學物質，這種化學物質會使人情緒上覺得非常愉悅。很多運動員在受完訓練之後，會經驗到一種精神上的活力，有人稱作『運動員高潮』。」

「其次，運動可以鎮定我們的情緒，因爲我們的情緒會被身體的狀況所導引，你看我們走路的樣子，我們坐或站立的樣子，甚至我們呼吸的樣子，所有這些外在的動作都影響著我們的心理狀態。而規律的有氧運動，通常是克服身體或心理疾病的第一步，也是維持健康的基本條件。」

「我了解，可是我有個實際的問題，」年輕人問道：

「哪種運動方式最好？每天要做多久的運動才行呢？」

「其實，什麼運動都可以，只要是你有興趣，可以使你出汗，呼吸加快的都可以，競走、慢跑、游泳、騎單車或甚至跳舞，都是很好的運動方式。一開始慢慢做，值得注意的是，一定要在運動前暖身，把關節活動開來，不要去『拉扯』、『撕裂』肌肉，也不可以猛力扭轉關節。」

「要怎麼樣暖身呢？」年輕人問。

「一個簡單的方法就是，試著伸展、扭轉每一寸肌肉和關節，一次持續七秒鐘，每個部位要重複幾次。你可以用對稱的方式來做，這樣你就會記得做完一邊，還有另一邊

要做。」

年輕人一邊低頭寫筆記，一邊問道：「是……還有什麼要注意的嗎？」

「有，很重要的一點是，不要讓你自己負荷太大，慢慢地增加進步。很多人會一下子做太多運動，分量太重或太快，這很容易造成肌肉受傷。」

「我懂！」年輕人認眞地問：「那麼要有健康的身體，多少運動才是恰當的？」

「多少分量才恰當？這個問題很好！」瑪莉答道：「通常一天三十至六十分鐘是需要的。十天之內，我保證，你就可以感覺到很大的不同。我相信運動對健康的好處絕對讓你吃驚，就像我當初的感覺一樣。」

「聽起來很棒！」年輕人興致勃勃地說：「我今天就要開始運動。」

「祝你好運囉！記得隨時告訴我你作得怎麼樣了。」瑪莉笑著說。

「好！我會的。」年輕人說：「今天謝謝妳了。我知道運動很重要，可是我到今天才眞正『了解』運動有多麼重要。啊！對了，當妳跑完第九圈的時候，中國老人有對妳說什麼嗎？」

「沒有，當我跑完第九圈，我轉過身想感謝他的鼓勵，可是……他已經不見了。不過我相信他了解的。」瑪莉說。

「爲什麼？」年輕人問。

「因爲我經常會接到一些像你這樣的人打電話過來。」瑪莉對他笑著。

年輕人輕鬆地離去，瑪莉開始她的伸展、暖身運動。當年輕人走到公園的出口，他轉過身，看見那個曾經雙腿硬化的女人，正輕鬆優雅地在跑道上跑著，猶如乘著風般輕盈。

年輕人讀著今天做的筆記，對於增進自己的健康充滿了樂觀與信心。

健康的第三個祕密——動，帶來力量

規律的身體運動：

增進循環；

增強心肺功能；

幫助克服許多身體和心理的疾病；

是維持健康的第一步。

做一種你有興趣的運動：

使自己出汗；

讓心臟跳動加速；

使呼吸更深更快。

運動之前一定要先暖身肌肉，不要勉強，讓自己負荷過大。

每天至少運動三十分鐘。

祕密四

營養的力量

兩天之後，年輕人來到市中心一家小型，但很受歡迎，叫做「鄉村味」的餐廳。他坐在角落裡的一張桌子旁，面前坐著這家餐廳的老闆，也就是名單上的第四個人，愛德華・傑斯特先生。

傑斯特先生在本城很有名，也很受尊崇，他非常熱愛他的工作，經常保持高度的精力與熱誠，他在每個禮拜三晚上還教授烹飪課。是個充滿使命感的人，希望能夠教人們吃得健康，並且教大家怎樣準備既可口又簡單的食物。

「你的電話讓我想起了過去，」傑斯特老先生對年輕人說：「那段記憶太好了！……大約三十年前，我五十五歲……」

「你是在跟我開玩笑吧！」年輕人打斷他的話，叫了起來：「你是說……你已經八

十五歲了？」

「是啊！我是八十幾歲啦！」

「我的天啊！你看起來絕不超過五十歲呢！」

「謝謝你！」傑斯特老先生微笑著，「我給你看樣東西，」他說著拿出一張黑白照片給年輕人。

「這是誰？」年輕人問道。

「你說呢？」

「我不知道啊！不過不管他是誰，他看起來一副需要學習健康法則的樣子。」

照片上是一個巨大的中年男人，明顯地過度肥胖，臉色暗沈，兩個黑眼圈貼在眼睛下。即使不是醫生，也可以看出這個人有病。

「這是我。」傑斯特先生承認。

「別開玩笑了！」年輕人大喊。

「我沒有開玩笑，那真的是我。三十年前，我看起來真的跟現在差很多。」

「你那時怎麼了？」年輕人問。

「我有糖尿病。」傑斯特先生答道。

「糖尿病不是無法根治嗎？」年輕人看著眼前的傑斯特先生，不敢相信他曾得過糖尿病。

「那是人們這麼想的，實際上不是這樣，你看我。現在很多可以治癒的疾病，以前都曾經被認爲是沒救的。我不是靠藥物，而是透過自然的方式，再加上改變我的生活型態。」

年輕人想到前幾天他所遇到的那些人，幾乎沒有例外的，他們在追尋健康的過程中，都提到了改變生活型態的問題。

傑斯特老先生繼續說：「我那時其實還有高血壓、胃潰瘍和消化不良等毛病。醫生給我一些綜合的藥物和膠囊，起先，這些藥還眞的有點效果，可是幾個禮拜之後，我開始有副作用產生了——頭痛、暈眩，然後皮膚開始長出一些小紅疹子。

我長期覺得疲倦，健康不但沒有起色，還一直惡化下去。直到有一天我遇到一個老人，他改變了我的生命。」

「我想是一個中國老人吧！」年輕人插話說。

「對！沒錯。」傑斯特先生笑著說。

「然後呢？」

「這說來也很奇怪。我那時工作壓力很大，也幾乎都沒有時間離開辦公室出去吃午餐。可是有一天，我覺得很煩，就決定到我辦公室對街的一間小快餐店去吃點東西。我坐在角落裡吃我的起士漢堡和薯條，然後一個老中國紳士問說，他可不可以跟我坐在一起。

他坐下之後，就開始吃他的沙拉和烤馬鈴薯。我們嘻嘻哈哈說了一些玩笑話之後，他突然看著我的眼睛，正經地說我吃的食物會殺了我。我以為他在說笑話，就跟著說了些跟食物有關的玩笑，可是他還是堅持，而且說了句讓我很震驚的話，他說我吃的這些食物會使我的胃潰瘍更惡化！」

「這有什麼好震驚的呢？」年輕人問。

「因為我沒有跟他提到胃潰瘍的事啊！我問他怎麼知道我有胃潰瘍？他說從我的眼睛就可以看出來了。」

「眞的？」年輕人問道。

「是啊！我知道這聽起來很難相信，可是事實就是這樣。我因爲對中國老人的話感到很好奇，就問他還『看到』了什麼？你信嗎？他竟然告訴我說，我的膽固醇太高，胰臟不好。」

「然後我又問他，如果這些食物會宰了我，那我應該吃什麼呢？他就告訴我有關健康的法則。他很耐心地跟我解釋，有健康的生活中才有眞正的健康，而健康的生活一定是順著自然的法則的。如果遵循著十項健康法則，就能夠創造源源不斷的健康；相反的，我們就自己製造出疾病來了。

其實這些十項健康法則都很重要，不過其中有一點我覺得最有幫助，就是營養的力量──『你吃下什麼？什麼時候吃？以及怎麼吃？造就了你。』

我遇到中國老人之後，我又跟著他的指示去見了好幾個人，學習到有關健康的祕密。首先，我改變了飲食習慣，在吃什麼？什麼時候吃？以及怎麼吃？這些方面都做了一些改變。你相信嗎？六個星期之後，我的膽固醇降到了正常的指數，我的潰瘍也不再復發，心悸的不見了。最不可思議的是，我的糖尿病竟然好了！」

「這的確不可思議。」年輕人說。

「可不是嗎？」傑斯特先生說：「可是它就是眞的。我曾經看過一篇醫學臨床實驗報導，裡面提到成年糖尿病人在食用低脂肪、高纖維的飲食，八個星期之內，有百分之七十五的病人從糖尿病中痊癒！」

「我想食物中一定有什麼非常重要的東西，於是我決定把這營養法則學個透徹。我所學到有關健康的吃，可以簡單地歸類成六條規則，而這些，毫無疑問的，絕對可以幫助每個人克服疾病，擁有健康的身心。」

年輕人聽得更加專注，在傑斯特說著的時候，他的筆抄個不停。

「健康地吃的第一個原則是，選擇完整、新鮮而沒有加工過的食物。好的營養就像

蓋房子，不要東拼西湊地看起來不成樣，你的房子用什麼材料建蓋而成，它看起來就會是什麼樣子，對不對？」

年輕人點點頭。不過他不太清楚「未加工」和「加工」食品的不同。

「加工的食物，」傑斯特先生解釋道：「就是所有好的營養都被拿出來了的食物，譬如，白麵包、白糖，甚至一包包的早餐麥粥。大部分的維他命、礦物質及其他有營養的物質，都在加工過程被去除或毀壞掉了，而這些食物通常只剩糖分和澱粉。」

「可是我一向都吃白麵包和早餐麥片粥的，他們包裝上也都註明說是『營養且富多種維他命和礦物質的』。」年輕人辯解著。

「那只是誇大的廣告詞而已。食品工廠實際上怎麼做呢？他們會把一百種營養物質拿出來，然後放五種人工維他命進去。我不知道你怎麼樣，不過我是很難同意這是『營養且富多種……』的！」

「不過，糖分和澱粉畢竟也不是什麼有害的東西，」年輕人堅持地說：「我認爲這些可以讓我們有精力。」

「對！糖分和澱粉是製造精力的必需品沒錯，可是其他很多營養也是啊！譬如，鈣、鋅、鐵和其他多種礦物質和維他命。這些營養元素都喪失在食物的加工過程中，而你的身體就必須從自己的骨骼和組織中把它們吸收出來。長期下來，身體中儲存的許多基本礦物質和維他命就漸漸地枯竭了，『加工』食物事實上搶奪了你身體中不可缺少的資源。」

「那我們應該吃的『未加工』食物又是什麼道理呢？」

「新鮮的水果和蔬菜，整顆穀類，譬如糙米、全麥麵包、大麥燕麥、小米和裸麥等。然後豆類、堅果核桃和種子等，這些都是提供基本的健康飲食的食物，包含有蛋白質、碳水化合物、維他命、礦物質和必須的脂肪酸，全部都在這些自然的食物中。當然！如果可能的話，有機生長的食物是最好的。」

「什麼是『有機生長』的食物？」年輕人好奇地問。「就是沒有用任何化學肥料或方法所種植出來的食物，所有用在種植經濟農業作物的化學物質，都是有毒的。有機食物，是自然生長的，不殘留任何化學物質，營養價值也比較高。」

「健康地吃的第二個原則是，沒有好的消化，就無法得到好的營養。記得，重點不只是我們吃下了什麼，還有什麼時候吃，以及如何吃！」

「這到底是什麼意思呢？」年輕人說。

「如果你不能消化它們，即使吃下整顆食物也沒有用。而消化良好的唯一方法就是，在適當的時間吃，以及用適當的態度吃。舉例來說，如果你不能讓食物在嘴裡細細地咀嚼，你就很難好好地消化。類似的道理，當你在生氣、疲倦或急忙中進食，你的身體也

無法消化得好。」

「很多人吃飯狼吞虎嚥的，在工作之間匆匆忙忙地進食，然後還一面懷疑自己爲什麼消化不良。吃東西應該放輕鬆，享受食物的滋味。當你慢慢品嚐食物，你的口中會分泌出更多的唾液，幫助你分解碳水化合物，胃酸也更容易製造出來，以幫助你消化穀類。不過，健康地消化最重要的還是吃東西的時間。」

「吃東西的時間跟消化食物有什麼關係嗎？」年輕人疑惑地問。

「自然界中所有的事都跟時間有關，」傑斯特先生解釋道：「從太陽的升起落下，到一朶鬱金香的開放，每件事都有它的時間，人當然也不例外。我們自己的生物時鐘比我們想像的還要精確，而我們進食的時間，可以完全決定我們是否能好好地消化。」

「舉例來說，我們身體的新陳代謝率——這指的是身體把食物轉變成精力的時間比率——，晚上比早上要緩慢許多，這表示晚上所燃燒的卡路里較少。這也是爲什麼，當你在晚上吃下大量的食物，會比在早上吃下大量的食物更容易發胖。」

「再往下推論，如果你吃得太晚，你就很難得到好品質的睡眠，而這使你在早晨起床時，會感到疲倦。」

「爲什麼呢？」年輕人問。

「因爲當我們吃得太晚，消化系統必須整夜工作，腦子因爲必須送出訊息給腸胃製造出消化必須的酵素和液體，而無法得到休息。」

「原來是這樣，」年輕人想了一下又問：「還有其他不適合吃東西的時間嗎？」

「有，當你很疲倦或壓力太大的時候不適合進食，因爲這種時候消化系統通常無法好好運作，那食物也就無法好好地消化了。」

年輕人埋頭猛寫筆記，傑斯特先生繼續說著：「健康地吃的第三個原則就是，永遠不要吃太飽。記住！當你吃的時候——少一點就是太多。吃下大量的食物遠比吃少量食物容易多了，可是你要知道，一個健康的胃大約只有你的拳頭大小，當我們吃下太多食物，把胃拉扯得過大，又塞得滿滿的，會讓消化過程受到很大的阻礙，就像加了太多煤炭，沒有留些空氣助燃，反而會阻礙燃燒。」

「更重要的是，過量的卡路里會製造多餘的脂肪，這會讓我們的心臟和關節都承受了過多的負擔。這是爲什麼吃得少的人活得比較久，有句話說：『吃到你覺得肚子只滿了一半；喝到口渴只解了一半，你保證會活滿一輩子。』

「第四個原則就是，吃下去的食物必須有百分之七十是水分多的食物、新鮮蔬果、穀類或豆類的苗芽；另外的百分之三十才是澱粉、蛋白質和脂肪。這好像有點奇怪是不是？可是你要知道，西方人一般都吃少量的含水食物，卻攝取很多澱粉和蛋白質——也就是很多肉類、麵包、馬鈴薯和一點點蔬菜。可是一般的西方人都是有疾病在身的，三

分之一的人得了癌症，二分之一的人有心臟方面的疾病。你想想看，地球有百分之七十是水，人體也有百分之七十是水。你不覺得如果我們吃同樣比例的水分，應該是滿有道理的嗎？」

「我們不能只是喝多一點水分嗎？」年輕人問道。

「這點倒是很重要。」傑斯特先生說：「大部分人所能取得的水都不是非常純的，可能含有氯、氟、軟性金屬和其他有毒的物質元素，而實際上，我們是餓了才去吃東西，渴了才去喝水，因此，你不可能在渴得半死的情況下，還去清理這些水質。所以如果我們以富含水分的食物爲主，就可以得到既乾淨又營養的水分了。

當我們攝取的水分不夠時，我們身體內的血液會變得過於濃稠，而那些有毒的垃圾就無法被有效地清除掉。我們所攝取的飲食，不是應該要能夠支持我們的身體可以自己成長、清理嗎？」

年輕人頓時陷入沈思，他想著自己通常吃了多少富水分的食物？答案令他驚心——非常、非常少。他幾乎都吃肉類、馬鈴薯、麵包和奶油，再加上一點煮得半生不熟的蔬菜。

「健康地吃的第五條原則，」傑斯特先生打斷他的思考，繼續說道：「這點非常重要啊！——要避免五個『細胞終結者』。」

「細胞終結者？這是什麼東西？」年輕人誇張地喊道。

「細胞終結者就是一些對你的健康有害的食物，因爲它們會摧毀你身體的細胞。這些食物必須盡可能避免去吃，吃得愈少，對身體愈有利。我跟你解釋爲什麼。」

「第一個『細胞終結者』是加工糖。糖眞是一種要命的食物，先不說它可以很輕易地毀掉你的牙齒，嚴重的是，它會耗盡你身體的一些重要資源，而且它也會損壞你的免疫系統。你知道六茶匙的糖，會減少百分之二十五的白血球數量，白血球可是跟細菌戰鬥的勇士啊！你吃下愈多的糖，它就會毀掉你愈多的勇士。」

「你要留意，糖經常化身成其他的食物，譬如糖果、巧克力、冷飲、糕點和餅乾，甚至罐頭水果、蔬菜中也加了糖。」

「第二個『細胞終結者』是雞鴨魚肉。我們先說肉類和雞鴨，一些研究報告已經一次次地警告說，導致慢性惡化疾病發生的主要禍首就是食用肉類。我們今天所吃到的肉類幾乎都來自於飼養工廠，也就是說，這些動物是『工廠』的產物——關在小籠子裡；從來沒有在開放的牧場中放牧過，也從來沒看過日出日落，注射抗生素防止疾病的散布，餵食荷爾蒙……，如果我說，這種『工廠肉』囤積了一堆有如雞尾酒般各式各樣的毒素，你不會懷疑吧？」

「那蔬菜水果呢？」年輕人問道：「它們不是也被灑了很多危險的化學藥物嗎？」

傑斯特先生笑著說：「沒錯！沒錯！可是跟那些被汙染的肉類比較起來，這還是非常少量的。曾有一位挪威教授把經濟作物——甘藍菜和雞肉放在一起做比較，結果發現雞肉中所含的毒素，比甘藍菜多出一千萬單位。」

「有機蔬果是在沒有化學汙染的環境中長出來的，當然對你更好囉！它們含有更多的營養成分，並且沒有危害健康的毒素存在。不過即使是用化學方法種植的蔬果，所含的毒素也遠比肉類少許多。」

「那如果是『有機』肉類呢？」年輕人追問。

「那肯定比工廠肉類好，不過還是會傷害你的健康，因爲肉類基本上就不是健康的食物。肉類有非常高的飽和脂肪，飽和脂肪會使紅血球黏在一起，把動脈阻塞住。所以你看，有一半的人口會罹患心臟方面的疾病，而大多數人們都是因爲從肉類、平常的食物和巧克力中攝取了過量的脂肪。」

「可是我還以爲肉類對健康很好呢！」年輕人說：「我們不是需要肉類來製造精力嗎？」

「才不呢！事實正好相反。」傑斯特先生耐心地解釋：「我們身體需要碳水化合物來燃燒以產生精力，可是肉類含有很少的碳水化合物，反而是很多的脂肪和蛋白質，過量的蛋白質在體內會產生許多氮，而過量的氮會產生疲倦感。」

「可是我聽說，我們需要很多肉類來強壯骨骼。」年輕人說。

「不！相反的。」傑斯特先生搖搖頭說：「吃肉的人骨骼比較脆弱，因爲肉類含有很多尿酸，尿酸才是可怕的毒素呢！我們的身體一天只能排除大約八喱的尿酸，可是一塊四分之一磅的牛肉漢堡卻含有十六喱尿酸，這些多餘的尿酸就侵蝕著關節和肌腱，關節炎就是這麼來的，而且它還會吸取你骨骼中的鈣質。」

「那鐵質呢？」年輕人鍥而不捨地問：「如果不吃肉，我們怎麼得到足夠的鐵質呢？」

「只要是綠色葉子的蔬菜，你就可以獲取很多鐵質，甚至穀類和豆類也有。而扁豆、菠菜、花椰菜、乾杏仁果等，都含有比牛肉更多的鐵質；一杯的糙米的鐵含量，也比四分之一磅的漢堡更豐富。有一種謬誤，認爲素食者比一般人容易貧血。你看，只要稍微懂得一些營養學，就會了解這樣說是不正確的。而最近有份醫學報告指出，過多的鐵可能跟心臟疾病有關。」

「那魚類爲什麼也不好？」年輕人問：「我一直以爲海鮮是很不錯的食物。」

「魚比肉類要好一點，不過也不算是健康的食物。我們現在的海洋已經被汙染得很嚴重了，有政府發表一些調查報告指出，幾乎半數的魚類都有畸形細胞產生。而魚塭所飼養的魚，就像工廠肉類一樣，以餵食抗生素控制傳染疾病，以荷爾蒙增加成長速度，

以化學染劑讓它們保持新鮮的粉紅色澤。」

「魚曾經被認爲是有益健康的食物，因爲它含有某種基本脂肪酸，可以預防心臟疾病及關節炎的發生。然而，魚身上的脂肪細胞實在被汙染得太嚴重了，而且有些蔬菜中也含有這類脂肪酸，含量甚至比魚類還豐富。」

「可是不管是魚還是雞鴨牛肉，這些都不是人類的自然食物。人類是草食性的動物，草食性動物的雙頷可以垂直及橫向移動，使牙齒可以旋轉摩擦；而肉食性動物的頷部只能上下移動，他們的牙齒是適合切割和撕扯的，而不是摩擦。」

「素食動物基本上有超過二十二呎的腸子，而肉食性動物的腸子卻只有大約三呎，這是爲了讓食物在腐敗之前可以很快地被排出體外。所以大部分的人類學家都同意，人類的祖先應該是吃果子的靈長類動物。我們所需的一切營養都可以從素食中獲得。」

「在我那個年代，素食者經常被認爲是思想怪誕的人，這是媒體所創造出來的刻板印象。可是你想知道這些所謂思想怪誕的人是誰嗎？他們是歷史上的大思想家、哲學家，從古希臘的蘇格拉底、畢達哥拉斯和柏拉圖，到近代的人物，像達文西、亨利・大衛・索洛、愛因斯坦、牛頓、班傑明・佛蘭克林、喬治・蕭伯納、托爾斯泰、威爾斯、馬克・吐溫、伏爾泰和甘地。哇！思想怪誕的人還眞不少哩！而且你別忘了，他們大多數都挺長壽的。」

年輕人忙著低頭寫下重點，傑斯特先生繼續說道：「細胞的第三個終結者是奶製品——所有的牛奶、起司、奶油和牛油。人類是地球上唯一一種會喝別人的奶的動物，也是唯一一種過了幼兒期還需要喝奶的。」

「可是這些奶製品有什麼不好呢？」年輕人擔憂地問。他開始擔心這樣下去還有什麼東西是可以吃的，大概只剩下萵苣葉和胡蘿蔔了。

「奶製品對小牛不錯，可是對人就不好了。有百分之二十的人是無法自己生產乳酸的，因此他們就不能自己分解牛奶中的糖分——乳糖。同時，據估計，大約有五分之四的人對食物中的酪蛋白有過敏反應。」

「奶製品是你所吃到最具毀滅性的一種食物。它們會在你體內製造出大量的黏液，而這種黏液在腸胃之間形成一層障礙，這將影響營養的通過。這種黏液也會累積在肺部，容易導致呼吸器官的毛病，包括支氣管炎和氣喘病。」

「奶製品還含有非常高量的脂肪，而這部分我剛剛提過，會導致心臟方面的疾病。」

「可是，我們不是需要乳製品中的鈣質嗎？」年輕人不解地問。

「不！」傑斯特先生解釋著：「你聽過有研究報告說，攝取許多奶製品的人，經常是那些缺鈣的人嗎？舉例來說，挪威人是全世界奶製品消耗量最大的族群，可是他們也是全世界骨骼疏鬆症罹患率最高的幾個國家之一。」

「從另一方面來說，非洲的班圖人比西方人少四分之一的奶製品攝取量，可是他們很少因為缺鈣而生病，也很少骨折或掉一顆牙齒。這是什麼原因呢？因為他們低蛋白質的飲食習慣，不會像西方的高蛋白攝取習慣那般，讓鈣質從身體內流失。」

「奶製品中的鈣質就是不能被好好地吸收，而且經常囤積在關節附近，導致關節炎；而囤積在動脈壁的話，則會引起動脈硬化。你想看看，乳牛基本上是吃草的，那實際上是不含鈣質的，可是牠卻可以在奶裡面製造出大量的鈣質。」

「同樣的道理，人們也可以從蔬菜和穀類中獲得所需的鈣質。一杯榨碎的花椰菜所含的鈣質比一杯牛奶還要多。」

「而第四個細胞終結者就是精鹽或氯化鈉。」

「鹽有什麼不對嗎？我以為人體是需要鈉的。」年輕人糊塗了。

「人體的確需要鈉，它使我們維持健康的體液平衡，增強肌肉的力量，幫助神經系統正常運作，維持血液和尿液中正常的酸鹼質。可是我們可以從許多種蔬菜水果中獲得鈉，譬如番茄、芹菜、菠菜、甘藍、胡蘿蔔，甚至草莓，我們身體所需的鈉都可以從這些食物裡獲取。」

「你可能不知道，太多的鈉也是有害的。大多數人都從精鹽中吃進了過多的鈉，譬如說，你的身體每天大約需要三千毫克的鈉——這跟你的生活型態有關，因為你可能會在流汗中失去大量的鈉。可是聽了會嚇你一大跳，一茶匙的鹽就含有大約二千毫克的鈉！」

「長久下來，如果一個人除了吃下精鹽之外，還食用很多罐頭食品和加工食品的話，他就可能攝取比正常多出四至五倍數量的鈉，因爲別忘了，罐頭食品和加工食品通常都含有高量的鹽。」

「精鹽是一種無機鈉，是經過漂白和加工過的。它會刺激腸胃，阻礙其他食物的消化。如果你眞的有很好的理由必須用鹽，我建議你用海鹽，因爲海鹽是沒有經過漂白或加工的，而且含有我們身體所需的多種礦物質和微量元素。」

「不過還是要記得，過量的鈉會限制氧氣進入身體的細胞內，也可能引發高血壓。有心臟、腎臟和肝臟方面問題的病人，都被醫師強迫降低鈉的攝取量。所以你不覺得應該在馬兒跑出來之前，趕快把門拴上嗎？」

年輕人點頭同意，傑斯特先生繼續說道：「第五個細胞終結者是茶、咖啡和酒。」

年輕人馬上接口道：「這我知道，喝太多酒對健康是有害的，因爲酒精會傷害肝臟和腎臟。可是茶和咖啡有這麼嚴重嗎？」

「茶和咖啡，就跟酒一樣是刺激物，對身體當然有害。同時，茶和咖啡都含有咖啡因，而咖啡因是一種會上癮的藥物。兩杯茶或咖啡所含的咖啡因藥量，已經足以刺激腦部，和使血糖升高。剛開始你可能會覺得清醒，可是很快就會消退了，而你的血糖會馬上降到低點，然後讓你感覺愈來愈疲倦。」

「還有，不知道你有沒有注意到，當你喝了幾杯茶和咖啡之後，你會變得比較緊張，心跳也比較快？有時它還會讓你的雙手顫抖。」

年輕人點點頭。這倒是眞的，他記得幾個禮拜以前，有天晚上他爲了提神，喝下了四杯咖啡，然後他眞的一度發現自己的手正微微顫抖。

傑斯特先生繼續說：「咖啡因的危險還不止於會刺激神經系統，升高血糖；它還會使血壓上升，損壞腸胃，傷害腎臟，燃盡身體內所儲存的維他命B。

「有一個研究學者曾指出，咖啡因是導致過敏反應的主要因素，包括失眠、頭痛、神經質、焦躁和皮膚過敏。茶還另外含有一種稱做『丹寧』的藥物成分，它會阻礙身體對鐵質的吸收，而引起貧血。」

「少量的茶和咖啡對身體沒有大害，但是如果喝多了，譬如，一天超過兩杯，那就眞的有害健康了。」

年輕人仔細地思考著這五條健康的法則，他痛苦地警覺到，從前的他簡直每天都在毒害自己，難怪他會生病。

可是同時，他又對整個營養的課題覺得沮喪。

「我完全理解你所說的，」年輕人對傑斯特先生說：「可是這也不能吃，那也不能吃，我到底還剩下什麼東西可以吃呢？和甘藍菜葉沙拉共度餘生似乎有點悲慘，不是嗎？」

「咦！不會像你想的那麼糟的，有營養的東西不見得一定很難吃啊！它可能是你能想像最可口的食物了。來！我帶你看些東西。」

他們走到餐廳的中央區域，那兒排了一些顏色鮮麗的不同菜餚，其中一張桌子上有兩種湯：花椰濃湯和馬鈴薯青葱湯，旁邊陳列了五種新鮮烘培的麵包。年輕人看出這是黑麥和全麥，可是他從來沒看過小米麵包或黑麵包。其他還有一些各色各樣看起來十分漂亮的菜餚，年輕人幾乎可以嘗到這些菜餚所散發出來的芳香，他彎下腰看著每道菜餚的標示牌：糙米炒黑芝麻、小米丸子、甜馬鈴薯拌小胡瓜、酸甜什錦菜、匈牙利燉菜堡，還有一些烤蔬菜和沙拉之類的食物。

另一張桌子上是一碗碗的乾果和新鮮水果切盤，甚至還有好幾種非乳製品的「奶油」——杏仁和草莓，藍莓和榛果，和一種看起來像巧克力，事實上是用黑橄欖做成的醬汁。

「我從來沒看過午餐有這麼多選擇！」年輕人驚訝地說。

「謝謝！我們很努力要滿足每個人的口味。」傑斯特先生笑著說。

年輕人在他的碟子裡放了一些小米麵包、米飯和匈牙利燉菜，以及一小碗的湯，然後走回位子上。

年輕人吃了兩口之後，傑斯特先生細心地問道：「覺得怎麼樣？你喜歡嗎？」

「哇！太棒了！眞的很好吃耶！」年輕人振奮地說。「這些都是非常健康而有營養的食物。」傑斯特先生跟他保證道。

他們一起用了午餐，年輕人細嘗了每一道菜的風味。他已經好久沒有吃過這麼美味的食物了，當然一下子就把他經常吃的漢堡、薯條給比下去了。他決心要多注意自己的飲食，給他的身體最好的完整食物。

午餐過後，年輕人把筆記整理出以下的重點：

健康的第四個祕密——營養的力量

如果沒有源源不絕的營養，就不會有源源不絕的健康：你吃下什麼，什麼時候吃，以及如何吃？造就了你。

營養的五條準則：

好的營養就像建蓋一間房子。選擇完整的、新鮮的、未加工的有機食物。

好的營養還要靠好的消化來吸收。因此，細嚼慢嚥，吃的時候放輕鬆，晚上不要太晚進食。

少一點就是太多！不要吃太飽。

我們吃下的食物中，要有百分之七十是富含水分的。

避免吃下這些細胞終結者——

糖、肉、魚、乳製品、精鹽、茶、咖啡和酒。

祕密五

笑的力量

年輕人名單上的第五個人是一個叫做尼爾・柯林斯的年輕記者。他有一張很溫暖的臉，微笑的眼眸，洋溢著熱情的光彩，這神情是他之前碰過的人所共有的熟悉感覺。

「那個中國老人眞是很特別，對吧？」柯林斯先生對年輕人說：「你知道他給我一種神奇的藥，救了我一命？」

「神奇的藥？」年輕人驚奇地說：「可是那老人跟我說藥丸很少眞的救命的。」

「嗯！這種藥不會裝在藥罐子裡，其實，這是醫生很少會開的藥方，也很難在藥房裡買到。」

年輕人好奇地想知道，到底這個記者說的是什麼東西？

柯林斯先生繼續說：「雖然這種藥已經被傳誦超過三千年了，可是到最近才又被重

視，證明它不只在治療疾病上非常重要，並且在維持健康方面也很重要。這個藥方很簡單，任何人、任何地方、任何時間都有……。」

「這到底是什麼藥？」年輕人迫不及待地問。

「大笑！」

年輕人露出十分懷疑的表情，柯林斯先生開懷地大笑起來。

「你在開玩笑，對吧！」年輕人故作輕鬆地說。

「嗯！不！我不是開玩笑。」柯林斯先生收起笑容，正經地說：「我告訴你個故事。大約十年前，我因爲脊關節有毛病，躺在醫院不能走路。那個情況眞是很慘，我脊椎骨附近的組織受到壓迫，坐也不是，躺也不對，成天痛得要命，情況很不樂觀。醫生告訴我說，這種病復原的機率少於五百分之一。」

「我的狀況愈來愈糟，止痛藥已經沒有什麼效果了，可是疼痛還是夜以繼日地持續著，我不知道還能撐多久。我變得很喪氣，也經常想到自己可能會就這樣死了。然後有一天，奇蹟出現了。」

「一個新來的醫生來到我房間，問我情況如何。我就告訴他情況實在太糟了，我痛得要命。然後，他說我需要更好的東西來解除疼痛，他說他得去見某人，不過待會兒會再回來。

這期間，他建議我看一下電視，以轉移注意力。他爲我打開電視機，剛好有一個我很喜歡的節目正在播出，叫做『歡樂一族』。你看過這個節目嗎？」他問年輕人。

「有！這也是我最喜歡的一個節目呢！」年輕人說。「好看吧！那天晚上的節目眞是太熱鬧了，我想那一集可能是我看過最有趣的節目，結果我就一直笑、一直笑。等到節目結束時，醫生回來了，他又問我感覺如何，我才突然發現……我不痛了！那眞是太離奇了。可是那天是我生病以來，第一次從疼痛中解脫出來。」

「可是醫生看起來似乎不覺得有什麼奇怪的，他說笑是他所知道最有效的一種藥。我們閒聊了一會兒，都是有關我身體方面的話題，然後他給我一些名單，他說這些都是他的同事，當我出院時，我可以去拜訪他們，他們會給我一些幫助的。」

「可是幾個小時之後，我的疼痛又回來了。我又開始覺得沮喪，可是突然間我想到了。」

「想到什麼？」年輕人急切地想知道下文。

「我要做的就是找東西讓我發笑。我請人搬一台錄影機到我房間，然後把以前錄下的『歡樂一族』放出來看。你相信嗎，它眞的生效了，疼痛一次次地消退下去，大笑使我的疼痛感減低了。」

「幾天之後我決定要辦理出院，因爲醫院的伙食太可怕了，空氣又不好。我決定要

搬到空氣新鮮的鄉下去，有乾淨的水質和新鮮的食物。因此我就搬到一間鄉下的旅館，看一堆我喜愛的節目，好笑的電視節目、有趣的影片等等，一切可以讓我發笑的節目。」

「當然，除了成天大笑之外，我還特別注意飲食的營養，呼吸新鮮空氣，以及規律地運動。在健康的生活中，有許多事是必須靠我們去創造的，以及許多自然法則是我們必須尊重的，而我就是從醫生名單中的那些人身上學到這些。但是對於我的康復，我想，笑應該是最大的功臣吧！」

「四個月之後，疼痛完全消失了，醫院的追蹤檢查也證實，我完全康復了，沒有任何疾病的跡象。我利用古老傳統的醫療方法，從五百分之一的復原機率中站起來，沒有吃藥，也沒有手術，只是讓自己發笑。」

「眞是太神奇了！」年輕人驚嘆，「可是你爲什麼覺得是笑讓你復原呢？說不定是其他的原因，奇蹟出現或什麼的。」

「這個問題很有趣，我當初也是這麼問我自己的。所以我做了一些功課，看到很多文章都提到，說明爲什麼『笑』對我們的健康是很有益處的。『笑』對我們身體的影響，恐怕超過我們所可以想像的。譬如，它會讓腦部釋放出一種類似荷爾蒙的化學成分，稱做『安多芬』，它本身就是一種自然的止痛劑，並且可以提高我們的免疫系統。」

「大笑還可以增強呼吸活動，讓心肺練習吸收更多的氧氣，而吸取足夠的氧氣，對

我們的身體是絕對好處多多的。」

「是，這我知道，幾個禮拜前，我才從一個瑜伽老師那兒學到呼吸的重要性。」年輕人興奮地說。

「對！沒錯。大笑是增進心肺功能最有效、最輕鬆的方法，而且，大笑還可以促進腸的蠕動，使腹部的器官和組織都得到適當的按摩。這意思是說，每次當你笑的時候，血液就會充分地流向各個重要的器官。」

「笑，也有益心理健康。有一些研究指出，人們大笑之後，注意力比較容易集中；而大笑還能有效地降低壓力。舉例來說，你知道嗎？我們身體的壓力荷爾蒙——腎上腺素和可體松——會在我們大笑的時候降低。」

「你看這個，」柯林斯先生說著從書架拿下一本聖經，他手指快速地翻閱，然後翻開某頁說道：「在這裡，你看，箴言十七—二十二。」

他把書推到年輕人面前，書頁上寫著：「歡愉之心猶如良藥。」

「這些文字在三千多年前就被寫下來了，雖然專業醫學至今仍忽視它，可是像你我這樣的人卻知道，這才是眞理。笑，眞的是幫助你克服疾病的一帖良藥，而且讓你永保健康。」

年輕人突然意識到，自己過去幾個月根本很少笑，被日常生活的壓力和疲倦牢牢地

綑住，他變得緊張而嚴肅。

「生活壓力太大實在很難笑得出來。」

「對！你是對的。」柯林斯先生說：「可是在壓力大的時候，才是更需要笑的時候。我們只要在壓力大的情況下，去看一些有趣的事物，然後問自己：『這件事是不是有點好玩？』或『這件事一定有好玩的地方。』」

「你在生活中想要尋找什麼，你就會在生活中發現什麼。當你尋找神奇，你就會走向一個神奇的人生；當你一心想著災難，你的生活就會充滿了災難：可是如果你追尋趣味，你就將會擁有歡愉健康的人生。」

「我再問你，你有沒有這種經驗，當它發生的時候你沮喪得要命，可是幾個月或幾年之後，你卻可以一笑置之？」

年輕人馬上點頭同意。他想起幾年前的一段故事，一天晚上他打扮得人模人樣，正跟一個他很喜歡的女孩約會，結果一個侍者絆了一跤，把一盤點心全撒在他身上，他那時既生氣又困窘，簡直快要冒火了，可是幾個禮拜之後，他竟把這件事當笑話一般說給朋友聽。

「爲什麼要等一段時間才會笑呢？」柯林斯先生說：

「爲什麼不在發生的當下，就看見好玩的那一面？人生就像一場戲，至於會是喜劇還是悲劇……就全看你囉！你說呢？」

年輕人覺得這個比喻很令人振奮，他決心要做個改變。

「我得告訴你，」年輕人對柯林斯先生說：「這些聽起來簡直棒呆了，我完全懂你的意思。從現在起，我會讓我自己不要那麼嚴肅，而且盡量提醒自己每天都要大笑。」說完，他胸有成竹地闔上筆記本。

「還有一件事，」年輕人又說：「那天去房間看你的那個醫生，是一個中國老先生，對不對？」

「當然！還會有誰？」柯林斯先生答道：「我也要告訴你，當我奇蹟似地康復後，又回到醫院去看我的醫生，他說這是他第一次見證到，像我這種病人可以完全康復。我說這得要謝謝他的同事，一個中國老醫生。可是他根本聽不懂我在說什麼，因爲醫院裡沒有中國醫生啊！」

「我自己也不知道那個老人是誰？從哪兒來？可是我確定他不是普通的人。」

年輕人也對那老人充滿著懷疑，可是他最近碰到的這些人安撫了他的疑慮。健康之門已經在他面前開啓了，正引領他走向健康的生活。

「對了！在你走之前，我想問你，」柯林斯先生說：「你有沒有聽過一個笑話，有一個人和一隻鱷魚走進一家酒吧……」

辦公室外，柯林斯的祕書聽到兩個男人正服用著他們最迷戀的藥方——大笑。

當天晚上，年輕人重讀自己今天所作的筆記。

健康的第五個祕密——笑，是永恆的良藥

笑，是袪除疼痛，治療疾病的良藥。

笑，促進呼吸，增進心肺功能，幫助腸子蠕動，讓腹部的器官適當地運動一下。

笑，能夠增強免疫系統。

笑，促進注意力的集中，減輕精神壓力。

祕密六

休息的力量

一直到隔週，年輕人才終於有了機會和名單上的第六個人會面。在這段時間裡，他遵循著之前所獲得的建議，開始改變他的生活。才短短的幾天工夫，他似乎已經開始感覺到不同了，他的家人和朋友們也注意到他的改變。之前，他或許對健康的祕密還有一些懷疑，但是今天這疑慮完全沒有了，因爲他感覺到自己從來沒有這麼健康過。

理查・蘇是個「壓力紓解顧問」，看起來跟一般的成功人士非常不同。他有著非常健康而光滑的臉孔，眼睛閃閃發亮，舉止顯得安靜、輕鬆而令人安心。

「所以，你想學習健康的祕密是吧！」蘇先生從容地說：「我第一次接觸它是在十五年前。那時我的生活跟現在很不一樣，我曾是個很成功的證券經紀人，賺很多錢，可是同時，我也很貧困。」

「這話是什麼意思？」年輕人不太理解地問。

「我的健康狀況很貧困。沒有健康，金錢和財產又有什麼價值呢？我工作非常努力，有時一天工作十六個小時。每天面對的是大額的金錢，可能是上百萬或億萬，一不留神有個什麼閃失，那損失沒有上億，也有百萬，所以壓力之大是可以想像的。」

「的確是很大的負荷。」年輕人頗爲同意。

「眞的，相信我。然後這壓力很快地開始抽稅了，我愈來愈難去放輕鬆，最後，我每天得藉著酒精來使自己平靜下來。有時候我實在是太緊繃了，甚至得求助於鎭定劑才行。幾年之後我幾乎瀕臨身心的崩潰邊緣，我得了高血壓、胃潰瘍和嚴重的偏頭痛。至此，我的健康可以說是破產了，我活在借來的時間裡。」

「後來是什麼讓你改變了呢？」年輕人問。

「一場火車之旅。」蘇先生回答道。

年輕人露出驚訝的表情，他說：「這是什麼意思？」

「有一天我正搭火車往回家的路上，可是火車突然在兩個車站之間停了下來。那時火車很擠，誤點時間愈長，我就愈緊張煩躁。然後我胸口變得很緊，開始努力想要吸進一口氣。當時我不知道怎麼回事，不過事實上，我是心臟病發作了。」

「等我意識過來睜開眼，我記得自己躺在地上，一個中國老人跪在身旁看著我。他

檢查我的眼睛，告訴我剛剛我有一點輕微的心臟病發作，現在精神十分虛弱。」

「他帶我到一家地方醫院去做全套檢查，在路上，他告訴我說，我的生活型態對健康有非常大的影響。那是我第一次聽到有關健康的祕密，我不知道生活上的那些簡單的事，對健康竟然這麼重要，譬如我們吃的食物，我們做的運動……等等。」

「中國老人給我一些人的名單，說他們可以教我學會健康的祕密，我很快就發現，生活型態對疾病和健康有著太大的影響了。在這些健康祕密中，有一點是我以前完全忽略的，那就是健康的第六個法則——休息和放鬆的力量。」

「那是什麼？」年輕人問道。

「很簡單，休息使你的心理、身體和精神恢復活力。你的身體和腦子沒有足夠的休息，你就不可能得到源源不斷的健康。這點很簡單，可是我們卻總是忽略它。」

「世界上所有活的生物都需要休息——人類、動物、甚至一塊農地，這是大自然的設計。所有的動物和植物都要在適當的時間休息，聖經也提到，甚至神都要在創造世界之後，在第七天休息。可是只有人類，經常想著永遠工作，最好不休息。」

「我們用狂亂的步伐走過生命，從來不曾停歇下來。我們沒有時間好好欣賞夏日傍晚的夕陽；沒有時間聞一聞春天的櫻桃香；也沒有時間聽聽鳥兒的歌唱。你有沒有想過，我們這個年代有許多東西在幫我們節省時間，電話、傳眞機、洗衣機、烘乾機、吸塵器、電腦、汽車、飛機……可是人們還是沒有時間。這表示人們愈來愈匆忙了。」

「整天的壓力經常被一天又一天地累積下去，難怪很多人每天工作之後都非常疲累，經常受慢性疾病纏身。我曾經像大部分的人一樣，長期處於壓力和亢奮狀態中。所幸，我改變的時候還不算太晚。我學著作適當的休息和放鬆，跟隨而來的是，我的身體狀況也改善了。幾個禮拜之內，過去的病症消失了，血壓也回復到正常的指數。」

「真的嗎？」年輕人不可置信地喊：「只是休息就這麼有效嗎？」

「那當然！」蘇先生說：「生理和心理上適當的休息是健康的基本要素。科學研究證實，身體和精神的放鬆，可以減低我們身體對氧氣的需求量約百分之五十，降低心臟的負擔約百分之三十，並降低高血壓。研究報告還指出，在我們休息之後，腦波中警覺和反應都會同步增強，而短期和長期的記憶力也明顯地增強。」

「你如果有質量不錯的睡眠，頭痛機率會比較少，體力會增強，健康狀況也相對的提高。休息不但可以幫助增進我們的家庭和社會關係，更是個人健康不可或缺的因素。」

「你說得很有道理，可是要怎樣才能確定我們得到了足夠的休息？」年輕人問道：「你知道的，當我們在緊張壓力之下，根本很難完全地放鬆，你自己不是也有過這種經驗嗎？把壓力的紓解寄託在酒精和鎮定劑上。」

「這個問題很好，正是我接下來要講的，」蘇先生說：「首先，你必須學會放鬆你

的腦子。每天，我們都要找時間把手邊的事情停下來，然後做一些沉思、冥想和放鬆。通常，大部分人都很難在沒有任何休息的狀況下，持續專注地工作一個小時以上。工作超過一定的時間之後，我們的專注力就開始漂浮起來，而這對工作是有反效果的。」

「辦公室的工作絕對需要規律的片刻休息，如果上班族都有固定的休息時間，老闆一定會發現，他的員工們工作得更有效率，犯的錯誤更少，同時，創造力和製造力也會提昇。每工作一段時間，花個十分鐘休息，讓疲倦的筋骨和混亂的腦袋放鬆一下，對健康和工作都是有益的。這就好比是精神的假期，讓我們的神經系統冷靜下來，讓我們重新整頓精力，感覺煥然一新。」

「睡覺的時候不是就可以休息了嗎？」

「不盡然，我們的確需要睡眠，可是你一定有過這種經驗，經過一夜睡眠之後，早晨醒過來竟然跟上床時一樣的累。」

年輕人迅速地點頭說：「對！而且經常這樣。」

「這時你認爲，你有了好的休息了嗎？」

「我想沒有。」年輕人不斷浮現這類的經驗，雖然他經常睡了很長的時間，可是他總是很累地醒過來，就像沒有眞的休息一樣。

「所以，你睡很多，並不表示你得到足夠的休息。睡眠很重要，每個人每天都需要大約六至八小時的睡眠，可是適當的休息是需要一種很平靜而安詳的態度，否則，你的腦子會在睡著時還不斷地打擾你。很多人會憂慮一些很小，甚至非常瑣碎不重要的事情，這會耗損我們的精神，剝奪我們的休息。」

「我就是那種會沒事擔心這擔心那的人，」年輕人說：「經常這樣。」

「對！你以前經常這樣憂慮，並不表示將來也會這樣，過去不等於未來。如果你做著跟以前一樣的事情，那你就會得到跟從前一樣的結果。但是，相信我，你可以改變！有兩個很簡單的步驟，可以讓你停止憂慮，進入到平和的境界。」

「哪兩個步驟？」年輕人急切地問。

「很簡單，步驟一就是：不要憂慮生命中的小事。步驟二就是：記得！生命中的所有事都是小事一樁。」

「我們得把生命看得輕鬆一點。而一旦我們感到緊繃或受挫，我們可以問自己這個問題：『十年之後，有誰會在意呢？』如果答案是沒人會介意，那表示這是一件小事，因此，我們也無須浪費時間去擔憂。」

「要讓身體和精神都得到休息，我們還得學會一次只過一天。耶穌基督說過：『給我們今天的麵包。』不是昨天或明天，而是今天。意思就是，我們活在今天，就擔心今天的事就好了，無須擔憂明天或後天的事。如果你不斷地想著過去，或憂慮著未來，你

就無法休息。」

「另一個確定你得到足夠休息的方法就是，每七天中，要有一天是專門用來休息的。這一天必須忘記辦公室中所有的煩惱、向上爬升的帳單或社交危機。這一天可以讓你和家人共享，展開累積了六天的張力，好好地休息。」

「一個禮拜花一天休息，我知道這實在有點太簡單了，不過卻非常重要。世界上所有的重要宗教都提到安息日——休息的日子。也許，上帝就是要給我們一個安息日，好提醒我們需要停下來沈思一下，放鬆一下。而安息日，也是一個我們可以平和地和自己及世界共處的勝地。」

年輕人再一次想起他的生活。每天都有一堆瑣碎的雜事，每天都在不停地工作，連週末也同樣忙碌，他還經常把工作帶回家做，難怪經常覺得疲累。

「另一個幫助你放鬆的方法是——深呼吸。」蘇先生解釋道。

「嗯！對！我認識一個很棒的女士，她曾經教我怎麼做深呼吸練習，」年輕人說：「深呼吸可以幫助清除我們的淋巴系統，滋養身體的組織，對吧？」

「是的！沒錯。它也可以協助放鬆腦子和身體。」蘇先生繼續說：「當你承受壓力或緊張的時候，你胸部的肌肉是緊繃的，而這當然會導致一些問題了。深呼吸幫助放鬆胸部，鎮定神經系統。你知道嗎？容易緊張的人通常呼吸都很淺，而那些較輕鬆的人通

常呼吸會比較深沈。」

「這是休息的基本原則。相信我，這完全改變了我的生命。我只要想到，我因爲一場心臟病發作，而在火車上遇到一個中國老人，因而學到了休息和放鬆的重要性，而改變了我的生命，就覺得這一切眞是太奇妙了。」

年輕人傍晚回到家後，又拿出今天做的筆記重新閱讀一次。

健康的第六個祕密——休息與放鬆的力量

沒有休息與鬆弛，就無法獲得源源不斷的健康。

休息可以使心理、身體和精神恢復活力。是身體與情緒健康不可或缺的元素。

它會讓身體將降低百分之五十對氧氣的需求量。

降低高血壓。

增進短期及長期的記憶力。

一天之中，需要規律地休息片刻。

使用兩個重要步驟以停止憂慮。

每個禮拜有一天是休息日。

做深呼吸運動，尤其在承受壓力或緊張的時候。

祕密七

姿態的力量

年輕人名單上的第七個人，是個叫做伊恩．唐森的牙醫生，他的居家和診所位於城市的邊緣地帶。年輕人對於跟唐森醫生的會面顯得有些不安，因爲他向來害怕看牙醫。同時，他也覺得奇怪，一個牙醫生能對健康有什麼特殊的見解呢？

約會時間定在週六早晨十點鐘，與往常一樣，年輕人帶著他的筆記本準時到達，這次所不同的是，他特地把牙齒徹底刷了一遍。

來應門的是一個矮小不起眼的男人，穿著休閒的白襯衫及斜紋棉布牛仔褲。「早安！請問是唐森先生嗎？」年輕人小心翼翼地詢問。

「我就是。眞高興認識你，請進來吧！」

年輕人既驚訝又暗喜，自己並沒有被引進牙醫的診療室，而是居家的會客廳。

「你說是個中國老人給你我的電話是吧！」唐森先生說：「我是在十幾年前遇見他的……，可是當我閉起眼睛，我還是可以很清楚地看見他的樣子，聽到他清晰的聲音。」

「當時，我正走到人生中一段非常困難的時光，我極度沮喪，身體狀況也是每況愈下，我的支氣管經常不舒服，消化不良也很嚴重。所有的醫院檢查都是陰性的，醫生也沒有辦法檢查出我到底是哪裡有問題，可是我知道一定有什麼地方不對，才會導致我的這些症狀。因爲我如果就像醫生說的，身體沒問題的話，我不可能總是覺得不愉快。」

「我很不願意用藥物來控制情緒，可是我眞的感覺愈來愈沮喪了。然後，就在聖誕節前，一個又黑又冷的早上，我遇見你的朋友了——那個老人，之後，我的人生完全改觀了。」

當唐森先生說到老人時，年輕人聽得更專注入迷了，他不覺坐直了身子。

「我正跟平常一樣在公園裡溜狗。這是個黎明，一天的開始，草地上布滿了冷霜，我記得很清楚，天空還掛著一輪明亮的滿月。我丟了一根樹枝讓狗兒去撿回來的時候，突然很嚴重地咳嗽起來。」

「我咳得喘不過氣來，胸口痛得要命。然後，一隻手忽然搭在我的肩上，一個溫柔的東方口音叫我坐下。我抬頭看他，是一個中國長者站在我身旁。從他搭在我肩上的那隻手上，我感到一陣溫暖……不！應該不只是溫暖，而是一股熱氣冒出來，而幾乎同時，

我停止咳嗽了。」

「我們並肩坐在公園的椅子上，談了一會兒，那是我第一次聽到有關健康的祕密。不用說，我的確做了許多重要的努力，來改善我的健康，不過，其中有一點對我是特別有效的，這是我以前從來沒有想過的，就是『姿態的力量』！」

「『姿態的力量』？這是什麼意思呢？」年輕人說著，不自覺地把自己的背脊拉直。

「身為一個牙醫師，我總是彎著背向下看病人，經年累月之後，我的肩膀向前彎曲，背也駝了。現在很多人有這種情況，特別是一些需要久坐的辦公室工作，這容易造成不良的姿勢。人們還可能因為童年的壞習慣，而導致姿勢不良。現在的孩子平均每天花五個小時坐在電視機前面，這還不包括花更多時間坐在電腦前面玩遊戲。」

「我們人類身體的設計，並不適合久坐的生活型態。你的姿勢——你站的樣子、坐的樣子、走路的樣子……等等，都跟你的健康關係密切。」

「姿勢為什麼這麼重要呢？」年輕人滿頭霧水地問道。

「道理很簡單，我們身體的組織和器官，要健康、適當地運作，需要兩件事情——良好的血液循環和良好的神經傳導。血液運送營養和氧氣到身體各部位，並可清潔組織；而神經傳導則像電子火花一樣，是點燃精力的必備品。少了任何其中一項，組織便會腐化掉。而什麼控制著血液和神經在體內的傳輸？你的姿勢！」

「想像一下，一條花園中澆水的軟管，你用手握緊它，會發生什麼事？」「水會被堵住。」年輕人答道。

「完全正確。我們的血管和神經導管也是同樣的，如果被錯位的關節或肌肉痙攣所壓迫，血液循環和神經傳導就會被阻礙了。」

唐森先生從年輕人的臉部表情就可看出，他還在迷惑的狀況中。於是，他繼續耐心地解釋：「想像你的脊椎骨，你有二十六節脊椎骨，每一節都有血管和神經結從脊髓中穿過。當你彎腰駝背，或坐姿不良時，脊椎骨會擠壓血管和神經結，結果就會如同水管被堵住一樣。因此，靠血管餵食的組織和器官，以及靠神經傳導的精力，在我們姿勢不良的情況下，很快就會餓死了。」

「所以可以想見，不好的姿勢健康肯定也不會好，胸肌變得虛弱，導致支氣管和呼吸系統的毛病——這也就是我的問題。而腹部肌肉的虛弱，則消化器官就無法正常運作，也經常導至消化不良的問題出現。」

「很多人有胃下垂的毛病，然後就想用節食來導正這個問題。然而，他們可能減輕了體重，可是還是胃下垂。如果你姿勢不良，節食只會使你的腸胃鬆弛，並不能治療胃下垂。」

「所以這些人最好從改善姿勢，來使腹部變平坦；而不要從節食下手？你的意思是這樣嗎？」年輕人問道。

「沒錯！不過，姿勢的重要可不只是讓你的小腹平坦而已，姿勢，是精力的開啓之鑰。在古代的醫學系統中，腹部被認爲是身體精力的中心。這股精力在中國醫學上，我們稱爲『氣』；在印度醫學中，則被稱爲『哈拉』。如果腹部很虛弱，就表示精力的中心非常虛弱，那麼我們就會感到疲倦和無力。」

年輕人在筆記上寫下一些重點，唐森先生繼續說道：「有一個很少人知道的事實是，我們的姿勢實際上影響我們的情緒。」

「怎麼可能呢？」年輕人不解地問。

「我們怎麼站立的，通常會影響我們的心情。你看過一個沮喪的人，站得直直挺挺，抬頭挺胸的，而且呼吸深沈，面露微笑嗎？」

年輕人搖晃著腦袋。

「可是你知道爲什麼嗎？」唐森先生繼續說：「因爲我們的腦子是被姿勢刺激的。當我們沮喪時，我們自動地雙肩下垂，彎腰駝背，而且此時的視線通常不是向上或向前看，而是往下看的。有趣的是，當我們知道了這一層關連之後，我們可以很容易地靠改變姿勢，來控制情緒和克服沮喪。」

「你看，當你站或坐得挺直的時候，頭是向斜上方抬的，呼吸深沈，面帶微笑——即使你沒什麼理由笑，可是你就是會自然而然地放鬆臉部表情。這些都會改變你沮喪的心情。」

「可是這應該沒那麼簡單吧？」年輕人堅持：「沮喪是一種很複雜的情緒狀態，不是嗎？」

「我不是說改變姿勢是沮喪的唯一救星，其他譬如消極的態度、缺乏信心和壓抑的情緒，這些也都需要有所改變才行。不過，我的意思是我們可以把負面的想法、消極的態度，改成積極正面的。既然消除沮喪不太容易，那麼就先改變姿勢，讓姿勢影響情緒。」

「別光聽我說，你得自己試試看。」牙醫師鼓舞道：「坐直！收下巴，想像你的頭頂有一股力量把你往上拉。深呼吸！微笑。」

年輕人雖然覺得有些尷尬，不過他還是照著醫師的話做。奇怪的是，他真的感覺到精力和力量更強大了。非常簡單，也很有道理，最重要的是，它真的有效果呢！

「如果說，沮喪會導致不好的姿勢，」年輕人問道：「那是不是說，快樂的情緒傾向就會創造出比較好的姿勢？」

「對！這是很自然的。你一定看過，積極快樂的人總是抬頭挺胸的；而消極沮喪的人，卻經常垂頭喪氣，對不對？」

「哇！這眞的很奇妙。」年輕人想了一下，急忙低頭寫下重點，隨後又抬起頭來問：「可是你怎麼改善你的姿勢？」

「有好幾種方法可以訓練自己維持在正確的姿勢上。記住！你的身體事實上『本能地知道』什麼是正確的姿勢，只不過你學了些壞習慣罷了。」

「首先，最重要的一步就是『自覺』。一旦你覺悟到姿勢的重要性，你就會自動的、有意識的擺出你的姿勢來。這是爲什麼我剛剛一提到『姿勢』這個詞的時候，你就自動坐得比較端正。」

「同時你要知道，一個健康的姿勢絕對不能強迫。很多人都以爲他們必須站得跟個士兵一樣——抬頭挺胸，收小腹——這倒是不需要。你把頭抬起來的時候，雙肩必須是放鬆的，臀部稍微向前收，膝蓋放鬆，不是鎖緊的。」

「養成健康的姿勢要從自覺開始，我們必須隨時注意，甚至經常自覺到自己的站姿、坐姿和走路的姿勢。開始注意你的一些姿勢上的習慣，譬如，你站著，或坐著工作的樣子，你坐在電視機前面的樣子，你排隊買東西時的站姿……等。任何時候，一旦發現自己彎著腰、駝著背時，作一個長的深呼吸，然後想像你正被一股力量緩緩地拉直起來。」

「別忘了我們每個人都不一樣，我們有不同長度的脚、軀幹和手臂，每個人的身體重心也不同，因此，這個人最好的姿勢，對另一個人來說可能並不是。可是我們都可以

重新學習自己最好的姿勢。」

「怎麼做呢？」年輕人問道。

「自覺和改變壞習慣，是最重要的。譬如，很多祕書和辦公族的上背部經常是歪歪扭扭的，他們在聽電話的時候，習慣把話筒夾在脖子和耳朵中間。這會造成一邊的肌肉比另一邊強壯，而把脊椎骨拉向不正確的位置。」

年輕人困難地吞了一口唾液，他發現自己就是這樣聽電話的。

唐森先生繼續說：「父母們經常用同一隻手臂抱小孩；業務員總是用同一隻手提公事包，這都會破壞正確的姿勢。送報的小男孩，經年累月用同一邊肩膀扛起非常重的報紙。小孩的姿勢不良尤其嚴重，因爲他們的骨頭正在成長，這時如果損壞了姿勢的生成，將會導致一輩子的問題。」

「有些運動只用到一隻手，也會傷害我們的姿勢。網球就是個好例子，如果你每次都向同一邊彎身，扭轉同一邊背部，用同一隻手揮拍，如果做得夠頻繁的話，一定會發生姿勢的問題，因爲一邊的臂膀、背部比另一邊強壯。」

「所以，你應該可以發現，正確姿勢的祕密，就在於平衡。長期持續的不平衡運動，就會造成不平衡。」

「可是你不會建議別人不應該玩『一邊的』運動，譬如網球或高爾夫吧？否則，母

親也不該抱小孩、業務員也不該提公事包了？」年輕人問道。

「嗯！那當然不是我的意思。我自己也經常打網球，」唐森先生肯定地說：「而且，我也是爲人父母者啊！不過我的意思是，如果我們選擇這類的運動，或我們必須做一些不平衡的事，我們就必須把這不平衡糾正過來。」

「你是怎麼做的？」

「這很簡單。我們的關節是被一些柔軟的組織所包覆著——肌肉、肌腱和韌帶。如果一邊的關節肌肉比另一邊強壯，這表示關節被拉出正確的位置了，這將造成不平衡的姿勢。因此，如果我們以前經常把電話夾在某一邊，我們就必須定期地把脖子拉回另一邊；如果我們經常打網球，在運動中，或運動之後，我們必須把臂膀往相反的方向扭轉一下，或換另一隻手擊球；如果我們經常抱小孩或提重的公事包，我們就必須經常換不同的手來做。這些都只是常識。」

「這聽起來都成立，還有沒有其他可以幫助我改善姿勢的事項？」年輕人問道。

「是的！均衡的運動、營養的飲食習慣和平衡的情緒，都是很重要的。如果肌肉因爲缺乏運動或營養不良而虛弱，那它就不可能好好地支撐關節了。同樣的道理，如果我們陷於負面的情緒中，我們的姿勢也會受影響的。雖然，我們可以有意識地控制自己的姿勢，但是我們不可能每分每秒都這樣，長期下來，情緒會戰勝意識的。」

「現在，我說的都是有關如何靠著糾正姿勢，來改善你的健康問題，但是你知道，健康有十項祕密，而它們都同樣重要。我不建議你必須每分每秒都坐得直挺挺，面帶微笑——雖然如果真的這樣一定很完美。不過，當我們自覺到姿勢的力量，我們就可以利用它來改善生理的健康，也可以幫助我們控制情緒狀態。」談話結束之後，年輕人向唐森先生道謝，然後離去。唐森先生看著年輕人抬起頭，走向花園小徑，他自顧微笑起來——這個年輕人正開始利用姿勢的力量了。

當天，年輕人在家中整理著筆記重點。

健康的第七個祕密——姿勢的力量

正確的姿勢是健康的基本要素。不良姿勢阻礙血液循環、限制神經傳導，並導致病痛。姿勢不但影響身體健康，也影響心情和情緒。

正確的姿勢要從自覺開始。每天隨時注意自己的姿勢，並糾正所有不良的姿勢習慣。

幫助創造健康的姿勢：深沈地呼吸，想像頭頂有一股力量緩緩地把你的身體往上拉。

正確姿勢的祕密是——平衡。

祕密八

環境的力量

彼得・斯葛洛夫是一個四十五歲的景觀造園師，住在郊區的一間小別墅裡。他是名單上的第八個人，也是年輕人特別好奇的一個。

「因爲畢竟，」年輕人自顧地想著：「一個景觀造園師能對健康有什麼見解？」年輕人依約到達的時候，一個皮膚曬成深棕色的矮小男人出來迎接他。斯葛洛夫熱情地握著年輕人的手。

「今天天氣眞不錯！我們坐在外面你覺得如何？」他說。

「好啊！改變一下，在新鮮空氣底下也不錯。」年輕人贊同地說。

斯葛洛夫先生領著他的客人沿花園小徑走向別墅後院，偶爾停下來解釋他所種植的花草植物或藥草。最後他們來到陽台下的一張大松木桌前，斯葛洛夫先生爲彼此斟了一些新鮮蘋果汁，然後對著年輕人問道：「你想知道些什麼？」年輕人重複說了一次他自己的情況，以及和中國老人相遇的故事。

「嗯！這樣！我明白了。」斯葛洛夫先生說。

「你知道那個中國老人是誰嗎？」年輕人問。

「不知道。」他坦白地說：「我只在十五年前見過他一次。那時我是完全不同的一個人，蒼白、虛弱，慢性濕疹纏身，精神不濟又極度沮喪。那時眞是可怕的歲月。」

「然後，有一天我遇到個轉機，生命因此改觀。那一天我感到特別不舒服，所以得提早離開工作崗位，回家休息。我走進電梯，按了一樓的按鈕，電梯往下降了幾層之後，在某層樓停下來，然後進來一個矮小的中國老人。門在他身後關上，電梯又繼續往下降，然後電梯突然在樓層之間停住了，燈也熄滅了。從電梯壞掉，到有人來修好它，一共費了三個小時，所以你可以想見，我那時有多憤怒！我愈來愈騷動不安，頭又痛得要命，我覺得那顆腦袋簡直快要爆炸了。」

「我什麼都沒說，可是黑暗中，那老人說話了，他說：『別擔心！很快就好了。』我還沒來得及問他是什麼意思，他又說了：『我來幫你。』然後，我感覺他的手接觸到我的後頸部，我立刻感覺一陣痛楚，然後我的頭痛就消失了，完全消失了。他好像放走了什麼東西，就好像打開水龍頭讓水流出來一樣。我眞是很難相信，就像個奇蹟似的。」

「我問老人他用什麼方法解除了我的痛楚，他說他使用一種古代的技術，把導致我頭痛的電磁張力從脖子解放掉。好，我想你應該可以想像，聽他這麼說，我簡直傻住了，天知道這老人怎麼知道我有頭痛的？還有那電磁張力又是什麼玩意兒？」

「他跟我解釋了一堆辦公室設備的輻射線——電腦、影印機、傳眞機、投影機等，都會扭曲磁場，而影響我們的身體健康。然後他繼續談到有關健康的祕密，我第一次聽到這麼簡單的事，卻對我們的生活和健康如此重要。」

年輕人也有同感。他同樣很難想像，他的思想、食物、姿勢或其他微不足道的小事，竟然對健康有這麼巨大的影響力。然而，一天天下來，他逐漸感到了改變。

「老人給了我一張名單，他說這些人可以幫助我，而他們也眞的對我都有所助益，但是其中一條法則對我似乎特別重要，那就是『健康的環境法則』。」

「你能解釋更清楚一點嗎？」年輕人要求道。

「在不健康的環境中，是無法創造出健康來的。人類的構造就是不能活在缺乏新鮮空氣、沒有自然陽光或輻射太高的地方。我生病的部分原因就在辦公室裡。這是眞的！因爲我們在辦公場所待的時間最久。」

「我的辦公室充滿了最先進的設備——電腦螢幕、投影機、人工照明器、空氣調節器……等等。這些東西製造出一個高輻射量、不健康、不自然的工作環境。」

「你看，我注意到的事情其實很簡單，可是大部分人都不曾仔細思考過。這些東西就在我們眼前，可是我們卻沒有看見它。如果我們渴望健康，我們就必須創造出健康的環境來。我們必須確定，我們工作、睡覺和居住的地方是有益健康的，人體需要一個適合生存的環境，才能好好地活下去。」

「就從新鮮空氣開始吧！我們可以幾個禮拜沒有食物，幾天不喝水，卻不能三分鐘沒有氧氣。可是，很多人卻在空氣被調節著的辦公室或工廠工作，陳腐的空氣一再地回收，以供使用。這怎麼可能健康呢？我們需要打開辦公室和房間的窗戶，讓新鮮的氧氣進到肺部裡面。」

年輕人想起他跟克夫特太太的會面，她教他如何作深呼吸。「不能呼吸，就不會有生命。」她曾這麼說著。他想，這話應該也可以這麼說：「沒有氧氣，就不會有生命。」這些道理現在看來都更真切了，就像拼圖般，一片一片地，漸漸在他腦中拼湊得更完整了。

他問斯葛洛夫先生：「辦公室如果充斥著忙亂與汙染，你會怎麼辦呢？打開窗戶可能呼吸到的只是煙霧和塵埃罷了。」

「那就只有三個選擇了——換工作，或叫老闆買個空氣清淨機，或者接受現況，繼續呼吸腐爛的汙穢空氣。」斯葛洛夫先生繼續說道：「當然，還有光線的問題。除非你

夠幸運，辦公桌剛好在窗戶旁邊，否則你大部分情況都是在不見天日的密閉盒子裡工作。」

「可是日光有這麼重要嗎？」年輕人問道：「我一直以為太陽光會導致癌症的。」

「首先，世界上的每一樣東西吸收過量，都會導致癌症或某種惡性疾病。皮膚暴露在過量的強日光下，的確會產生病變，曬傷、老化或甚至引起皮膚癌。而且，不可否認的，現在又因為臭氧層破壞愈來愈嚴重，使得這個問題更加受重視，而反過來說，這也是人們忽視環境的另一個結果。」

「臭氧層比較薄的意思就是，陽光的自然保護層比較少了，人們也因此更容易曬傷。可是，我們需要陽光的事實還是存在的，不盡然一定得直接接觸強烈的陽光，但必須暴露在紫外線下。」

「在這個星球上的每個生物都需要陽光才能生存，人類也不例外。沒有陽光，身體就無法製造維他命D，而沒有維他命D就不能新陳代謝鈣質，也就無法製造骨骼和牙齒。沒有陽光，松果腺就無法運作。松果腺是腦中一個非常小但卻很重要的腺體，它可以幫助調節血糖的濃度，而荷爾蒙和情緒也會受此影響。這也是為什麼現在很多人會得了季節性憂鬱症。」

「我聽過季節性憂鬱症，」年輕人打斷說：「可是這究竟是什麼毛病？」

「這是一種由於缺乏陽光所引起的症狀，會造成身體健康的許多控訴，譬如慢性疲勞、焦慮、沮喪、體重上升、風濕痛、悲傷、甚至性慾降低。這主要在冬天發病，而大部分都會在春天消失。現在也有辦法把藉由一種螢光燈，波長跟日光很接近，在室內製造出日光。不過，自然的日光當然最好了。」

「那其他的環境因素呢？你剛剛提到說，你曾經受電磁輻射的影響，那是怎麼回事？」

「對！這個輻射是從電腦、投影機、雷射印表機、影印機和其他電器設備中來，而其中的含量有些是對健康有危險的。愈來愈多的跡象顯示，輻射量不只和偏頭痛或皮膚癌有關，甚至跟血癌、不孕症或其他癌症也脫不了干係。」

年輕人警覺地問道：「那怎麼辦呢？工作不可能說換就換的。」

「那當然！工作當然不能說換就換。可是如果你不能把工作場所帶進大自然，那就把自然帶進工作場所中也是一樣的。打開窗戶，讓室內的光線好一點，在你的工作區域種一些植物。」

「植物能有什麼幫助？」年輕人懷疑地問。

「嗯！這你就小看它了，一般的植物才是最好的環境清淨機呢！根據美國太空總署的研究證實，一般居家植物的葉片和根部，就可以吸收空氣中大部分的有毒氣體和環境

污染質，同時，還可以吸收和排除過量的輻射質。」

「眞的這麼神奇？」年輕人睜大了眼睛說：「你是說，我們只要很簡單地把植物放在辦公室中，就可以創造出健康的環境、得到更多的新鮮空氣和更充足的自然光？」

「沒錯！看來你已經入門了。」斯葛洛夫先生說：「不過，除了自己的工作場所之外，我們還必須考慮到整個世界的環境，因爲畢竟，如果我們這一代留下了汙染的水、土地和空氣，那我們的後代子孫還有什麼希望呢？我們必須了解，未來的收穫必須靠現在的播種，我們現在就得把平衡還給自然界，重新創造出一個自然的環境，讓它回復到未受汙染前的樣子。」

年輕人從來沒有思考過，他周遭的環境對健康竟如此重要，而他也完全沒想到，他竟然有能力去改變生活和工作的環境。他不禁想著：「如果每個人都能試著去改善周遭的環境，包括工作和居家的環境，藉此創造出健康的身體，以及留給子孫一個更健康的生活環境。這樣不是滿好的嗎？」

這天晚上，年輕人把今天的重點重新整理出來。

健康的第八個祕密——不健康的環境無法創造出健康

新鮮乾淨的空氣和陽光是環境健康的基石。

如果不能把工作帶進自然中，那麼，把自然帶進工作中吧！

照顧你周遭的環境，盡一己之力，把平衡與和諧還給自然世界。

信念的力量

第二天晚上，年輕人在睡夢中被雷聲和閃電吵醒，他起身站在臥室窗前向外看著雷雨，心裡感到一陣迷惘。除了他真的學到了一些觀念，和自己的實際進展之外，所有這一切都顯得如此不可置信。毫無疑問的，他的確覺得好多了，可是這是表示身體戰勝了嗎？稍早，醫院裡的一個生理顧問曾告訴他，他的狀況可能是惡化的前兆。可想而知，年輕人被疑慮和害怕所折磨著。如果這個專家所言屬實的話，那會怎麼樣呢？

年輕人的思緒回到他名單上的第九個人，是一個叫做愛彌爾·都布列的退休醫生。他希望這個醫生能夠給他一點安慰，結果如何明天就可以知道了。

都布列醫師的灰色稀疏的頭髮，以及有些皺紋的臉，顯示出他的八十高齡，不過，老實說，他大而明亮的藍眼睛卻充滿著年輕的光彩。都布列醫師以雙臂緊緊抱著他，歡

迎之情似乎有些過分熱烈了。幾個禮拜之前，年輕人對於陌生人的擁抱還顯得十分尷尬，不過，現在卻覺得自然而安全。

他們雙雙坐下不久，年輕人即對醫師說出他心裡的憂慮。

都布列醫師傾身向前，「不必煩惱！你走的路是對的，而只要你在這條路上待得夠久，你一定會好起來的。當一個病人沒有靠醫學治療而竟然好轉的時候，醫生會認爲這是回光返照，是惡化或轉移的徵兆。很多醫生並不了解健康祕密的內涵，而猜測某些奇蹟式的復原只是運氣。可是你和我都知道眞正的原因，不是嗎？」都布列醫師微笑著說。

「可是，昨天看我的醫生是個專家耶！」年輕人堅持。

「嗯！對於這個嘛……」都布列醫師說：「你知道喬治・蕭伯納怎麼形容專家嗎？他說，專家就是一個人，對於愈來愈少的東西了解得愈來愈多，直到他對『沒有』這個範疇完全了解爲止。」

他們兩個同時笑了起來，年輕人這時才漸漸地感到比較輕鬆。

「健康的祕密，」都布列醫師繼續說：「就像是天上的星星一樣——它就在那兒，每個人都可以看到，可是只有很少的人才會眞的去看見它。很多人都認爲健康和醫學是密切相關的，在醫學院的時候，我曾被教導去認識一種觀念：人就像一部機器，可以像汽車一樣被修復，而健康的鑰匙則是更新更好的藥物。我在一九三六年由布拉格大學授

與合格醫師資格，可是，直到第二次世界大戰期間，我才真正學到了最重要的一課——信念的力量。」

「怎麼說呢？」年輕人充滿好奇地問道。

「人不單是一部機器，不是只有血肉和骨頭，我們還有靈魂，這是人不同於化學或分子的地方。人們因為擁有靈魂而能超越有限的軀體之外。」

年輕人專注地聽著，醫師繼續解釋道：「在大戰期間，我在德國集中營待了四年的時間，瘦得跟皮包骨一樣，僅靠著發霉的麵包和一杯他們稱之為『湯』的溫水存活下來。這些食物當然談不上營養了，沒有維他命、沒有穀類、沒有真正具營養價值的東西，甚至到了今天科學家們還是不明白，為什麼人類可以靠這麼少的東西，經過這麼長的時間，還能活下來。」

「是啊！你是怎麼活過來的？」年輕人問道。

「靠著一樣東西——信念！大戰快結束之前，我得了痢疾。我無法吃任何東西，而且失去很多血。那時真是太痛苦，我最後終於崩潰了，恨不得一死了之，早點解脫。我唯一能做的事情就是祈禱……。」

都布列醫師的眼裡迷濛上一層淚光，「然後你那位朋友出現了，」他哽咽著說：「那天半夜，一個東方老人跪坐在我身旁，握著我的手，我到現在都還彷彿可以聽見他的回

音，他說：「要有信心！我的朋友。你不會死的，要有信心！」他整夜都陪著我，可是第二天我醒過來時，他卻已經走了。我的身體雖然還是很虛弱，可是靈魂卻堅信著老人對我說的生命的承諾。第二天，戰爭結束了，集中營被解放了。我被救出去，那時體重還不到四十公斤，可是……」都布列醫師沙啞著嗓子，艱難地說：「那個東方老人是對的，……我還活著。」

年輕人的喉頭似乎也哽咽了，他無法想像面前這個高大的男人，竟然曾經如此瘦弱。

都布列醫師繼續說：「這個中國老人救了我一命，而他所教導我的，是醫學上我從來沒有學過的最重要的一課。」

「是什麼？」年輕人問。

「哪裡有信念，哪裡就有生命。」

「你所謂的『信念』是指什麼？」年輕人追問。

「信念，就是你對事物所企求的眞義，那還沒有被看見的證據。信念，是一種心靈的信仰，是一種使不可能成爲可能的心靈力量。它是所有事物的解決之道，是所有期待的希望，是隧道盡頭的燈光。信心，是一種可以移山的力量。」

「可是信念到底在哪裡？」年輕人堅持問道。

「信念在生活中，在你自己的心裡，在超能量裡。」醫師回答道：「當然，很多在我這個專業領域中的人，會認爲這些說法簡直胡說八道，然而事實卻是，他們拒絕抬頭，所以從來沒有看過星星。」

「可是這種存在心裡的力量對疾病有什麼幫助呢？」年輕人問道：「我最近才學到，你可以用自己的意念來治病，並且，『相信』你能夠自己復原。」

「這是絕對的。」都布列醫師回道：「可是信念將人類的靈魂和更高的力量，甚至比意念更強的力量，連結在一起。我問你一件事，你相信上帝嗎？我的意思是，生命的創造者或更高的智者。」

「我不怎麼確定。」

「好，我讓你看樣東西，」醫師讓年輕人進入另一個房間，角落裡有一個幾乎兩公尺高的大物體，蓋著塊布。醫師走過去，揭開那塊布。

「啦啦——！」醫師獻寶地喊著。

這是個龐大的太陽系行星模型，他按下按鈕，所有的星球都依著自己的軌道繞著太陽運行。

年輕人看得目瞪口呆，簡直被這些準確的行星運行所催眠了。

「這是從哪裡來的？」年輕人吃驚地問。

「它們自己形成的啊！」都布列醫生笑著說：「過去超過十年來，這些東西就自己

一片片地聚集起來，然後變成你現在看到的樣子。」

「拜託！說眞的！」年輕人迫不及待地喊：「你到底從哪兒找到這玩意兒的？」

「我說它是自己形成的啊！」醫師回答。

「誰都知道這個機器一定是某個人製造出來的。」年輕人爭辯著。

「咦？聽聽你自己說的話。你堅持這個行星模型是被創造出來，雖然這是用很爛的技術模仿的。我們的太陽系是更複雜而無窮無盡的，整個宇宙的準確性完全不須以機械來控制，每個行星卻還能夠一直維持著自己的軌道。說宇宙和生命自己自然生成的，就跟我說這行星模型是自己形成的一樣荒謬。這就好像有人說，牛津字典是印刷廠裡一場大爆炸後的產物。所以你了解嗎？所有這些都不是偶然、偶發的，有產物就有設計者。」

「嗯！我了解你的意思。」

「對我來說，上帝或神，不管你用什麼名字來稱呼祂都不重要，重要的是，對上帝或更高能力有所信念，並且，相信這是比我們自己的力量更強大的。所以有人說：『人類並非靠麵包而活，卻是靠著上帝的一箴一言而活。』」

「聽起來不錯，可是意思是什麼呢？」年輕人問。

「意思是說，我們需要的不只是生理的營養，更需要心靈的營養。」

「可是，你的意思不是要建議人們，要健康就要相信上帝吧？我認識很多人是無神

論者，可是他們也很健康啊！」

「那當然！你不相信上帝也可以存活的。可是，長壽的健康幾乎都需要祂的。我以一個醫生的經驗確信，不論如何，信念都是治療的最重要因素。而且，不是只有我這麼想，紐約癌症協會前主席，克勞德·福克那教授也說過：『我們經常無法理解，是什麼讓病人從病痛中康復。我確定，信念——很多時候是最重要的原因。』

而艾默·希斯博士也寫道：『一個走進病房的肉體並非獨自一人，他只能用一些科學的醫療器具照顧病人，其他就要靠他自己對上帝的信念了。』你瞧！信念創造信任，以及心靈的平和，它所散發出來的力量可以創造奇蹟。信念，被認爲是人們從一些『沒救』的病症中康復的主因，因此，它也可以被視爲創造健康的一個重要部分。」

「信念的相反，就是懷疑、恐懼、焦慮和憂愁，」都布列醫師繼續說：「這些都是健康的破壞者。這也許是那些心懷堅貞信念的人，比其他人更健康的原因，同時，當他們生病時，這些人也復原得更快。」

「如果你的信念夠強，不只對你自己有幫助，對其他人也會有所助益的。你仔細想想就不會覺得太奇怪了，一些宗教經文也提到透過信念的治療。聖經中有一則故事提到說，伊利亞先知在治療一個瀕臨死亡的男孩時，就用了很多來自對耶穌基督的信念。」

年輕人想起他遇到的一些人，他們都說是被老人碰一下之後救回來的。現在他知道，老人用的就是他自己的信念。

「俗話說：『盡人事，聽天命！』當一切都說完或做好了，」醫師繼續說：「其他的就留給這個比人或機器更強大的力量。這是每個人隨時隨地都有的力量。」

「所以，你的意思是說，信念可以治癒任何事？」

「信念的力量是無限的，可是，信念如果沒有行動就無效。如果我們繼續過著違背自然法則的生活，世界上所有的信念都不會幫助我們，因爲，沒有什麼可以逃離宇宙的控制與影響。」

「那人們要怎樣找到信念？」年輕人問道：「我想不出要加入什麼宗教。」

「對！你不需要成爲任何宗教團體的會員，宇宙的創造者是萬事萬物的創造者，而不是某一群人們。」醫師說道：「記得！信念跟宗教一點關係也沒有，它是存在你自己內在的東西。要找到它，就是去找就對了。有時我們很幸運，它會隨著某些事情來到。」

「哪些事情？」年輕人問道。

「嗯……可能是一個危機。」醫師說：「危機就像是夜晚的風暴，它會一掃混濁的雲層，清除天空。然後，你只要抬起頭，就會看到星星。」

醫師繼續說：「多年前我一直深信，那個中國老人是我夢境中虛構的人物。集中營裡的生還者，沒有人看過他，而我也不曾再看到他了。可是最近這幾年，我終於確定，他是再眞實不過的人了。」

「什麼令你確信?」年輕人問。

「一些像你這樣的人開始敲我的門。」都布列醫師笑著說。

這天夜裡，年輕人坐在床上整理和都布列醫師的對話筆記。

健康的第九個祕密——信念的力量

信念，是一種使不可能成爲可能的心靈力量。

信念，將人類的靈魂與更高的力量連結在一起。

要得到健康，我們不只需要生理的養分，還需要心靈的養分。

沒有行動，信念是無用的。

持續的狂風豪雨猛力敲打著他臥室的窗戶。一會兒之後，暴風雨過去了，戶外歸於平靜。年輕人起身，倚在窗旁仰望天空，「你到底知道什麼?」他緩緩地對自己說。天空發著光亮，星光點點閃耀在海藍色的天空。這一刻，他所有的疑慮、恐懼和憂慮，都開始緩緩消失了。

祕密十

愛的力量

從他開始到處追尋到今天，已經四十天過去了，在這段時間裡，他不但學習到健康的法則與祕密，還將這些知識實際運用出來。

他每天都花時間做視覺治療和治療宣言；他還練習深呼吸運動，並確定每天都做一些不同的運動；同時，他也改變了飲食習慣，並隨時注意自己的姿勢；他還努力去尋找一些能令自己發笑的事物；當然，他也不忘在家裡和工作的地方布置大量的植物，以創造更健康的環境；他更加注重身體和精神上的休息了；並且，他生平第一次在生命中找到了自己的信念。

年輕人的新生活讓他感覺到前所未有的順暢，而令他最驚訝和高興的是，他的病症完全消失了。

他不知道還能學些什麼，不過，他的名單上還有一個人名。這是個名叫艾蒂絲・詹姆斯的女人，當他敲著她的門時，心裡交織著期待與不安。

詹姆斯太太是個臉頰紅潤、眼眸含笑的可愛老太太，非常溫暖而容光煥發，這令年輕人想起了那個中國老人。他淸楚地知道，詹姆斯太太一定是位十分特別的人。

「我得說，這眞是個驚喜，」她對年輕人說：「從你打電話給我，我就在想，你一定是見過道爾先生了。」

「我不知道他叫做道爾？」

「嗯，我也不怎麼確定就是了，不過這是我替他取的名字。」

「爲什麼？這有什麼特別的意義嗎？」年輕人問。

「其實『道爾』的正確念法應該是『道』，這是中文裡面『道路』的意思。我之所以會爲他取這個名字，是因爲他指引了我一條健康之道。這已經是超過五十年的事了，可是一想起來仍然歷歷如昨。那時我得了很危險的病——肺結核，可是我還不知道這病有多嚴重，直到我聽到一個醫生在病房外跟護士的談話。他要她每隔兩個小時來看一下我的狀況，護士就問他爲什麼？結果這醫生的回答讓我一輩子也忘不了。他說，我想吃什麼都盡量滿足我，因爲我只剩不到一個月的壽命可活了！」

「你可以想像，我簡直完全被摧毀了，我不想死，我才二十三歲啊！聽到這個消息

之後，我整天都緊閉著雙眼，祈禱。當天晚上，一個中國老人來敲我的房門，他送來一些雜誌。我根本沒有心情看雜誌，可是他的笑容是那麼溫暖，而且他說他專門帶了一些特別的雜誌要給我看，所以我就接受了。」

「他在我房裡待了一會兒，跟我談了些有關生命的話題，然後就很快地轉到健康的主題上。他跟我提到健康的祕密，又給我一張名單，他說，這些人可以給我一些幫助。我突然止不住地哭起來，因爲我想到自己活不久了。老人走過來環住我的肩，安慰我說，一切都會好轉的。最後，我聽到他說：『在雜誌裡有一個特別的消息要給你，妳一定要讀一讀。』」

「他走了之後，我停止了嗚咽，擦乾了眼淚，好奇地拿起雜誌來看。幸好我那時打開了雜誌，因爲裡面眞的有一個很特別的訊息，而那訊息救了我的性命。」年輕人聽得入迷，詹姆斯太太繼續說：「你一定在想，是什麼樣的文章，竟然可以拯救一個年輕而瀕臨死亡的女人。我告訴你，那跟健康或醫學一點關係也沒有，只是一個簡單的故事。可是對我來說，這不是個普通的故事，因爲它好像說的就是我父親的生命。」

「我五歲的時候，雙親就離婚了，而我之後就沒有看過我父親，或聽過他的任何消息。我父親是個很傑出的建築師，我一直認爲他從來不關心我，我和母親搬出了父親的家之後，他不曾寄過一張生日卡給我。可是事實卻從雜誌上透露出來，它提到一個很卓

越的建築師，誕生在我父親的家鄉，這個人跟我父親念同一所中學和大學，然後跟一個比他小十五歲的澳洲金髮美女結婚。這個建築師結束了他那痛苦、不快樂的婚姻，並且被拒絕去探望他唯一的女兒。」

「這一切聽起來簡直就是我父親。這個故事說，他寫了許多信給他的女兒，每逢生日和聖誕節，他也會寄禮物過去，可是從來沒有任何回音或訊息。十四年後，他放棄了，然後找到一段新的婚姻，和一個新的家庭。」

「我一生都沒有得到父愛，而我父親也得不到我的愛。眞相當然是我母親因爲痛苦和怨恨，而把他的信件和禮物都藏起來，她要我恨我父親。現在，我在病榻上，我終於知道自己一直被父親思念、愛和關心著。我決定在死前讓父親知道，我也愛著他。」

「讀完那篇雜誌上的故事，我決定馬上打電話給他。我不知道他的電話號碼，甚至連地址也不曉得，可是文章上提到他居住的小鎭，所以，要得到他的電話號碼並不困難。我有將近二十年沒有跟他說話，當他接起電話時，我竟爆發出強烈的哭泣。」

「第二天早上，我父親坐在床邊緊握著我的手。這種感覺很奇怪，很難形容，好像吃了什麼神奇萬靈丹一樣。我恢復了食慾，幾天之後，我已經可以每天都跟我父親在醫院的花園中散步，飽聞了山中的新鮮空氣，和花園中玫瑰的香味。」

「這段期間裡，醫生又幫我做了些檢查和檢驗，以追蹤病症的發展。然後有一天，當我和父親正坐在玫瑰花園中，一個醫生從屋子裡跑出來對著我喊叫，手裡還揮舞著幾張紙。這次做的所有檢查都是陰性的。你相信嗎？完全沒有肺結核的徵兆。我可以繼續活下去了！」

「這感覺一定很棒吧？」年輕人鬆了口氣說道。

「哇！相信我，感覺棒透了！那天稍晚我才想到，我一直沒有對那個帶雜誌來給我的中國老人道謝，也沒有機會告訴他，這本雜誌促成了我和父親的重逢。所以我就到醫院的服務站去，問他們可不可以幫我聯絡這個中國老人，他應該是負責我這區域的病房服務工作的。可是……」

「嗯！別告訴我……」年輕人打斷她，「他們的工作人員中沒有中國老人。」詹姆斯太太笑著說：「當然！」

「妳認為，為什麼妳的病會突然復原呢？」年輕人問道。

「如你所想的，醫生也是一頭霧水。我想，我的復原可能歸因於一些綜合的因素——飲食、新鮮乾淨的山區空氣、祈禱和運動。我出院後從那張名單中找到一些人，從他們身上我學會了這些祕訣。不過我心裡確信，對我健康幫助最大的，應該是一種很少被討論到，在醫學和治療上也很難被認定的東西，那就是『愛的力量』。我知道這聽起來可能很奇怪，可是我跟你保證，這是真的。」

「是嗎？愛，幫你克服了肺結核？」年輕人半信半疑地問道。

「沒錯！愛，在所有古代經文裡，都被說成是一種宇宙最強大的力量。愛，有克服所有事物的力量！我曾讀過一個美麗的眞實故事，有個旅行者，在北美洲一些又冷又覆滿冰雪的大草原旅行，有一天，這個旅人突然在兩個村莊之間，被暴風雪困住了。他既冷又體力耗盡，無法再多走一步，他倒下來準備等死了。」

「可是隨後他卻聽到小孩的哭聲，他撐起身子，尋著聲音在暴風雪中摸索，然後發現雪地裡蹲著個小女孩。他把小女孩緊緊地抱在胸前，想用自己的體溫讓她溫暖一點，他決定要拯救這個小女孩的性命。大約走了在一百步的距離，他們來到一間小木屋，這是小女孩的家。這個旅人不但救了小女孩的生命，也拯救了了自己。」

「這就是眞愛，沒有條件的愛，不求回報地付出，在幫助別人的同時，我們也幫助了自己。宇宙中有許多法則，所有法則都非常重要，而其中最偉大的就是愛的法則，因爲愛比任何事物都長久，也是最強大的力量。有了愛，我們可以克服所有的逆境、困難……和病痛。我堅決地相信，『愛』是戰勝病魔的最重要條件，可是卻經常被忽略。而且我確信，沒有愛，就不會有源源不斷的健康。」

「可是，愛爲什麼對健康這麼重要呢？」年輕人不解地問。

「愛，對健康很重要，是因爲它是生命的要素。沒有了愛，生命就失去了目標和意

義，最後我們會變得極度沮喪。恨、自私、生氣、怨恨……是愛的反面，這些會在體內製造出毒素，如同化學毒品一般毒害我們。」

「愛，豐富我們的身體、心理和靈魂。事實上，許多研究早已證明，心中有愛的人比其他人更容易從病痛中復原。」

「這又是什麼道理呢？」年輕人問道。

「當我們感到愛，我們的白血球數量會增加，特殊的荷爾蒙也會釋放出來，幫助我們對抗壓力和疼痛，而病人的整個情況都會因此改觀。幾年前，在倫敦的一家教學醫院就作過一個研究，證明愛如何增進療效。主治醫師通常會在前一晚，逐一拜訪將要動手術的病人們，跟他們解釋手術的進行方式。在實驗的對照組，醫師在和病人談話時，要握著他們的手，並多付出關懷。結果證明，這一組的病人，平均來說，比另一組病人復原的速度快約三倍。」

「愛，不只是克服疾病的必備因素，也是維持健康的要素之一。很多人會生病，是因爲他們不愛自己，他們覺得不被愛、不快樂，甚至，很多人是在自己的人際關係上出了問題。然而，『愛』卻是每個人都具備的。有一個方法可以確保我們可以收到愛。」

「什麼方法？」年輕人急切地問。

「我們總是在付出愛的時候，就會收到愛。」

「嗯！我想我了解妳的意思了，」年輕人說：「我只要幫助別人，或讓別人開心，我就會覺得愉快。」

「對了！就是這意思。」詹姆斯太太說：「而且，我們付出得愈多，也就回收得愈多。我們愛得愈多，感覺就愈棒！這實在太完美了，不是嗎？」

詹姆斯太太交給年輕人一塊飾版，「這是艾邁特·福克斯在他的書《山上寶訓》中的一段文字。」

飾板上刻著：「沒有任何困難是愛所無法克服的；沒有什麼疾病是愛所不能治療的；沒有什麼門是愛所無法打開的；沒有任何鴻溝是愛所無法跨越的；沒有什麼牆是愛所無法穿透的；沒有什麼罪過是愛所無法贖回的……。如果你的心中充盈著愛，你將會是世界上最快樂、最有力量的人……。」

年輕人回到家中，又仔細讀了一次這天所作的筆記。

健康的第十個祕密——愛的力量

愛，是永恆的治療良方。

獲得愛的祕訣，就是付出它。

尾聲

五年之後，年輕人更成熟，也更有智慧了。他變成自然健康療法的作家及講師，專門將改變他的知識經驗傳承給他人。他以自己的經驗當模範，對健康法則充滿敬意地生活著。

他記得十個禮拜之後，他回到醫院去看醫生，那一刻實在非常緊張，比十週前第一次走進醫院還焦慮。醫生坐在他面前安靜第看著他的檢驗報告，兩分鐘過去了，年輕人覺得這兩分鐘簡直比兩個小時還要漫長。最後，醫生推了一下眼鏡看著年輕人。

「嗯……」他微笑著，「我很高興告訴你，所有的檢查都呈現陰性反應，你完全正常。我必須說，在三十年的行醫經驗中，我從來沒看過這麼神奇的復原狀況。」

年輕人走出醫生的診療室，他帶上門，緩慢地走過候診室，繼續往出口走去。在他接近出口的時候，心臟和脚步都愈來愈快，他猛力推開旋轉門，步出醫院，他仰望天空，結實地喊出一聲：「萬歲！」

健康的祕密讓年輕人走出疾病的陰霾，步入健康的喜悅中。他突然想起中國老人對他說的話，如今，他才終於明白，原來那場病痛帶給他的是多麼珍貴的禮物啊！因爲這場病，他的人生更加充實而富裕了。他希望能讓中國老人知道，他們見面之後，他的生命起了什麼樣的變化。他想告訴老人，他現在了解當初那場談話的意義了，並且感謝他的幫忙。

突然，他的思緒被電話鈴聲打斷了。是一個女人，要求跟他見面，有人告訴她說，他可以協助她，她想盡快見到他。

「那當然，明天下午如何？嗯……下午三點？」

「那太好了！非常謝謝你。」女人解釋說：「我非常感謝，人家告訴我說，你知道如何幫助我。」

「我盡力而爲。」他跟她保證，「可是妳能告訴我，是誰給妳我的電話號碼呢？」

「我也不知道他的名字，我是今天早晨見到他的，他說他是你的一個朋友……嗯，一個老老的中國人。」

年輕人微笑著掛斷電話，他小聲地喃喃自語：「『道』先生，不論你在何處，上帝保佑你！」

財富的祕密

Secret of Wealth

序幕

當財富來到時，他們來得如此快，如此多，讓人不禁懷疑，過去那些年來，他們都躲到哪裡去呢？

拿破崙

當我們到了六十五歲的年齡，超過百分之九十的人，不是死了，就是破產！只有百分之九的男人和百分之二的女人能夠財力獨立，而不到百分之一的人是眞正擁有財富的。爲什麼？那百分之一的人到底比其他人多知道些什麼？他們比較聰明嗎？受比較高的教育嗎？工作比較努力嗎？還是他們只是比較幸運，被命運之神所特別眷顧？

這些問題困擾了我好多年。如果財富是我們每個人都渴求的，爲什麼只有少於百分之一的人可以得到呢？爲什麼當人們想要實現夢想時，會有那麼多的掙扎、痛苦與無力感？有一天，我遇到了一個擁有卓越智慧的老人，他告訴我有關財富的祕密——十個不只可以讓人在有生之年獲得財富，而且是源源不斷的財富的法則。

財富不只是你銀行帳户有多大，或你擁有多少有價值的財產，而是指你能多愜意地以自己的方式過著自己想要的生活。我發現，我們都有使自己致富的力量，不管你是老是少，結了婚或沒有，白人或黑人。外在的環境——經濟狀況，天氣或政府的政策——都不能控制我們的生活，只有我們自己可以！而只有當我們開始去控制一切，去爲我們自己的生活負責，我們才能夠理解，自己才是唯一一個有力量去改變或完成夢想的人。

不像其他的寓言故事，這本書中的所有角色都是根據眞實的人物所混合塑造而成的。當然，我把他們的名字換掉了。然而我希望他們的故事能夠激勵各位讀者朝著創造你們自己的財富而努力前進。

亞當・傑克森

一九九五年十一月

公園漫步

二月的第一個禮拜一，一個又黑又冷的早晨，六點鐘，年輕人走出前門沿著街道走去。街上的路燈還亮著，有些車子冒著熱氣在馬路上跑著。不久之前，要他在八點起床，他都可以掙扎好久；可是最近幾個月來，他感覺嚴重休息不足，他的睡眠型態變成零零碎碎的了。

他穿過馬路，爬上山丘往公園走去，這是他父親從前經常走的固定路線，輕快地穿過公園，在一天開始之前讓肺部打開，讓腦袋清醒。「日出的時候到公園來散步，」他父親總是這樣建議，「那些煩惱你的問題都會在這裡找到答案、新點子或解決方法。」

「就好像天使在向你吹口哨一樣，」他父親這麼下了個結論。

這種早晨散步的工作他已經維持兩個禮拜了，可是，他沒有聽過天使吹口哨；也沒有什麼新點子或好答案，他的問題還是沒有解決方法。

當他經過那間獨立大洋房的時候，他欽羨地想著，能有足夠的財富住這種大別墅眞是太完美了。如果他能住在這種房子裡，那不是太棒了嗎？他出神地想著，有那麼幾秒鐘，住在這房子裡的幻想在他腦中忽隱忽現。柔和的燈光，舒適的房間，還有空的雙人房可供朋友或家族來暫住，而在陽光普照的日子裡坐在花園裡曬太陽，更是他理想中的天堂景象。

可是在他走完這排最後一間洋房時，他的白日夢也回到現實了。事實是，他的財富根本連一間小小的普通連棟洋房都負擔不起，更別說是這種獨立大別墅了，而且除非他中了樂透大獎，否則買這種大房子大概也沒什麼意義吧。反正，生活就是、總是、可能永遠都是——一場磨難。

有一天在這座公園裡，年輕人走上一條新的小徑，走著走著，突然間深切地感覺到命運根本是在陰謀反對他。如果他出生在一個富有的家庭裡，如果他夠幸運，或有別人那種成功的機會……。

這年輕人的問題其實跟一般大衆的問題沒有兩樣，每到月底他一定超支，到哪裡都有帳單在等著他，天知道他是怎麼過來的，反正就是這麼過下來了。過去幾個月，隨著經濟蕭條，他的日子愈來愈難過了。他工作時間加長，所得卻不見增加，他可見的未來恐怕是很難翻身了，那些他曾經夢想過的事現在都只能丟在一邊。

他曾經想要成爲一個有名的作家，有自己的房子和家庭，可是他現在的處境跟那個夢想差了十萬八千里，他覺得這個夢想大概沒有實現的一天了。如果再年輕一點，也許就有可能離開這個工作，去做一些自己有興趣的事。然而隨著帳單愈積愈多，他已經不可能沒有這份工作了。

他被困住了，被困在一個不但薪水不高，他又沒什麼興趣和企圖心的工作裡。辦公室裡的許多同事也似乎都對工作沒什麼興趣，對他們來說，一如對他而言，工作的意義只不過在於餬口罷了。

就這樣，幾年之後，年輕人已經放棄他童年的希望和夢想了，他現在只能希望日子能繼續過下去……。在公園中不停地往前走，他祈禱著，如果真的有天使，總該會有一個對他吹吹口哨吧！只要一個小點子，一點小刺激，也可能對他的命運有或多或少的改變。

年輕人想得太全神貫注了，完全沒有注意到晨光已爬到公園東邊的橡樹上，也沒有聽見知更鳥的歌聲，更完全沒有發現有個老人正走在他身旁。

相遇

「早安！」一個聲音把年輕人從幻想中拉回來，他轉過頭去，發現一個中國老人正在他旁邊，他是個矮小，有點禿的頭只及年輕人的肩膀，穿著黑色運動裝。

「早安！」他回答著，對老人簡短地微笑。

「我可以加入你嗎？」老人問道。

「可以啊！只要你跟得上。」年輕人回答。

老人笑了笑說：「我盡量。」他加快腳步，好跟年輕人維持並肩而行的速度。

「你看起來好像腦中有什麼負擔，是不是？」老人問。

「還好。」年輕人頭也不回地說。

「你知道嗎，在我的國家裡，我們相信每一個問題都會同時帶來個禮物，每個危難都包含著等值或更有價值的種子。」

「哼！」年輕人從鼻孔吐出不太同意的語調。

「這適用於任何事……即使是金錢問題也一樣。」老人說著。

年輕人聽到老人「金錢」這兩個字，馬上屏住呼吸，轉頭面對老人說：「金錢問題可能帶來什麼意外的禮物？」

「金錢問題打開了通往財富的道路，使你的夢想實現。」老人答道。

「這怎麼可能？」年輕人不太同意的口氣。

「你知道許多世界上最富有、最偉大的人，都曾經破產，或有過一文不名的時候嗎？」老人說。

「不知道。」年輕人搖著頭。

「亞伯拉罕．林肯在三十五歲時曾宣告破產，可是他卻能成爲美國史上最有財富和權力的人；歐格．曼迪諾曾經是個居無定所的流浪醉漢，可是他卻成爲一個暢銷作家；而華德．狄斯奈在創造他的狄斯奈王國之前，也曾經破產過好多次啊！」

年輕人十分震驚，因爲他一直以爲，身無分文或破產只會發生在失敗者的身上。

「可是這怎麼做到的呢？」年輕人問：「如何從這種落魄的處境中得到好處呢？」

「很簡單！」老人微笑著說：「人們在舒適的生活中是不會去追尋更豐富的事物的，他們因爲被刺激或被逼迫，才會去改變生活，有一些人被鼓勵、刺激而做了改變；可是更多人是因爲不得已才被逼著去做改變的。你看！當你挫敗絕望的時候，你才會開始問自己問題，而這些問題卻會形成你未來的命運。」

年輕人的臉色逐漸恢復正常，不過仍是不敢相信的表情。

「我問你，」老人繼續說：「在我打斷你之前，你在想什麼？」

「我也不知道，大概是在想，爲什麼我會發生這些事？」

「結果呢？到底是爲什麼？」

「我也不知道。」年輕人坦承。

「這就對了！」老人喊道：「這問題的答案是『不知道』，或者更糟，是個錯誤的答案，這是以『爲什麼』開頭的問句經常發生的現象。你的腦子在你問問題的時候，一定會找出一個答案來給你；可是用『爲什麼』來發問，經常導致沒有希望、沒有解決方法、沒有未來。『我爲什麼會發生這種事？』、『我爲什麼會處在這麼糟的狀況中？』、『我爲什麼不能領先？』……這些問題都是無解的。

「厲害的人會問不一樣的問題，他們會用『怎麼？』和『什麼？』來問問題——『我怎麼樣才能改善生活品質？』，或更好的問題是『我需要做什麼，才能創造我的財富？』。」

「我就是不知道。」年輕人說：「我需要的就是答案，而不是問題。」

「可是如果你要找到正確的答案，」老人說：「你得先問出個正確的問題。聖經上寫說：『去尋找，你就會找到；去問，你就會有答案。』」

「聽起來是不錯啦！可是生命並沒有這麼簡單。」

「你怎麼知道？你試過了嗎？」老人說：「也許生命比你想像中要容易呢！」

「唉！我可不覺得它容易，」年輕人說：「不管我做什麼，我就是從來沒成功過，我試過所有的可能了，就是沒一樣行的。」

「別忘了解決問題的黃金定律。」老人說。

「是什麼？」

「當你認爲你已經耗盡所有的可能性時，記得一件事——你並沒有眞的耗盡！」

「如果是這樣當然很好，可是我就是不知道我還能做什麼，」年輕人說：「我從來沒有擁有財富過，可能也永遠不會擁有。我想我眞的沒這個條件。」

「追求財富需要什麼條件？」老人反問。

「我也不知道。至少，你需要一點錢才能開始賺錢吧？」

「你怎麼會這麼想呢？你知道亞理斯多德・歐那西斯沒有大學文憑，也沒有有錢的親戚，只從兩百塊美金白手起家創立他的事業，居然還成爲世界上赫赫有名的大財主。」

年輕人聳聳肩說：「他是運氣好。」

「大多數的有財富的人幾乎都從很少的資金開始創業的。安妮塔・羅迪的化妝品公司是從在停車間製造衛浴用品開始的。世界上最有錢的電腦王——比爾・蓋茲，他的財

富則是從革新電腦工業而建立起來的。安東尼・羅賓斯，一個暢銷書作家，同時也是第一位個人人格開發的領導者，他也曾一度財務破產而住在一間小公寓裡，可是他卻以一年的時間就扭轉了他的生命，變成一個百萬富翁，還買了棟面向大海的萬坪古堡。你眞的覺得他們的成功都是運氣使然？」

「好吧！可能不盡然，」年輕人回道：「可是還是得靠一點點運氣吧？不是嗎？」

「這些能夠累積財富的人身上，都有一個非常重要的共同點，就是『責任感』！他們都對自己的決定和行爲負責，他們不會把問題怪罪在經濟因素、政府、天氣或他們的小孩身上。擁有財富的人，不會坐等幸運時刻或適當時機的來臨，他們會走出門去，創造一切。他們不會找藉口，只會找解決方法。他們對自己承諾要成功。」

「你或許是對的，」年輕人說：「可是我只知道，我老是在財務問題上受挫，這可能是我的命吧！」

「你的命怎麼樣，都是自己造成的。」老人說：「只因你從來不曾富有過，那並不表示你永遠都不會富有了。生命的課題中，有一個最重要的課題是你必須學會的——未來並不需要跟過去一樣。如果你總是得到相同的結果，那是因爲你老是做同樣的事情。」

這兩個人沿著湖畔走向公園北岸，兩個滿面通紅的跑步者經過他們身旁，在空氣中留下一股濕潤的體香。年輕人仔細想著中國老人的話，當然，他的話的確不無道理，然

而，他還是不太有信心。

「你不需要用錢來賺錢，」老人繼續解釋：「你也不必有大學文憑、有錢的親戚或什麼幸運天使的降臨。你只需要去用你已經擁有的資源，去創造生命中的財富。」

「你眞的認為有這麼簡單嗎？」年輕人問。

「當然，沒什麼幸運不幸運這回事。你跟別人一樣，擁有創造命運的力量。」

「可是我相信，你的意思絕非指每個人都可以變成富有的人吧？」

「我就是這個意思啊！你知道嗎，這個世界上的大多數人已經夠富有了，只是他們還不知道哩！」

「這是什麼意思呢？」年輕人問道：「人們要是眞的擁有什麼財富，他們一定會知道的，哪有可能不知道呢？」

「你眞的這麼想？」老人說：「可是別人卻不這麼認為。你就是一個典型的例子。你之所以認為自己很窮，是因為你有付不完的帳單？」

「對啊！」年輕人迷惑地說：「咦……可是你怎麼知道？……」

「其實你已經擁有許多幾世紀前，甚至是現在的某些地方所沒有的東西，譬如乾淨不絕的自來水；以及，你只要透過各種圖書館，就可以便利地獲得許多珍貴的資料，而只要是你有興趣的任何領域、任何範疇，甚至是被世界其他地方所否定的文獻資料，你都可以從圖書館中得到；你也有足夠的食物可吃，許多衣服可穿；你有電話可以跟世界各地的朋友聯繫；你還有電視，每天都把新聞和娛樂節目帶到家裡面來；你還可以買到許多吃的東西，這些食物可能五十年前還沒人聽過呢！」

「而各種交通工具——汽車、火車和飛機，在半個世紀前，還只是屬於有錢人才可能接觸、擁有的。所以你看！跟那些歷史上的千千萬萬人相比，你算是相當富有的，甚至超越以前人所能想像的富裕。」

「金錢，並不是財富。」老人繼續說：「擁有金錢，通常也不足以衡量財富。事實上，金錢本身是沒有價值的，它只不過是一疊紙張或金屬硬片，有一些圖案或人頭在上面而已。而金錢也只有在它能換取物品時，才有價值；否則，當你擱淺在一個荒島上，幾百萬塊錢會有什麼用呢？」

「一個月入六位數的成功商人，工作的負荷量剝奪了他和孩子們相處的時間，你想他會有多富有？一個得了絕症的百億富翁，和一個銀行戶頭空空，卻身心健康的人，哪一個人是比較富有的呢？」

「眞正的財富，只能用你生活的品質來衡量。只有當你能依自己的方式過自己的生活，你才算是眞的擁有財富。」

這兩個人沿著小徑穿過一大片樹林，樹枝上正冒出一些早發的嫩芽，青綠的顏色預

示著，春暖花開將不遠了。他們沈默了一會兒，年輕人開口了。他說：「可是，金錢可以提高生活品質。」

「用得聰明的話，對！的確可以提高生活品質。」老人承認，「可是許多人以爲金錢可以解決所有的問題。」

「它的確可以解決我大部分的問題。」年輕人笑著說。

「你可以這麼想，不過，我跟你保證，它不能解決你的任何問題。」老人語調肯定地說。

老人的話激怒了年輕人。這老人又知道年輕人的問題是什麼了？不過在年輕人提出辯解之前，老人繼續說了：「如果你贏得了幾千萬，你會怎麼辦？」

「我會淸償所有的債務。」

「然後呢？」

「嗯……我想想。首先，我會舉辦一個慶祝宴會，招待所有的親朋好友。然後，我要買一間有游泳池和網球場的新房子，一輛新車，一台大電視，新的家具。然後，跟我的家人去度假，同時也會把錢送給一些需要它的朋友們。」

「然後呢？」老人追問。

「我不知道。」年輕人坦承：「我還沒仔細想過這個問題。」

「你剛剛說的，就跟許多夢想著有一天發了大財的人所想的一樣。可是從你的答案就可以發現，爲什麼這些人永遠不能得到財富。」

「這是什麼意思？」年輕人截斷老人的話，「的確有很多人中了彩券或大獎，也有很多人一夜之間變成千萬富翁。」

「你說得也沒錯。可是這些人的財富都很短暫，這些人最後都會跟他們買第一張彩券時一樣分文不名！」

年輕人不相信地猛搖頭。

「這是眞的。」老人重申，「你知道他們爲什麼會變回窮光蛋嗎？因爲他們沒有學會如何創造或經營財富。一段時間下來，他們能夠累積的財富非常有限，即使有一些，他們也很快就會失去了。這就好像有人給他們一株很珍貴的植物，可是卻不知道怎麼照顧；它需要哪一種土壤，要在什麼氣候下生長，需要多少水分，澆水的頻率如何，以及它可能有什麼蟲害。他們會短暫地享受到植物的果實，可是很快就會把它弄死了。」

「反過來說，如果他們學了一些知識，了解植物的需求。他們知道如何用種子繁殖，如何照顧它，那麼，他們希望有多少果實，就可以有多少果實。」

「財富，就像植物一樣，是非常珍貴的。每個人都有創造財富的能力，可是我們得先學會創造和維持財富的祕訣。如果我們不知道如何掌控金錢，那麼金錢是不會帶來任

何價值的。你記得聖經裡那個浪子的故事嗎？」

這故事好像聽過，可是年輕人記不起任何細節。

於是老人說：「一個有錢的地主有兩個兒子，較年輕的那個兒子對經營父親的事業一點也不感興趣，卻需要父親的財產，好讓他可以到世界各地去冒險。對於兒子的想法，父親雖然覺得傷心，卻還是把財產給了兒子，並且看著他離去。這兒子享受了許多他花錢買來的好東西，可是沒過多久，他的錢就花光了，除了身上那件衣服之外，他身無分文地回到家鄉。」

「這個揮霍無度的兒子帶著滿滿的金錢開始他的旅程，卻因爲沒有學會如何創造財富而很快地就什麼都沒有了。」

這兩個人這回走到了樹林的盡頭，不自覺地又順著一條小徑往山丘上走去。

「你看看，財富不只是一個人身上所有的資金，」老人說道：「資金要減少是很快的。要得到財富，你必須對自己所希望擁有的生活有某種程度的概念。」

「對生活有某種程度的概念？這要如何做到呢？」年輕人問。

老人微笑著。「你必須了解，這世界上的所有事物都有它們的法則。」他解釋道：「譬如說自然的法則，有許多是我們都知道的，像萬有引力，一個蘋果從樹上掉下來，它一定會落地；我們也知道，沒有氧氣，所有地球上的生物都無法生存。除此之外，還

有許多法則，有些是跟累積財富有關的，而這些跟財富有關的法則並不那麼爲人所知，對大部分人來說，這還是祕密呢！」

現在，他們距離山頂還有一半的路程，年輕人的呼吸已經開始急促起來，而他身旁的老人卻還健步如飛。當他們到達山丘頂端時，年輕人轉身向著老人。

「所以，」他喘著氣說：「那祕密是什麼？」

「累積財富的祕密，跟所有自然界的祕密一樣，每個人都有機會擁有，你唯一需要做的就是，跟正確的人問出正確的問題。拿著，這個可以幫你。」老人說著遞給年輕人一張小紙條。年輕人急切地打開紙條，出乎他意料之外的，上面並沒有什麼祕密，沒有智慧的語錄，也沒有神奇的祕方，只有一排人名和電話號碼。當他再度抬起頭來，老人卻已經沒有了蹤影。年輕人迅速環顧四周，只見兩個人在附近悠閒地溜狗，其他什麼人也沒有。

「對不起，」年輕人走向那兩個溜狗的人，問道：「你們有沒有看到剛剛跟我走在一起的老人到哪裡去了？」

這兩個有點年長的男女互望了一眼，男的說：「我沒有看到有人跟你走在一起啊！」

他身旁的女人也搖搖頭說：「沒看到。」

「可是，你們一定有印象，我剛剛跟一個中國老人走在一起，他穿著一件黑色的運動夾克。」年輕人堅持。

「我很抱歉，」男的重複說：「我們眞的沒有看到有人跟你走在一起。」

年輕人尋著方才走過的路徑，緩緩地往回走，他完全無法理解，那老人怎麼可能一轉眼就消失了呢？而且，爲什麼這對溜狗的男女都沒有看見他呢？或許，這一切都是他自己幻想出來的，他自己做的白日夢。可是，他捏著口袋裡的紙條，這張紙條不可能是夢啊！中國老人確實曾跟他在一起的，這張寫著十個人名和電話號碼的紙條就是證據！

祕密一

潛意識信念的力量

年輕人回到家中，馬上開始打電話給紙條上的所有人。頭幾通電話他還有些不好意思，他不確定人們對於他這個陌生人的來電，及有關中國老人的神奇相遇，會有什麼樣的反應。然而事實證明，他實在無須憂慮的，因爲他們都知道中國老人及有關財富的祕密，甚至他們還都顯得相當高興他的來電。於是，他很快地在接下來的幾個禮拜之內，安排了和所有人的會面。

第一個和年輕人見面的是一個叫做理察・艾博拜的男人。艾博拜先生的時間表排得滿滿的，但他還是同意在第二天下午五點鐘會見年輕人。

艾博拜先生住在城市外圍的一間大廈頂樓，當年輕人進入起居間時，馬上就被窗外的景色所吸引住了——整個城市籠罩在夕陽下的美妙景觀。面向南方的整面牆鑲了四面落地窗，城市的整個景觀一覽無遺，落日將城市的天際線染成了琥珀色，遠方的辦公大樓透出像星際般閃閃發亮的燈光，而車燈和路燈也在脚下流成一條長龍。

「這景觀實在太美了！」年輕人讚嘆地說：「我從來不知道這個城市有這麼壯觀。」

「是啊！實在是很壯觀的城市。」艾博拜先生笑著說：「我就是看上這個景觀才買下了它，不管是什麼時候，我可以在這窗前一坐就是好幾個鐘頭。」

年輕人判斷艾博拜先生大約將近五十歲，他是個矮小、體格強健的男人，淡淡的頭髮下是一雙明亮的藍眼睛，他穿著一條棉質卡其長褲，配上白色翻領襯衫，輕便又不失品味。

年輕人坐了下來，艾博拜先生開口問道：「你對累積財富的祕密有興趣是嗎？」

「你認爲眞的有這祕密嗎？」年輕人反問。

「嗯！當然囉！」艾博拜先生答道。

「那這祕密到底是什麼呢？」年輕人又問。

「它不過是十項永恆不變的法則，當我們使用它時，所有人都能夠藉此創造出他們的財富，而且是源源不絕的財富。」

「每個人都可以嗎？你確定？」年輕人謹愼地問。

「絕對是！」艾博拜先生點頭說道。

「可是，如果每個人都有能力擁有財富，爲什麼還有那麼多人爲了生活而勞苦一輩子？」

「不是每個人都有能力，這點很重要，」艾博拜先生說：「而是，每個人都『相信』他們有能力可以做到。一般人的心思和身體是有能力達成一些重大的事情的，問題是，我們不相信自己有能力可以做到。」

「很久以前，我曾看過一個表演，一個催眠師從觀衆裡面選出好幾個人來作催眠。這個催眠師要其中一個觀衆在桌子上躺下，他催眠了這個人，然後告訴他說，現在他的身體堅硬得如同一塊鋼板，他搬出兩張椅子，分別放在這個觀衆的頭和脚部，以支撐他的身體。然後他把桌子移開，這個觀衆的身體僅由兩張椅子支撐頭脚，卻竟然能保持著平躺在桌上的姿勢，他的身體眞的如同鋼板一樣堅硬。這是爲什麼？因爲他相信。」

「之後，在同一個表演裡，其他的人也被催眠了，這一次，催眠師告訴他們說，他們無法拿起放在桌上的自來水筆，他告訴他們這個自來水筆比兩噸重卡車還要重，無論如何都不可能拿得起來的。催眠師說：『無論如何試試看，但是這枝筆是動不了的。』」

「他們一個一個接著去拿這枝筆，我特別記得其中一個人，長得高大魁梧，活像個健美先生。當他試著要去拿起這枝筆的時候，他的臉脹得通紅，額頭冒出一粒粒的汗水，手臂的肌肉緊緊的鼓起來，血管暴露出來……可是，他還是無法把筆拿起來！原因不在於他沒有能力拿起一枝筆，即使一個小孩也有力量可以拿起一隻筆來，而是，他『不相信』自己有能力可以拿起筆來。」

「所以，你有什麼能力並不重要，重要的是，你相信自己有能力！這就是財富的第一個祕密——潛意識信念的力量。」

「我們的潛意識信念？」年輕人重複說：「我不懂。信念跟財富有什麼關係呢？」

「如果一個健康強壯的大男人，只因爲相信拿起一枝筆是不可能的，就眞的無法拿起筆來，那麼你認爲，一個人打心裡不相信自己可以致富，他還有什麼機會可以變得有錢呢？」

「十五年前，我本來過得還可以，雖然沒什麼太了不起的事，可是我過得還滿舒服的。然後有一天，我被裁員了，突然間沒有了收入，可是我還有房子貸款及一堆生活開銷要支出，我完全不知道要怎麼過下去。一天晚上，我睡不著，於是就出門沿著河岸散步，就在那時，我遇見了一個改變我一生的人——那個中國老人！」

「然後呢？」年輕人急切地想知道有關中國老人的事。

「他說了一句話，那句話直到現在還跟著我，他說：『每一個逆境都包含一個等值或更大價值的種子。』」

「他也跟我說過一樣的話，」年輕人大叫起來。

艾博拜點點頭，繼續說：「那時我並不了解這句話的意思。你想想看，我丟了工作，等於失去了我賴以生活的一切，這個絕望的景況，怎麼可能還會帶來什麼有價值的東西呢？可是回過頭去看，那眞是發生在我身上最好的一件事了，因爲那樣的處境，強迫我必須去創造我的生活，去做一些除非這件事情發生，否則我永遠不會去做的改變。」

「我一直想要自己創業，自己當自己的老闆，被裁員之後，使我有機會去做這件事。學會了財富的祕密後，我在家裡成立了一個管理顧問公司，而第一年，我就賺進了從前那個工作的雙倍收入。」

「眞的嗎？你沒有開玩笑吧！」年輕人吃驚地喊出來：「你眞的是運用財富的祕密才成功的嗎？」

「那當然！」艾博拜先生肯定地說：「十九世紀，美國一個心理學家和哲學家——威廉・詹姆斯說過，他那個世代最偉大的發現就是，人類可以簡單地藉由改變他們的心理狀態，來改變他們的生命。這點是千眞萬確的！不管你希望生命是個什麼樣子，健康或快樂、擁有愛情，或者成爲一個億萬富翁，你第一件必須做的事情就是，去檢驗你的態度和信念，你是否認爲這些是可能的。如果你不相信某件事是可能的，你就可能實現它！」

年輕人拿出他的記事本和筆，他問道：「你不介意我記筆記吧？」

「嗯！當然不會！記筆記是個不錯的方法。」艾博拜先生微笑著繼續說：「你知道嗎？在醫學上有一個實驗，一百個得了同樣疾病的人，如果給他們同一種包著糖的膠囊，然後告訴他們說這是可以治病的特效藥，有百分之四十的病人會痊癒，只因爲他們相信這種藥可以治癒他們的疾病。類似的情形，一旦病人被宣告得了不治之症，他們的情況通常很快地就惡化下去，因爲他們眞的相信自己沒救了。」

「如果你覺得自己沒有吸引力，你想你還有多少機率可以得到一份恆久的愛情？你跟人們在一起時，可能覺得侷促不安，在宴會上總是遠遠地獨自坐在後面，想盡辦法讓自己不要被注意到；即使碰到一個被你深深吸引的人，你也可能覺得自己不夠好，配不上他們。」

「在我們生活的各個層面裡，影響力最大的就是我們的潛意識信念。其實，你所賺的金錢，通常就是你認爲自己的價值。」

「等一下，」年輕人坐直了身子說：「我沒聽清楚，你是說……」

「你對以前所得到的薪資滿意嗎？」艾博拜先生問。

「嗯……不！不怎麼滿意。」年輕人回道。

「那你爲什麼不要求加薪呢？」

「因爲我不覺得他們會給我加薪。」

「如果你不要求的話，加薪就更不可能了。」

「這是眞的。」年輕人說：「可是他們有時候也會加我的薪水，這又是爲什麼？」

「對他們來說，當你的價値多於你現在的薪資時，他們就可能給你多一些。可是很顯然的，你並不相信自己比現有的薪資更値錢。上個禮拜我面試一個人，也已經準備以四萬英鎊起薪聘用他，因爲他的資歷和能力都非常適合這個職位，可是當我問他期待多少薪資時，他卻說兩萬英鎊。」

年輕人不斷記著筆記，艾博拜先生繼續說：「你的現況是一面反映你信念的鏡子，如果你不相信自己也有富裕的一天，那麼你富裕的機會恐怕永遠不會到來。其實，富裕的人和窮苦的人最大的不同，不在於他們的銀行帳戶有多大，或財產有多少。」

「那是什麼？」年輕人問。

「他們的信念！擁有財富的人對他們自己和金錢有非常淸楚的信念。」

「你的意思是說，有財富的人相信他們能夠創造財富？」

「是的！」艾博拜先生答道：「不過意義還不止於此。我這樣說吧：你很明顯地希望能夠累積財富，否則你不會出現在這裡討論它。對不對？」

年輕人微笑著說：「沒錯！」

「那你告訴我，你爲什麼要成爲富有的人？源源不絕的財富對你的生活有什麼好處呢？」

年輕人想了一下說：「擁有財富就能夠擁有自由，這自由指的是，我可以去我愛去的地方；去做我喜歡做的事；去買我喜歡的任何東西……財富使我有力量，有安全感，獨立感；我還可以開始我自己的事業。」

「很好！」艾博拜先生說：「你的想法中，你相信金錢可以帶給你更大的自由、力量、安全和獨立？」

「那當然！」年輕人說：「可能大部分人都會說出相同的答案吧！」年輕人口氣十分堅定地說：「我們都相信，金錢能夠改變我們的生活。」

「等一下，等一下！我們還沒有做完這個練習呢！」艾博拜先生說：「我現在要你做的是，想一想你成長經驗中，學到或聽到的所有有關金錢或財富。」

「我不太了解你的意思是……」年輕人猶豫地問。

「好！我這麼問吧！你的父母最常說到有關金錢的話是什麼？」

「嗯……我想想，我記得父親總是說錢不會從樹上長出來。」

「好！非常好！還有沒有其他的？」

「我母親常說，金錢不是萬能的，還警告我們說，金錢不會帶來快樂，也不能買到愛。」

「很好！還有呢？宗教信仰上對錢的說法呢？」

「你的意思是什麼？金錢是萬惡的根源？」年輕人問道。

「對！也算！這是我們最常聽到的一種說法，雖然我認爲對金錢的『愛』才是萬惡的根源，而不是金錢本身。」

突然間，年輕人感到十分震驚。他從小到大所學到對金錢的看法，竟然都是負面的！他一直被教導著去相信，金錢是不足取的，它在生命中是不重要的，它不能帶來快樂，也買不到愛，而且，金錢還是萬惡的淵源，使人們的靈魂陷於萬丈的地獄深淵。

「你看見這些潛意識信念跟你的意識想法是多麼矛盾？一方面，你認爲金錢可以帶給你自由、安全、力量和獨立，但是另一方面，深層的信念又告訴你，如果你累積了財富，你將不快樂，沒有愛，有罪的，並且可能因此墜入地獄。你的潛意識信念因此阻止你接近財富。」

「我以前從來沒有這麼想過。」年輕人說。

「有些人並不認爲自己值得擁有大量的金錢；另外一些人則認爲擁有財富是錯的，是不道德的，他們會認爲，爲什麼當別人都沒有錢時，我卻可以有錢？這些爭議的問題在於，如果你沒有幫助別人的條件時，你就無法幫助任何人。」

「我們的潛意識信念是十分有力量的，」艾博拜先生重複地說：「這影響著我們生活中的每一件事物。二十世紀最偉大的企業家——克里門・史東，提出一個相當好的說法，你看！」他說著，拿出一塊飾板給年輕人看，上面刻著：「**不論腦中所想著的是什麼，所相信的是什麼，它一定可以被得到！**」

「你說的我都了解，」年輕人說：「可是我不認爲，改變潛意識的信念是件容易的事。」

艾博拜先生微笑說：「永遠記得克里門・史東說的話：『不論腦中所想著的是什麼，所相信的是什麼，它一定可以被得到！』你絕對有選擇信念的力量。」

「怎麼做呢？」年輕人問道。

「自動建議。」艾博拜先生說。

「這是什麼？」年輕人問。

「自動建議只是一種簡單的技巧，就是你一直不斷地對自己提出建議。」

「一直對自己提出建議，這樣就能影響潛意識信念嗎？」年輕人不可置信地問道。

「任何建議或說法，只要重複的頻率夠多，它就會進入你的潛意識中，」艾博拜先生解釋道：「因爲，你聽到這信念被人一直不斷地重複又重複，然後，它就進入了你的潛意識中，你就將會相信它們了。」

年輕人快速地記錄下一些重點，艾博拜先生繼續說：「你要做的就是，透過自動建議，去創造出一些跟金錢或財富有關的正面聯想或信念。首先，你必須把那些陳年的負面信念反過來想。譬如，不要說『錢不會從樹上長出來』，而以這句話來代替：『是的！錢不會從樹上長出來，但是在我的努力之下，它就可以』；又譬如，我們以『金錢可能無法帶來快樂，可是沒有錢也同樣不會有快樂』這句話來代替『金錢無法帶來快樂』；又如，我們可以說：『對金錢的喜愛是萬惡的根源，可是在好的方向，金錢卻是一個大福祉。』」

「然後，再加上你自己的正面建議，譬如，『財富帶來力量、自由和安全』或是『我有能力創造源源不絕的財富』。這樣，你就可以開始改變你的潛意識信念，不管是對你自己，對金錢還是對財富。」

年輕人從筆記本中抬起頭來，問道：「這些自動建議需要多久重複一次？」

「儘可能頻繁地重複。」艾博拜先生回答：「至少一天三次——起床之前一次，白天一次，上床前再一次。」

年輕人爲了怕自己忘記，很快地在筆記本中記錄。

「不管你相信什麼，你都可以做到，」艾博拜先生說：「這就像這一首詩。」他說著指向桌上的一塊飾板，上面有一首詩：

如果你認為自己會被擊倒，你就會被擊倒。
如果你認為自己沒有勇氣，你就不會有勇氣。
如果你想贏，可是你認為自己不會贏，
那麼，你幾乎不可能會贏了！
如果你認為自己將會失敗，你就已經失敗了。
在這個世界上，
成功孕育於一個人的心——
全都在那顆心上。
如果你認為自己與衆不同，你就是！
你得盡可能想得美，
你得先確定自己是個什麼東西，
你就可以贏得任何獎牌。
人生的戰鬥並不永遠靠向那些比較強壯的人，
或比較快的人。
可是遲早，贏得勝利的人，將是——
那個以為自己能夠的人。

「這是一首很有鼓舞作用的詩，」年輕人說：「我可以把它抄下來嗎？」

「當然可以！」艾博拜先生笑著說：「我想你可能也會喜歡這句雷夫・艾默森說過的話。」說著他遞過來一張小卡片，「這是我的第一句『自動建議』，我一直隨身帶著，以時時提醒我自己。」年輕人看著卡片上文字，它寫著：

戰勝的人，是那些認爲他們可以的人！

這天夜裡，年輕人把他和艾博拜先生會談上所作的筆記，仔細地看了一遍，他看到自己寫著：

財富的第一個祕密——潛意識信念的力量

人們不會獲得那些他們能力所及的事物，卻會獲得那些他們認爲他們可以得到的。

我們的生活狀況，反映的正是我們的潛意識信念。

人們賺得的，正是他們認爲自己價值。

透過自動建議，我們可以改變自己的潛意識信念。

不論你所想的是什麼，所相信的是什麼，你都可以得到它！

戰勝的人，是那些認爲他們可以的人！

祕密二

燃燒慾望的力量

第二天，年輕人來到城市北方六十英里遠的小村莊會見名單上的第二個人——盧波・康明思。經過一個小時的車程，他終於抵達這個廣大鄉村莊園的入口。當他走上鵝卵石鋪成的步道時，完全被這花園的景象深深吸引住了，放眼所及，一片約五百平方公尺的綠色草坪，柔軟豐美地鋪陳在土地上，一棵巨大的香柏樹四周圍著一叢叢的水仙花，花園的外圍種著一圈紫色和金色的金盞花。

步道在房子前圍成一個荷花池，池中有個石雕海豚噴泉。房子外牆爬滿了爭藤蘭，粉紅色花苞點綴在綠色的爬藤間，洋溢著早春的氣息。鵝卵石步道盡頭，一個穿著棉布工作服，戴著鴨舌帽和太陽眼鏡的男人推著獨輪手車向年輕人走來，他是個高大的男人，留著銀灰色鬍鬚。他放下手中的推車，拿下太陽眼鏡，露出閃亮的雙眼。

「你好！有什麼事嗎？」他說。

「我是來找康明思先生的，」年輕人回答道：「我跟他約了見面。」

「我就是康明思！你好嗎？」他說著伸出手來。

年輕人驚訝地握著他的手說：「嗯……很好！謝謝！」

「今天天氣不錯，我們坐在外面好嗎？」康明思先生說。

「當然！」

康明思先生領著年輕人沿小徑來到房子後花園，年輕人眼前又出現另一番美景。如果說，前花園可以用美麗形容，那麼，後花園就得用高雅形容了。碎石子路筆直穿過大片草地，兩旁種滿了長綠灌木，草地四周圍繞著開滿不知名花朵的苗圃。

他們坐在一張鑄有白琺瑯的鐵桌子旁，面向著高貴的後花園。幾分鐘之內，一個僕人就爲他們端來了飲料。

「要不要喝點茶？」康明思先生問。

「好！謝謝！」

在康明思先生倒茶的同時，年輕人很簡短地告訴他，有關遇見中國老人的事。

「財富的祕密？」康明思先生說：「嗯！當然！我知道這些財富的祕密，我擁有的所有東西，都是從那些祕密來的。」

「哪個祕密最特別呢？」年輕人問道。

「每一個祕密都同樣重要，它們幫助我得到今天所有的東西。但是，現在回想起來，我想我最需要學習的是『燃燒慾望的力量』。」

「慾望？」年輕人重複著，「可是你確定每個人只要有慾望就會有財富？」

「你有慾望吧？不是嗎？」康明思先生說：「事實上，很少人有致富的慾望，更別說有燃燒的慾望了。」

「是嗎？這我倒不知道，」年輕人說：「爲什麼有人會不想要財富呢？」

「讓我從頭說起，」康明思先生說：「人類的抉擇圍繞著兩種東西──痛苦和愉悅。如果有什麼是可以帶來愉悅的，我們就會去追求它；如果有什麼是會帶來痛苦的，我們就會避免它。這你同意嗎？」

年輕人點點頭，「我想是吧！」他說：「可是，財富不是會帶來歡愉嗎？」

「是的！沒錯！可是，很多人卻認爲金錢或財富會帶來痛苦。你學了潛意識信念的力量沒有？」

他點點頭，但沒說什麼話。

「所以你知道，有些人相信金錢會帶來某種程度的痛苦。舉例來說，有些人認爲，朋友會因爲金錢而出賣他們；或擔心有了財富之後，需要擔負一些責任；有時候他們還

擔心錢太多要繳稅，或怕別人因爲他有錢，而對他有所索求。」

「說得更明白一點，有這些擔憂的人，其實並不眞的對財富有慾望，也因此，他們通常不會擁有財富。」

「這得到一個結論，」康明思先生繼續解釋道：「如果你希望得到源源不絕的財富，你必須提高對擁有財富、得到財富的愉悅。你必須要它，比『要』更多的是，你必須渴望得到它，有燃燒的慾望才行。你必須有這份慾望，到了可以爲得到財富，而願意做一些必要犧牲（包括犧牲你的健康，你的私人關係和你的正直）以掃除任何阻擋你的障礙。」

「這是爲什麼那些想戒菸的菸槍，想保持清醒的酒鬼，想減輕體重的減肥者永遠都不能眞正成功，除非，這些戒菸、戒酒、減肥的慾望夠強烈，他們才可能有所改變。如果你想在生命過程中得到些什麼，你必須對此有一股燃燒的慾望。」

「十五年前，當我遇到中國老人的時候，我差不多失去所有的東西，而瀕臨破產邊緣。我曾經在高速公路旁，開了一間加油站，經營得很好，好到我竟然還可以在加油站旁再開一家餐廳。那時，每件事都非常順利，我也工作得很愉快，直到另外一條更新、更寬的高速公路，在東邊三公里的地方開好了之後，幾乎是一夜之間，開進來加油的車輛一落千丈，六個月之內，生意壞到完全沒有希望的地步。而在這段期間內，我開始負債了。」

「我不但沒有任何收入可以支付日常開銷，更別說賺一點錢還債了。最後只好把加油站賣給一個有錢的親戚。那時，我發現自己已經六十幾歲了，竟然還身無分文！」

年輕人從筆記本中抬起頭來，他說：「你是說，你得在六十幾歲的年紀，還要一切從頭來？」

「是的！」康明思先生點點頭。

「可是大部分的人在那個年紀都要準備退休了，不是嗎？」年輕人叫了起來：「你還能做什麼呢？」

「老實說，那時候我還眞是沒了主意，我只知道我一定得做點什麼。那天，我坐在自己的餐廳裡，一個中國老人走了進來，他坐在我面前不遠的一張桌子旁，對我說：『早安！』他有一張非常和善的臉孔，我們的距離幾乎馬上就拉近了。他點了一道特餐——我店裡唯一的一道特餐，也是我最拿手的一道餐點，油炸辣薯片。每一個在我這兒吃過這道餐點的人，都會愛上它。」

「他用完餐之後，問我爲什麼這地方這麼空蕩蕩的，我就跟他解釋那條新開的高速公路的事。他問我以後要怎麼辦呢？我就說我不知道。我已經花了生命中最寶貴的二十年經營加油站和餐廳，直到新的高速公路建起來，事業就一下子全沒了，可是，如果車子不經過這裡，我還能怎麼辦呢？」

「老人嚴肅地望著我，然後說：『在我的國家，我們相信每個困境的來臨，都一定會帶著同等，或更有價值的東西。』我說：『別開玩笑了！二十年的心血都白費一空，還可能有什麼更有價值的東西？』他又說：『因爲有更好的東西在等著你。當一個門關起來時，你就得去打開另一扇門。你可以擁有任何你想要的東西……如果你的渴望夠強烈，而且準備好不惜代價得到它。』」

「我看著窗外陷入沈思，我想著接下來該怎麼辦呢？這樣的情況有可能帶來什麼轉機嗎？我想了一會兒，可是當我回過頭來的時候，老人已經走了，他在桌上留下用餐的費用，以及一張小紙條，紙條上寫了十個人名和電話，最後還有一行字——謝謝你的特餐，油炸辣薯片實在太可口了！」

康明思先生啜了一口茶，繼續說他的故事：「我打電話給紙條上的所有人，想多知道一些關於這老人的事，卻因此學會了財富的祕密。如同我說的，我已經到了這種絕望的地步，沒有什麼可以失去，所以我完全豁出去了。」

「這些祕密幫助了你？」年輕人問。

「看看你周遭的這一切，」康明思先生微笑著說：「沒有財富的祕密，我恐怕只能一死了之了。」

「你不是說眞的吧？」

「當然是眞的。可是還好我學會了那些祕密。」康明思先生嚴肅地回答。

「那燃燒的慾望到底是怎樣幫助你的呢？」年輕人問道。

「它讓我決心走向成功。」康明思先生說：「在生命的過程中，除非你有一股燃燒的渴望，否則你很難抓住任何東西，因爲，『獲得』需要努力、決心和承諾。我以前一直希望活得舒適，可是在事業破產之後，我有強烈的渴望，不只希望有錢，更想要擁有大量的財富，以此對我自己和他人證明，我可以做到。人們告訴我說，我已經太老而不可能從頭來過，還有人覺得我太愚笨了，癡心妄想，他們覺得我應該把現有的做好就行了。」

「而事實卻是，我決定要把我所擁有的做到最好，並用此來創造財富。」

「你擁有的是什麼？」年輕人好奇地問。

「油炸辣薯片的獨家祕方！」康明思先生說。

「別說笑了，」年輕人說：「薯片有什麼獨家祕方可言？」

康明思先生微笑著，「我預估，餐廳和咖啡廳可能會需要這樣餐點，我也知道我的薯片一定會受歡迎的——每個吃過的人都很喜歡——所以，我跑遍全國推銷這道餐點的獨家祕方。我先免費提供獨家祕方給餐廳，直到油炸辣薯片的點用比率提高了，再來談價錢。很多餐廳經理人都取笑我說：『我們幹嘛要你的什麼獨家祕方？我們自己有啊！』我就告訴他們說：『可是我的祕方很特別啊！』他們幾乎連嚐都不願嚐，可是我並不氣餒，因爲我要成功的慾望非常強烈。

我差不多拜訪了上千家的餐廳，直到終於有人同意試試我的食譜。三年之後，我收到了五張合約，又過了四年，光靠一張又一張的合約書，就使我成了個千萬富翁。我幾乎七十歲了，可是我做到了。所以你瞧，中國老人的話是對的——失去加油站，卻爲我帶來了更棒的事。」

年輕人也高興得笑了。

「你有沒有看過查理・狄更斯寫的『小氣財神』？」康明思先生問道。

「有！」

「是什麼讓史庫吉改變了？」

「一些過去、現在和未來的聖誕鬼魂。」年輕人說。

「對！可是他們是如何使他改變呢？」康明思先生繼續問。

「嗯……他們讓他看到，如果他再不改變的話會怎麼樣。」年輕人回答道。

「對了！過去的聖誕鬼魂讓他看到自己過去，因爲吝嗇小氣而產生的折磨與痛苦；現在的鬼魂則重現他目前所承受的痛苦；而未來的鬼魂則讓他看到，如果再這樣下去，

將來他會變成什麼樣子。然後，當史庫吉醒來，發現自己還活著，於是決定要徹底改變。」

「我們也可以用這種方式來改變我們自己的生活，不論是在財務上、事業上或人際關係上都可以，重要的是，我們需要有改變的慾望。我們必須淸楚地意識到不做改變會帶來的痛苦，以及一旦改變將會帶來的樂趣。這樣做才能讓我們有很強烈的動機，刺激我們非成功不可。」

「使我們創造出這種強烈慾望的唯一方法，就是採用類似『小氣財神』書中的方式，由四個簡單的步驟來進行。第一步，就是深刻地回想過去造成你現在想改變的痛苦經驗。所以，如果這改變是你想擁有更多的金錢，你只要回想過去，當你想買一些你喜歡的東西時，你總是無法如願的情形。」

此時，一個畫面閃過年輕人的腦海中：他小的時候，總是穿著過時、陳舊的衣服，而他朋友們的穿著卻都是最新流行的款式；長大之後，當他在念大學時，他也總是不能跟朋友們出去玩樂，因爲他沒有多餘的錢可以供他享樂，當時有個紅頭髮的可愛女孩，他仰慕已久，可是他從來不敢約她出來，因爲他沒有車子；而最痛苦的經驗是，他母親生病，需要一筆昂貴的醫藥費，他卻無能爲力。缺錢使他過去的回憶充滿了痛楚。

年輕人的思緒被康明思先生打斷了。

「第二步，是去審愼地思考，過去那些痛苦的經驗，是你現在想改變的動力。以我

的情況來說，我失去了所有努力得來的一切，那實在是太痛苦了。」年輕人想到他因為財務上的困難，使得他度過了無數個難以成眠的夜晚，可是他從來沒有仔細去體會這種痛楚與苦悶，以至於這樣的經驗雖然不好過，卻沒有幫助他從中興起去改變生命的動機。

「第三個步驟，」康明思先生繼續說：「是去想像，如果你不做任何改變的話，未來還要不斷地承受這樣的痛苦。譬如在童年，你無法得到特別的生日禮物；或你因為沒有錢而無法上大學；或因為自己很窮困，而無法妥善地照顧你的家人；或你沒有能力在家人朋友需要幫助的時候，對他們伸出援手；或你買不起大房子，好招待來拜訪你的朋友們。」

年輕人想像他已經結婚並且有了小孩，他想到自己沒有能力讓他們過得好，他的孩子得跟他自己小時候一樣，在窮困中成長……，他不忍再想下去了。他深吸一口氣，過去、現在和未來，好像除了痛苦之外，還是痛苦。

「這不是有些令人沮喪嗎？」年輕人問：「為什麼要一直想著生活中的那些痛苦？」

「這的確很消極，」康明思先生承認，「可是，如果這讓你燃燒起改變生活的慾望，不是值得的嗎？是不是？」

年輕人點著頭說：「沒錯！可是……」

「沒錢付賬單；沒錢供緊急時使用；或沒錢爲自己、家人及朋友買些禮物……，這些經驗的焦慮和痛苦，正好成爲我們改變生活的原動力，」康明思先生解釋道：「記得！如果你要改變現有的生活，你一定要有熾熱的改變慾望。前面提到的三個步驟只是個小引子——你希望逃開的痛苦。第四個，也就是最後一步，才是正文。現在你要想像當你擁有許多財富之後，所享有的歡愉快樂。你將有能力買下那些你一直夢想擁有的東西，可能是一棟大房子，一部車子，一段假期；你將有能力幫助那些你所愛的家人和朋友；或有能力幫助那些需要幫助的其他人。」

「可是，當我說『想像』的時候，意思是，你必須眞的看到這些事的發生，你必須眞的體會、感受到那種快樂，當這些事眞的實現時，你是否眞的感到無比的快樂。」

「這樣可以幫助你創造出一股燃燒的慾望，當你心中充滿了這種強烈而熾熱的慾望時，很快地，生命的路程將如同你期望的樣子，在你眼前展開，等著你一腳踏上去。」

「你眞的相信，只要慾望夠強烈，生命就會如同你期待的樣子，等著你去擷取它？」

「那當然！」康明思先生答道：「你知道『慾望』這字在拉丁文中是什麼意思嗎？」

年輕人搖搖頭。

「意思就是『來自父親的』，也就是『與生俱來』的意思。這代表什麼？這表示，

無論你心裡想要什麼，你與生俱來就有能力去得到它。換句話說，即使你沒有慾望，你也天生就有能力可以去創造慾望。」

「嗯！我懂了！」年輕人說：「你的意思是說，只要對某件事或某樣東西渴望得要死，就有力量可以得到它。」

「完全正確！我就是個活生生的例子。如果一個像我這樣超過六十歲的人都可以做到，相信我，任何人都可以！」

那晚，在上床之前，年輕人把當天做的筆記又整理了一次：

財富的祕密——慾望的力量

如果你尚未擁有財富，那表示你對擁有財富還沒有足夠的慾望。

你如果沒有一股燃燒的慾望，你就很難得到你要的東西。

當你有了燃燒的慾望，你會願意做任何犧牲（包括犧牲自尊、健康或人際關係），只爲了實現這股慾望。

你可以依『小氣財神』中的四個步驟，去創造熾熱的慾望：

回想過去缺錢的經驗。

回想過去因爲缺錢而承受的所有痛苦。

想像如果你不做任何改變的話，未來你將不斷承受同樣的痛苦。

想像當你擁有財富之後，你將得到的所有歡愉快樂。

祕密三

確定目標的力量

幾天後，年輕人來到市中心會見名單上的第三個人，一個叫做麥可．查普曼的男人。

查普曼先生是一家國際通訊公司的負責人，他穿著一件白棉質襯衫，胸前一條深灰色條紋領帶，雙排扣外套及深灰色長褲，高高瘦瘦的，外型相當顯眼。他有著十分整潔的栗色頭髮，紅褐色的大眼睛，以他四十多歲的年齡來說，他算是看起來相當年輕的。

年輕人告訴查普曼先生有關他遇到中國老人的事，以及他的前兩次談話經驗，查普曼先生坐在他的椅子上，雙手交握，好像陷入了嚴謹的思慮中。

「告訴我，」查普曼先生對著年輕人說：「你想在生命中得到什麼？」

「對不起，你的意思是……？」年輕人問。

「你想從生命中得到什麼？」查普曼先生又重複了一次。

「嗯……我想要……快樂、健康和……當然！富足。」年輕人回答道：

「不是每個人都一樣嗎？」

「是的，這也是爲什麼很少人是快樂、健康並且富足的原因。」

「你是什麼意思？」

「如果你不知道要在生命中尋找什麼，你如何找到它呢？」

「可是我不是剛剛才說了嗎？我要健康、快樂和富足。」年輕人堅持。

「可是這些字眼模糊不清、含糊不明、沒什麼特別的意義，它們到底是什麼意思呢？」

「對不起！可是我不明白你的意思。」年輕人急忙說。

「好！讓我們說得更確實一點，畢竟這是你來這裡的目的。你要怎麼樣才會感到富足？你必須賺多少錢才會感到富足？」

「嗯……我想想，」年輕人終於理解查普曼先生的意思，他想了想說：「我至少需要賺比現在的薪水多兩倍，才會感到富足。」

「好！這是個開始。還有呢？」查普曼先生問。

「我要擁有一間房子，沒有貸款負擔，還要一部車子……」

「哪種房子，哪種車子？」查普曼打斷他說。

「我不知道。」年輕人回答：「那不重要。」

「是嗎？」查普曼先生說：「所以，只有一個房間的房子，在城裡最髒亂的地區也可以接受嗎？」

「不！當然不！」年輕人說。

「那要哪一種房子才行呢？」查普曼先生又問。

「我會想要一間有五個房間，位於城市北邊的房子。」

「好！現在你已經愈來愈清楚了。」查普曼先生又問：「你認爲賺比現在多兩倍的薪水，可以負擔這樣的房子嗎？」

「不能。」年輕人笑了，「我得賺比現在多十倍的錢，才能負擔這種房子。」

「這麼說，你剛剛爲什麼說只要多賺兩倍錢，你就感到富足了呢？」

「我……我想，我還沒有眞的仔細去思考這個問題。」年輕人不好意思地承認。

「你可以看到矛盾了嗎？」查普曼先生說：「很多人都說他們想要富有，可是很少人花時間仔細去想他們到底要什麼，以及爲什麼要。如果你想開始爲自己的生活創造源源不絕的財富，你必須好好把這些都想清楚。去找出你確實的需求，甚至到最細節的部份都想清楚，是非常必要的過程。只說你想要一部新車，是不夠好的。你必須知道是什麼車，哪種牌子，什麼樣子，什麼顏色，才能讓你的心裡有清楚的焦點。最後，一個清

楚的目標還不夠，你還必須知道原因，以及如何達到目的，這才能眞正對你有幫助。」

「年輕的時候，」查普曼先生繼續說：「我想我能對抗傳統體制，不需要資格文憑，我對學習沒有興趣，一心一意只想過得好。可是很快的，我發現我得不到一份好工作，因爲沒有資格和文憑。回過頭去看，這的確很荒謬，有一段時間我把這歸咎於學校教育，我應該被教導去了解學習和得到資格是非常重要的，可是事實卻是，我的確被這麼教導過，只是我沒有聽進去。」

「我不知道能做什麼，因此變得依賴、沮喪，而且非常苦悶。爲什麼別人都有新車、大房子、高貴的衣服和很棒的假期，而我卻沒有？我不斷地想，別人有這些東西，是因爲他們花時間努力去賺取，而我只是浪費了年輕的歲月。我責怪所有的人，父母、老師，甚至政府，然而只有一個人是該被責怪的，那就是我自己。」

「有一天，我從一個姑媽那裡獲得一份遺產，這給了我從這個烏煙瘴氣的日子逃開的好機會，於是到旅行社去，想找地方度個兩週的假期。我拿著旅遊廣告到公園去，開始選度假的地方。」

「然後，一個中國老人坐到我身旁來，他問我是不是要去哪裡度假，我告訴他說還不知道要去哪裡，只知道我一定要離開幾個禮拜。然後他問我爲什麼一定要離開，我於是說，我沒有工作，沒有希望，也沒有未來。他轉過來直直地看著我的眼睛說：『那你必須去創造個未來。』」

「你怎麼創造自己的未來呢？」年輕人突然打斷他。

「我那時也是這麼說的，」查普曼先生說：「而這個老人只說：『透過財富的祕密啊！』，然後他給我一個名單，說這些人會跟我解釋一切。」

年輕人微微笑了起來。

「我就是透過那些人發現自己最大的問題，就是沒有目標、沒有方向。」查普曼先生繼續說：「我可以擁有任何我想要的東西，可是首先得確實知道我到底要什麼，以及爲什麼要。這就是確定目標的力量。」

「確定的目標，」年輕人說著在筆記上寫下一些字，然後他問：「所以你是說，我們必須有目標才能創造財富？」

「嗯，是的！目標是第一個部分。」查普曼先生說：「你必須有特定的目標，只是說我想要財富是不夠的。建構一個未來，你必須把焦點放在你想要擁有什麼，還有你想在什麼時候擁有它。」

「這些又如何幫助你得到財富呢？」年輕人問道。

「想像一下，你開始了一段旅程，可是腦海裡並沒有一個終點，請問你最後會到哪裡去？」查普曼先生反問。

年輕人笑著說：「那就隨人去猜了。」

「對啊！沒人知道。你會在什麼時候往什麼方向前去，完全決定於你當時的感覺。可是如果你在啓程之前就有個目的地，那麼你最可能到達哪裡呢？」

「當然就是那個目的地囉！」年輕人說。

「對了！人生就像是個旅程，如果你知道自己要去哪裡，你就最可能到達那裡。」

年輕人又低頭做了些筆記。他以前從來沒有明確的目標，可是他現在知道目標的重要性了。

「有目標只是發展明確目標過程中的一個部分而已。讓我們回到那個假想的旅程，如果你有好幾個目的地想去，你如何確定你都一一拜訪過它們了？」

「嗯……把它們寫下來？」

「很好！把所有的目標都寫下來，這樣你才可以隨時檢查自己是不是走在正確的道路上。這就好像去超級市場一樣，如果你沒有準備一張購物清單，你可能還是知道自己要買什麼，可是當你在衆多展示櫃前繞一圈之後，你可能被廣告、促銷活動或琳瑯滿目的貨品所吸引而分心，最後往往忘了買些最重要的東西。」年輕人笑了起來，「我就是這樣。每次我從超級市場出來，總是忘了買最重要的東西，反而買了一些奇奇怪怪產品，甚至是不需要的東西。」

「現在，如果你有一張購物清單，這種事就不會發生。因爲你在超市裡面逛的時候，你會不時看一下你的購物清單，以確定到底要買什麼。」

「這聽起來挺簡單的。」年輕人說。

「是很簡單啊！」查普曼先生笑著說。

「所以你的意思是說，把目標寫下來是比較有效率的方式？」

「沒錯！然後每天都要看一下，最好一天三次，讓它們一直在你的腦海中。這樣，你會永遠把焦點鎖定在這些目標上，而你做的大部分事情都會跟這些目標的達成有關。假如舉例來說，你有個目標是在這個禮拜結束之前完成一個企畫書，你就會把大部分的時間花在這個企畫書上頭，而不是看電視。」

「最有效的方式是，你必須把目標牢牢記在腦海中，讓它進入你的潛意識裡。」查普曼先生說。

「怎麼說呢？」年輕人問道。

「好，通常目標都怎麼說？人們都如何表達？舉例來說，新年的新希望人們會說：『我希望……』，『我要……』，「我想嘗試……』這些說法是沒什麼用的，這也是爲什麼人們的新年新希望通常都無法達成。」查普曼先生解釋道。

「這些說法有什麼不對嗎？」年輕人不解地問。

「如果有人說他要戒菸，你想他會成功嗎？」

年輕人聳聳肩。

「我跟你打賭，他們不會成功的。」查普曼先生說：「因爲，如果有人眞的有心要戒菸，他會說：『我不抽菸！』你有沒有聽過一個例子，一個催眠師把另一個人催眠，讓他直挺挺地躺在兩張椅子上，中間什麼也沒有？」

「有！我聽過。」年輕人回答。

「想像一下，催眠師如果說：『你應該直得跟一塊木板一樣，我們要試著讓你變得跟鋼板一樣硬。』這個催眠有可能成功嗎？催眠師應該說：『你跟一塊木板一樣直，像鋼板一樣硬！』沒有『應該』、『試著』、『可能』、『希望』……這些詞，催眠師都用確定而正面的表達方式。」

「我們表達目標也是同樣的道理。要用『從現在到今年十二月三十一日爲止，我賺了一百萬。』，來取代『我想要』、『我將試著』或『我希望在今年年底之前賺到一百萬。』當你要寫下目標的時候，永遠記得用肯定、確實的詞句來表達。」

「當你用這種詞句寫下目標的時候，你已經達成一半了。說起來也很神奇，當你用肯定、確實的詞句寫下目標的時候，事實上，是正在把它們變成你的眞實生活。只要簡單地把它們寫在紙上，每天讀個三遍——早上、中午和晚上——你就已經開始往目標前

進了。」

「眞的嗎？」年輕人不可置信地問。

「我只能說，試試看，看會發生什麼。」查普曼先生說：「寫下目標，對你達到目的有決定性的力量。一旦你把它們寫下來，就開始『看見』自己得到它們。」

「這又是什麼意思呢？」年輕人問。

「這是一個叫做『視覺化』的過程。不論你的目標是什麼，想像你已經得到它了。舉個例子來說，你的其中一個目標是住在某種房子裡，你開始『眞的看到』自己住在裡面。或者，如果你的目標是獲得某種特別的工作，你要『眞的看到』你自己在做這份工作。」

「可是這不過是想像的吧？」年輕人問道。

「你知道，有一個充滿智慧的老人曾經告訴我：『如果你企求它，它就不是夢！』當你想像自己已經達到目標，這目標會變得更眞實，更有可能。這種技巧經常被偉大的運動家所使用，因爲這會增加你的自信心，一種幫助你達到目的的感覺。」

「好！」年輕人說：「所以我得確定目標，把它們寫下來，然後『看見』自己達成目標。」

「對！不過，還有一個額外的步驟，可以讓你達到目的的過程更爲有力，就是確實

指出你爲什麼要這些目標的原因。」

「爲什麼呢？」年輕人問道。

「因爲原因可以給予目標一個目的。舉例來說，如果目標是賺到某個數目的金錢，還不如這個金錢是有目的的，譬如，賺到這些錢，是爲了負擔一間特別的房子、一個假期或讓你的孩子上大學。不管是什麼，你反正需要一個目的。畢竟，『賺到一千萬』和『賺一千萬來買間自己的房子』，哪種說法動機比較大？記得！財富不只是累積金錢，而是用它來滿足你的目的，滿足你生活上的目的。在你的目標後面標出原因來，可以使你的目標更有力量。」

這天晚上，年輕人把自己做的筆記拿出來重新溫習一遍：

財富的第三個祕密——明確目標的力量

你可以擁有任何你想要的事物，只要你確實知道要什麼？爲什麼要它？

你必須對目標有明確的想法，包括爲什麼要達到這些目標的原因，以及在什麼時候達成目標。（譬如，只說要擁有財富是不夠的，還必須說出到底要賺到多少錢，要擁有什麼財產。）

永遠用肯定、確實的詞句描述目標。（譬如：從現在到×月×日爲止，我賺了多少錢……。）

把目標寫在紙上，每天讀三遍（早上、中午和晚上）。

把自己達到目標的情況「視覺化」。

指出爲什麼要達到這些目標的原因。

記得！財富不只是累積金錢，而是用來滿足你的目的，滿足生活目標的。

祕密四

行動計畫表的力量

「所以，你已經寫下了你的目標，用肯定、確實的詞句表達，也已經預定好了達成的時間表，以及爲什麼要達到目標的原因。現在你已經有了明確的目標——你知道自己要什麼，爲什麼要它，以及什麼時候要達成目標——，可是還不知道下一步該怎麼做？」

年輕人坐在愛芮卡・席爾的正對面，愛芮卡・席兒是一家頗具規模的國際出版公司的主編，也是年輕人名單上的第四個人。第一眼看到席兒太太的時候，年輕人十分驚訝，因爲他以爲一個出版主編應該是個中年人，可是席兒太太雖然是三十九歲，可是看起來起碼年輕十歲以上。她有著一頭金色長髮，綠色的大眼睛，雖然已經有了三個小孩，可是身材還保持得相當苗條。

「說實話，」年輕人說：「我是一點主意也沒有，妳說得對，我雖然知道了自己的目標，可是卻不曉得該如何去達成它。」

「這沒有關係。」席兒太太說：「十二年前，我也跟你一樣。我的事業是從一個自由文字工作者開始的，我一面懷孕，一面繼續工作，直到我把孩子扶養長大。那時，我都寫一些自己有興趣的文章，就是有關初為人母和家庭的內容。也就是說，不管我們在家庭中的各個階段扮演什麼角色，我通常都可以找出一些主題來寫。我的文章大都發表在雜誌和報紙上，收入還不錯，同時可以照顧我的三個小孩。可是我還有個更大的夢想——我真正想做的是，自己出版一份雜誌。問題是，自己出版一份刊物需要太大一筆資金了，這使得我的夢想像個不切實際的幻想。」

「然後有一天，我要到北方一個城市去採訪某個人，坐在我對面的正是那個中國老人，他也要去同一個地方。他非常和藹可親，我們幾乎整個旅程都在談天。談著談著，我就告訴自己是個文字工作者，可是一直有個夢想要出版自己的刊物，我也向他承認，這個夢想需要太多錢，我恐怕一輩子也無法實現它。」

「然後，他輕輕碰著我的手臂，對我說：『如果妳要它，它就不是個夢。』」

「這是什麼意思？」年輕人問道。

「我也是這麼問他的。」席兒太太說：「老人於是說：『只要是妳腦子想得到，並且相信的，它就可以被實現。』」

年輕人想起老人也跟他說過類似的話，他低頭開始記筆記。

席兒太太繼續說：「就是那個時候，他跟我提起財富的祕密。他給我十個人名和電話號碼，告訴我說他們可以跟我解釋這些祕密是什麼。我去見了這十個人，因爲我想或許這些人有什麼故事，是我寫文章可以參考的。可是我很快地就發現，財富的祕密是眞有其事，而且也使他們都成功了。其中一個對我特別重要的祕密就是，行動計畫表的力量。」

「行動計畫表到底是什麼東西呢？」年輕人問。

「知道你要什麼，和爲什麼要，是非常重要的，這可以讓你的目標眞正進入你的生活中，可是如果你做一些實際行動來達成目標，你就必須發展一個工作策略。這就是行動計畫表。」

「所有成功的運動家都會計畫他們的未來，他們會計畫出訓練時間表，以使他們剛好在某個競賽的時刻達到巔峰。比賽之前一、兩個禮拜才計畫已經來不及了，他們必須很早就預估到自己的巔峰期，才有可能成功。而我們的生命過程也是同樣的道理，所有在賺錢之前一定都有個粗略的構想，然後配合自己的行動計畫。

幾年以前，我問過一個非常成功的企業家，什麼是他成功的祕訣，他告訴我說，不管什麼事情，要成功必須做到三件事：計畫、計畫，再計畫！這個建議很有道理。你可

以想像蓋一間房子，卻沒有施工設計圖嗎？要用什麼材料、什麼工具？要在哪裡打地樁？要蓋成什麼形狀？有幾層樓？如果沒有計畫，你就不知道要如何開始。」

年輕人點頭同意她的說法。

「同樣的原則，不管你要得到什麼，一間房子、一條船、一輛車……或各種財富，都需要行動計畫表。」

「不要只是生活……，如果我們有了行動計畫，我們就可以依照想要的樣子去設計生活。這其實不容易，連一件小事都不見得容易呢！我舉個例子，譬如你的電視機壞了，需要換一台新的。你知道自己想要什麼牌子、什麼樣子的電視，下一個問題是：『要怎麼做才能得到這台新電視呢？』」

「你只要知道哪一家店有在賣，去買就行了。」年輕人說。

「好！你找到這家店，可是如果太貴了怎麼辦？」

「很簡單啊！那就不要買嘛！」年輕人回答。

「中國老人有跟你提到解決問題的黃金定律嗎？」席兒太太問。

年輕人翻著他的筆記本，找到其中一頁，他念著：「當你以為你已經耗盡所有可能性的時候，記得一件事──你並沒有眞的耗盡！」

「完全正確！」席兒太太說：「總有辦法的，你只是得去找到它。好！我們回到電

視機，如果電視機需要兩百鎊，可是你只有一百鎊，你要怎麼樣才能得到電視機呢？」

「嗯……那就等嘛！先把一百鎊存起來，再去存另外一個一百鎊。你可以一個月存十鎊，十個月以後就可以買到啦！」

「沒錯！這是一個方法。可是你會有十個月沒有電視呢！還有沒有別的方法呢？」

「那就去借錢，或用信用卡。」

「這也是一個辦法，可是如果你不能趕快把錢還掉，你可能要付很高的利息啊！」

「我就只能想到這些了。」年輕人承認。

「好！問問他們可不可以打折？很多店都把商品的價格訂得比較高，讓一些顧客可以討價還價。或者，問他們有沒有免利息的分期付款辦法？有的店還可能回收你的舊電視，然後貼補一些錢給你，你就可以不須付全額的價錢，就買到一台新電視。你看，不是還有其他許多的方法可以想嗎？

有些事情給人第一印象是『不可能』，可是當你坐下來寫一張行動計畫表，你就會發現，還有其他許許多多的可能性呢！你只要列一張十項行動計畫，寫下十個可能性。」

「可不可以舉個例子呢？」年輕人要求。

「當然可以！以我的例子來說，我需要十萬元才能成立我自己的雜誌社，所以，我就寫了十個可能性：

1.找個人或公司企業來投資十萬元。
2.找兩個股東，各投資五萬。
3.找五個股東，各投資兩萬。
4.找十個股東，各投資一萬。
5.找二十個股東，各投資五千。
6.找五十個股東，各投資兩千。
7.找一百個人來投資，各出一千。
8.找兩百個人來投資，各出五百。
9.跟銀行貸款。
10.把構想賣給出版商，跟出版商以合夥方式合作。

「一旦我把各種可能性都列出來，整個計畫看起來就不那麼困難了。現在我的每個案子、每個目標都有十項計畫表。」

「我懂了！這對你的每個目標都有效嗎？」年輕人問道。

「絕對有用！因爲這會激發出許多不同的方法，是你以前所沒有想到的。我曾經讀到一則故事，故事裡有一個神父，他要在一個新城鎮中建一座教堂，他沒有錢，所以就列了一個十項計畫書。他這麼寫的：

1.租一個學校的建築。
2.租一個社區互助會的大廳。
3.租一間狩獵用的小屋。
4.跟葬儀社租一間祭祀堂。
5.租一間廢棄的穀倉。
6.租一間社區的交誼廳。
7.租一個耶穌會的禮拜堂。
8.租一個猶太教教堂。
9.租一間劇場。
10.租一塊空地，一頂帳棚和一些可摺疊的椅子。

「寫下這個計畫表之後，他馬上就有了許多可能性，結果他最後把教堂建在那個劇場裡。幾年之後，這神父——羅伯・舒勒博士，有了固定參加禮拜的群衆，他於是想蓋一間有尖塔的教堂，讓整個城鎮的人都可以看見教堂尖塔。這個尖塔將被取名爲『希望之塔』，不只讓人們前來做禮拜，更希望成爲社區的中心，成爲全鎮人民希望與精神的庇佑所。這一次，他需要一千萬元了。有人告訴舒勒博士，這恐怕不太可能。可是舒勒博士又擬出了一份十項計畫：

1. 找一個人出資一千萬。
2. 找兩個人，各出資五百萬。
3. 找四個人，各出資兩百五十萬。
4. 找十個人，各出資一百萬。
5. 找二十個人，各出資五十萬。
6. 找四十個人，各出資二十五萬。
7. 找五十個人，各出資二十萬。
8. 找一百個人，各出資十萬。
9. 找兩百個人，各出資五萬。
10. 找一千個人，各出資一萬。

「籌措資金實在需要花很多時間，可是他還是做到了。而這種十項計畫表，可以用

在任何目標的達成過程中。」

「是的，可以想見這的確對事業的建立會有幫助。」年輕人說：「可是私人的事情該怎麼計畫呢？我有一個目標，就是在城市郊區買一棟有五個房間的房子，還要有前後院空地，以我目前的薪水實在不可能買得起，我現在連一個房間的公寓都負擔不起！」

「這表示一件事，除非你中了樂透或什麼大獎，你得找一個方法讓收入增加。這意味著你可能需要升官或換個薪水多的工作，甚至你可能要尋找創業的機會，不過反正，如果你一定要達成這個目標，就得尋求改變。」

「我知道這聽起來可能挺挫折的，不過試著先把十項計畫表做出來。如果你想現在做，我或許可以幫你。我們先想想，怎樣讓你的所得增加。你現在年收入有多少？」

「六十萬。」年輕人說。

「好！如果你每年多賺四倍，五年之內你將會有一千五百萬。這樣夠了嗎？」

「夠了！可是我怎麼賺這麼多錢？」年輕人說。

「寫出十項計畫。把你腦子裡想到的都寫出來。」

「好！」年輕人想了想，說：「我可以努力工作，然後升到經理的位置。我想他們每年至少有兩百萬收入。」

「這是一個可能，雖然還有一些距離。在一個公司裡面，要從小職員升到經理級領導階層，通常需要花上十年的工夫。」

「我能想到的另一個方法就是，我換一份有業績獎金的工作，這樣我的薪水就可能因爲業績不錯而提高。」

「好！可是這業績獎金要很高呢！」席兒太太說：「再去拿一個更好的資格文憑，如何？這可以讓你找到一個薪水更好的工作。」

「可是我現在有負債，我得一直有收入才行。」年輕人防衛性地說。

「沒錯，可是你可以去夜間進修。」

「這倒也是！我沒想過這個。」年輕人說。

「還有，自己創業如何？」席兒太太建議。

「這也是個可能，」年輕人說：「可是做什麼事業呢？」

「同樣的，計畫！很多人終其一生都在從事跟他們興趣背道而馳的工作，他們不知道自己喜歡什麼，自己的潛力或弱點在哪裡，他們很少想到自己該做哪一方面的事業。如果是這樣的話，工作就只是賺錢餬口罷了。他們對自己的工作沒有熱誠，也沒有興趣或企圖心。最後，他們在這一行永遠不可能成爲頂尖的人才，生活也只是庸庸碌碌而已。」

年輕人深深倒吸一口氣，席兒太太說的正是他的情況。他對工作並不眞的感興趣，工作也只是爲了付帳單。他從來沒有仔細想過，自己對什麼工作有興趣，或他擅長做什麼樣的事。

「這些問題都是最基本的。」席兒太太說：「除非這份工作是你有興趣或你擅長的，否則你很難做得好。而如果你無法做好工作，怎麼可能有好的薪水呢？有一句很有智慧的話，說：『做你愛做的，錢就會跟著來。』如果你眞的很喜歡做某件事的話，你就會花更多時間去做它，然後你就會變得很擅長了。很多人都有這種想法，他們工作賺錢，有了錢之後，再去做自己喜歡的事。結果是，他們一個禮拜花五天去做他們沒興趣的事，然後想不通自己爲什麼不快樂。」年輕人完全能夠體會，因爲席兒太太說的正是他的感覺。

「可是有多少人眞的能夠樂在工作呢？」他堅持。

「很少！」席兒太太說：「可是話又說回來，又有多少人是眞正富有的呢？」

「嗯！我了解你的意思了。」年輕人說：「所以你的意思是說，在尋找一份工作，或要開始創業之前，你必須仔細地想到：一、你是否能夠享受這樣的工作；二、這樣的工作是否能夠發揮你的特殊才能；三、這樣的工作是否符合你的長期事業規畫，以及財務目標。」

「這就對了！」席兒太太微笑著。

「嗯！這個道理我懂了。」年輕人說：「我眞希望我念書的時候就想過這些。」

「你無法改變過去，可是卻能夠創造未來。」席兒太太說：「問題是，你接下來該怎麼做呢？」

「我也不知道，」年輕人說：「這是我來這裡的原因。不過我想，我眞的可能會去開創自己的一番事業。」

「太好了！那首先你得做什麼呢？」席兒太太又問。

「訂定一份行動計畫表。」年輕人回答道。

「完全正確！」席兒太太又繼續解釋說：「所有的事業都需要一份事業計畫，一份仔細考慮過的行動計畫書。如果你需要去借一筆錢來創業，一個有經驗的投資者一定會先要看到你的事業計畫。他們要知道你是否把所有的細節都考慮進去，因爲根據他們的經驗，沒有計畫或方向的事業，是不可能會成功的。」

「同樣的道理，如果你想開創事業以致富，你就必須把自己的目標和計畫都徹底思考過。」

這天晚上，年輕人把今天所作的筆記又拿出來詳細地讀過一遍：

財富的第四個祕密——行動計畫書的力量

如果你一定要達成目標，就必須發展出一個策略，一份行動計畫表。

任何事情，如果想成功的話，有三個建議：計畫、計畫再計畫！

每個目標都要使用十項計畫表，列出十個達成目標的可能方法。

在找工作或創業之前，問自己三個問題：

你是否能夠享受這樣的工作；

這樣的工作是否能夠發揮你的特殊才能；

這樣的工作是否符合你的長期事業規畫，以及財務目標。

特殊知識的力量

葛麗亞・布朗的故事是一個傑出但眞實的故事。七年前，她被資遣了。現在雖然身爲一個電腦零售商的主管，布朗太太卻在那個經濟不景氣的年代，毫無理由地被迫離職。重新尋找工作似乎不太容易，她於是找到一個方法，不只讓她存活下來，還讓她在一年之內賺進比以前的薪水多五倍的收入。

布朗太太看起來約五十多歲，身材嬌小玲瓏，穿著格子套裝，襯托著她及肩的紅髮，及大而明亮的紅褐色眼珠。而最讓年輕人印象深刻的是她的微笑，她親切溫暖的笑容，使她的臉上充滿光彩。

年輕人急於想知道，布朗太太是如何從那樣的困境中重新站起來。

「如果你要源源不絕的財富，」她解釋道：「你必須學會從任何一個經驗中獲利。」

年輕人想起中國老人曾對他說：「在所有的困境、問題當中，一定含有一個等值，或更有價值的種子在其中。」這難道是真的嗎？年輕人在心裡想著。

「在失業的前幾個月裡，」布朗太太繼續說：「我完全無法從那樣的困境中恢復過來，我不知道未來該怎麼辦，心情沮喪得要命。然後，我遇到了那個中國老人。

我的冰箱壞了，所以我就叫人來修理，一個矮小的中國老人於是來了。他在幫我修理冰箱的時候，我幫他準備了一杯茶，然後我們就談了起來。我跟他提到被資遣的事，他聽了以後，看著我說：『當生命中的一扇門關起來時，你得去打開另一扇門。』然後他就說到有關財富的祕密。我一方面懷疑，另一方面又很好奇。

「我的積蓄花光了，前景也一片茫然，現在連冰箱都壞了。什麼都沒有的時候，冒險一下也不壞。所以當他給我十個人名和電話的時候，我馬上就決定要去拜訪他們，一探究竟。」

「我實在很幸運，因爲這些人教導我的，是我這輩子從來沒學過的東西，那就是：我得爲自己的命運負責。不論發生什麼，不管面對的是什麼景況，我都對自己的未來有責任，而且，我也有能力去創造我所企求的未來。」

聽布朗太太說得這麼堅定而有感情，年輕人也被激勵了。布朗太太誠懇地訴說著：「其中一個祕密對我的影響特別重大，那就是特殊知識的力量。」

「這麼說，那句『知識就是力量』說得一點也不假囉？」年輕人問道。

「不！」布朗太太回答道：「知識只是潛在的力量，它只有在被計畫、聰明的實踐之後，才會變成力量。」

年輕人低頭開始寫筆記。

布朗太太繼續說：「一般的知識對累積財富來說，是沒有什麼價值的。你可以知道一些瑣碎的知識，可是這對你賺錢的潛能，或得到財富一點用都沒有，除非你要去參加電視上的機智問答節目。」

「從另一方面來說，特殊的知識卻能夠幫你製造收入。不管在哪方面，如果你沒有一點特殊知識的話，你會發現這很難成功。舉例來說，如果你的朋友問你願不願意投資他的新事業，譬如，骨董買賣，你首先會問什麼問題呢？」

「我會問他說，他對骨董和骨董買賣知道多少。」年輕人回答道。

「當然！」布朗太太說：「你知道如果你的朋友對他要買賣的貨品，以及這個市場不了解的話，這事情就很難成功。可是，我們是否經常問自己這些問題呢？我們要金錢，以及錢財所能買到的東西，可是對於金錢我們又了解多少呢？我們對稅務、投資和理財知道多少呢？而這些都是創造財富最重要的主題。」

「假使你對稅法完全不了解，舉例來說，你可能發現自己繳交比實際需要更多的稅。

別被我搞混了，我不是建議你去逃稅，我的意思是，如果你了解現行的稅法——如果你需要這方面的特殊知識的話——你就可以確定自己繳的稅到底對不對。」

年輕人抄下一些重點。他對財稅和投資還眞是一點知識也沒有，可是誰知道，如果他對這有點常識的話，也許眞的可以合法地節稅也說不定。

「當你有一些特殊的知識，你就可能可以減少一些支出。」布朗太太說。

「怎麼說呢？」年輕人問道。

「一個很好的例子就是信用卡貸款。」布朗太太解釋說：「很多人的信用卡債台高築，結果每個月都要付出一些高額的利息支出。他們其實可以利用跟銀行貸款，把信用卡帳單先清乾淨，因爲通常銀行的利息比信用卡利息要低多了。這樣，許多人就可以減低他們的每月利息支出。」

「眞的嗎？」年輕人叫了起來，「你是說，我可以減少每個月付給信用卡公司的利息？」

「當然是眞的。」布朗太太說。

「那我以前眞是笨啊！」他喃喃自語。

「別太責備自己了，」布朗太太說：「所以可見特殊知識的重要性了。」

「眞的！」

「如果你想得到一份高薪的工作，特殊知識是相當重要的。」布朗太太繼續說：「當你想賺取高薪的時候，你必須知道那些工作是什麼，以及需要什麼特殊知識才能得到這些工作，需要什麼資格，以及如何取得這些資格。同樣的道理，如果你決定自己創業，你就得確定自己對這行業非常了解。」

「我懂你說的意思，可是你沒辦法知道所有的事吧？」年輕人問。

「沒錯！」布朗太太回答道：「我也不是說你必須知道所有的答案，但是，你至少需要知道如何去找答案。如果你不懂稅務，你就需要雇用一個信得過的會計，他會懂得稅務的；如果你不知道這一行的製造和服務，你就得跟一個懂的人一起合作；如果你不懂行銷，你就必須雇用一個對行銷很有經驗的人來為你工作。」

「最好的律師也不見得熟悉所有的法律，一個人的腦袋不可能塞進這麼多東西的，而且法條又經常改來改去的。可是，一個好的律師知道到哪裡去找他需要的法條。」

「那你是怎麼創造財富的？」年輕人問道。

「當時，我知道我必須去找到賺錢的路子，問題是，我能做什麼呢？我有什麼特殊的知識呢？答案是……很少，我唯一稍微有點了解的就是電腦。我其實沒有眞的資格，也沒什麼特別的知識，可是我知道，如果我要創造財富，我就必須把這缺陷彌補過來。」

「所以我去夜校上課，學習電腦科技。我知道電腦將在許多行業中扮演重要的角色，

而一張電腦科技的文憑，不管在任何一個行業，都將會很有價值。我學得很好，一台小電腦、一個印表機和一隻電話，我開始了我的顧問事業。我打電話給許多地方上的公司，問他們是否在辦公室中使用電腦，如果是的話，是用在哪一方面，有沒有什麼問題。」

年輕人微笑著說：「我懂了……預期顧客和他們的需求。」

「對了！我找到可以提供服務的範疇，這恐怕是最重要的特殊知識──知道預期顧客需求的知識。如果你知道人們需要什麼，你就可能成功。許多人創業都把焦點放在他們能夠提供什麼，可是眞正成功的事業家則從另一個角度切入，他們會從顧客的角度來想，『顧客的需求和需要是什麼？』然後再去滿足顧客的需求。」

「我知道了預期顧客的需求之後，我就可以開始提出企畫書，說明我的服務可以增進他們的效率，幫他們省錢。我可以幫他們裝設硬體，並且根據他們的需求設計軟體，我還可以示範如何善加利用電腦來工作。最後，我還幫他們計算出電腦幫他們省下的錢，遠多於他們付給我的費用。所以每個人都很滿意。你知道我的第一個客戶是誰嗎？」

年輕人搖搖頭。

「那個把我資遣的公司。我知道他們正受到經濟不景氣的影響，我想到用特殊的軟體可以幫他們節省百分之二十五的人事費用。六個月之內，我幫他們架設新電腦，並設計新的軟體供他們使用，這個公司總共省下了百分之三十五的費用。他們不但非常滿意

我的服務，還每年付一筆費用給我幫他們做定期顧問及維修。」

「第一年，我有了二十五張合約書，賺得的錢比以前的薪水多出五倍。接下來的一年裡，生意愈接愈多，我得多雇用一個人才忙得過來，三年之後，我累積了一千多萬的財富！所以你看，中國老人跟我說的話是對的——每個困境都含有一個更有價值的種子。如果我沒有被資遣，我就不會去學習新的電腦技術，我也就不會變成今天這個樣子了。」

「而這些都是因爲特殊的知識。」年輕人接著說。

「特殊的知識並不是成功的保證，」布朗太太說：「記得！財富的祕密有十項，而它們都同等重要，可是要累積源源不絕的財富，卻不能沒有一些特殊的知識，譬如稅務、投資和理財的觀念，以及事業範疇內的知識，當然，還有顧客的需要和需求。」

「能不能告訴我，」年輕人在離開之前又問了一個問題：「那個中國老人到底在哪家公司服務？」

「爲什麼？你想試著聯絡他？」

「對！」

「我已經試過了。我遇到他的三個月後，我打電話到辦公室給他。」

「結果呢？」

「說來也很奇怪，」布朗太太說：「那家公司說他們沒有雇用中國老人當維修員。」

當天回到家，年輕人又看了一次他的筆記：

財富的第五個祕密——特殊知識的力量

要累積源源不絕的財富，就不能沒有一些特殊的知識，譬如稅務、投資和理財的觀念，以及事業範疇內的知識，當然，還有顧客的需要和需求。

知識只是潛在的力量，它只有在被計畫、聰明的實踐之後，才會變成力量。

你不必知道所有的答案，但是，你卻必須知道到哪裡去找答案，以及如何去找答案。

祕密六

持續的力量

隔了一個禮拜之後，年輕人才在週末跟第六個人約上，史特勞特・艾吉是一個很有名的演員。他在外地工作，但總會飛回來度週末，他在聽到年輕人的留言之後，便答應在週末早上和年輕人約在城裡的一家咖啡廳見面。

對於能夠和這麼有名聲的人見面，年輕人一方面覺得十分興奮，另一方面又感到有點緊張。然而當他見到艾吉先生的時候，發現艾吉先生其實非常平實而謙遜。艾吉非常熱情地迎接他，好像和一個久未謀面的老朋友見面似的。

雖然已經接近四十歲了，但是艾吉看起來卻只有三十多歲的感覺。他有著黑褐色的頭髮，像小狗一樣晶瑩明亮的眼睛，戴著一副金邊眼鏡，米色高領毛衣配上藍色牛仔褲，外罩一件皮夾克。

「這麼說，你是前兩個禮拜遇見中國老人的？」艾吉問道。

「是的。」年輕人說，並把和中國老人見面的過程簡單地描述一遍。

「我是在十二年前遇到他的，就在這家咖啡廳裡。」艾吉先生說：「那次的相遇改變了我的事業和人生。」

「怎麼說？」年輕人說。

「嗯……那時，我的事業嚴重地走下坡，我沒什麼工作，所以經常來到這家咖啡廳閒坐。有一天，我坐在吧台要等一個靠窗的位子，然後中國老人走進來，坐在我旁邊，也想等另一個位子，那是一個安靜的下午。他跟我打招呼，我們很快就開始交談起來。」

「我跟他抱怨說，我是個一直在等待機會的演員，可是表演這一行的問題就是，等著出頭的人太多，而工作機會卻很少，百分之九十的演員要不是經常處於失業階段，就是得在表演工作之外，再找一份別的工作餬口。」

「老人聽了之後對我說：『你不能坐在這裡等時機成熟，你必須走出去，創造你的時機。』」

「我防衛性地辯解說，我不是沒有努力，事實上，我已經去參加了好幾個演員徵試，可是沒有人要我，最多也只是個候補的演員。老人喝了一口飲料，抬起頭說：『那你得像個石頭切割工人。』我問他那是什麼意思？他回答說：『石頭的切割必須一點一點地

做，你不可能一斧頭就砍出裂縫來，可是只要你持續地做下去，總有一天可以把石頭切割成你要的樣子。切割石頭的功夫是必須累積的，如果你要成功，就得不斷地堅持下去。』」

「於是我問他：『你是說，我得繼續嘗試下去，直到我找到機會爲止？』他點點頭說：『那當然！成功的人和不成功的人，差別不在於天賦，而在於持續力！成功的人在別人放棄或失敗的時候，才開始成功。

接下去他跟我提到幾個電影明星——席維斯·史特龍，克林·伊斯威特，史恩·康納萊——他們早期都是被拒絕了無數次的人。有人批評史特龍，說他連話都說不清楚，而他發現自己連一個經紀人都找不到，最後，他只好自己寫了個劇本，想由自己來演出劇中的主角。他把脚本送到許多製作公司去，可是所有的製作公司都拒絕他。然而他並不因此放棄，他堅持到終於有一個公司願意把他的劇本拍成電影，可是有一個條件——主角必須由別人來演。」

「儘管那時他的經濟已快撐不下去了，他卻還是堅持自己的原則，結果製作公司終於答應讓他演出『洛基』這部電影的主角。這部電影打敗了許多製作公司的產品，獲得奧斯卡最佳影片。所以你看，席維斯·史特龍的成功並不是因爲他有什麼天賦異稟，而是因爲他的堅持。」

「那老人說的故事的確激勵有作用，我從來沒想過持續是這麼重要的事——即使是那麼有名的明星，他們也難逃被拒絕的命運。我後來發現，許多人不只有過被拒絕的經驗，甚至有些人被拒絕的次數還不少，說不定比我還多。然後，中國老人就告訴我有關財富的祕密。」

「你認爲財富的祕密怎麼樣？」年輕人問道。

「我起先很懷疑。」艾吉先生說：「不過反正我閒著也是閒著，所以就決定去了解一下，看是不是也可以有些幫助。那眞是個關鍵的時刻，因爲我的生命從此改觀了。我說的可是個大改變呢！我從一個身無分文的候補演員，到一年後才有了第一個正式的角色，一直到今天，我得到了一個兩百萬的演出合約。」

「我的天啊！」年輕人不禁大叫了起來，「眞是不可思議！你的改變也太大了！」

艾吉先生點點頭說：「這就是那些祕密的力量。遇到中國老人的時候，我正處於事業的最低潮——找不到一個經紀人，更別說一份工作了，我被三十個以上的經紀人拒絕，有些人還建議我改行算了，因爲他們說我根本沒有演戲的條件。然後我碰到了中國老人，接著就開始學習財富的祕密。」

「這些祕密對我的影響都很大，不過其中有一個是我特別需要學習的，就是『持續的力量』。」

年輕人拿出記事本和筆，準備開始記筆記。

「美國第三十任總統柯立芝曾經寫過這麼一段話：『世界上沒有一件事能夠取代持續力。天賦不能，一個擁有天賦的人卻不能成功是最平常不過的事。天才也不能，沒沒無聞的天才也是司空見慣的事。光是教育也不能，這世界充滿了受過教育的庸才。只有持續力和決心才是萬能的！』」

艾吉繼續解釋說：「一個成功的人；不管是努力致富或成為某一行的頂尖人物，和無法成功的人，最重要的差別就在於，成功的人永遠是堅持到最後的那一個，他們是永不放棄的。不管他們面對多大的障礙或挫折，他們都不會放棄。他們知道自己要什麼，並且堅持到達成目標為止。

歷史上許多成功的人都承認，他們之所以會成功是因為堅持到底。想像一下如果你要發明一種新產品，你願意嘗試多少次失敗？一百次？兩百次？一千次？還是五千次？」

年輕人聳聳肩。

「因為，」艾吉先生繼續說：「偉大的發明家——湯瑪士・愛迪生，在成功地發明世界上第一個電燈泡之前，曾歷經了上萬次的實驗失敗經驗。如果他沒有堅持到最後，我們今天恐怕連個電燈泡都沒有。」

「或者，如果你是一個搖滾樂團的成員，你會願意承受多少次被唱片公司拒絕的經驗？五次？十次？還是二十次？」

年輕人笑著說：「我想我可以忍受被拒絕二十次吧。」

「有一個樂團不是這樣，如果他們像你一樣，他們不會成為當時最成功的樂團了。『披頭四』在錄製他們的第一張專輯之前，被超過五十家唱片公司拒絕過。」

「我給你最後一個例子：想像一個年輕人，一直有個夢想要成為偉大的政治家。他努力了半天在三十二歲那年破產，當他三十五歲時，他青梅竹馬的女友死了，一年之後他精神崩潰，接下去的幾年內，他連續在競選中失敗。他該什麼時候放棄呢？你認為？」

「我不知道，不過聽起來，這個人似乎不太可能成為一個偉大的政治家。」年輕人說。

艾吉先生微笑著說：「我形容的這個人，事實上，就是亞伯拉罕・林肯先生。」年輕人低頭忙記下一些重點，他一面說：「我從來不知道，這麼成功的人也曾經這麼落魄過。」

「當然！其實成功的人之所以會成功，都是因為他們曾經失敗過許多次。」年輕人微笑著記筆記，他抬起頭說：「可是我不懂，你是說，只要我們一直不斷地嘗試，我們就一定會成功？」

「是的！絕大多數的時候，這是眞的。」艾吉先生回答道：「失敗提供我們學習的機會。愛迪生在發明電燈泡時，並不是重複一萬次相同的實驗，他從每一次的失敗結果中學習，並且做一些適當的改變。」

「持續力是我們從小就有的質地，」艾吉先生解釋說：「你看過一個學走路的小孩，因爲一直跌倒而放棄學步嗎？」

「那我們爲什麼會失去了這種質地呢？」年輕人不解地問。

「有時候是因爲我們害怕失敗和被拒絕，有時候是我們自己失去了信心。但是我們眞正忘記的是，失敗和拒絕是成功的最重要因素。事實上你甚至可以這樣說，經驗愈多失敗和拒絕，你可能會愈成功。」

「我不懂。」年輕人說：「這怎麼可能呢？」

「因爲失敗是通往成功的階梯，我們從失敗中學習，就一步步接近自己的目標。喬治・蕭伯納說：『當我年輕的時候，我每做十件事，其中就有九件是錯的。我不想做個失敗者，所以我總是花十倍的精神去做一件事。』」

「在任何行業中，你都可以找到那些眞正成功的人，」艾吉先生繼續說：「然後你會發現，他們成功之前，都是吃盡了失敗和被拒絕的苦頭的。當我第一次發現持續力的重要性時，我對於成爲一名演員正在失去希望當中，更別說成爲一個有名的演員了。可是我了解到，如果我想成功，我就必須繼續堅持下去。我相信自己以及自己的能力。我有一個特別的目標，然後我寫出了行動計畫，然後就不停地應徵表演工作，直到九個月之後，我得到一個機會了。」

「可是如果你一直失敗，一直沒得到什麼結果，要堅持下去一定很不容易，不是嗎？」年輕人說。

「沒人說容易啊！否則不是人人都可以做到嗎？」艾吉先生說：「可是成功者和不能成功的人的不同即在於，成功的人認爲沒有所謂的失敗，只是經驗中學習罷了。」

「這是什麼意思呢？」年輕人問。

「很簡單，如果你沒有得到期望中的結果，你只要從經驗中學習，然後再試一次。事實上，成功的不二法門就是，你願意犯錯，你願意學習，然後願意繼續做下去。羅斯福總統這麼說的：『不要畏懼那些偉大的事；去贏得那些光榮的勝利，雖然其間必須走過失敗。然後，去提昇那些可憐的靈魂，他們受的苦不多，也沒有贏得過勝利，因爲他們生活在薄暮之中，從來不知道失敗爲何物，也沒有成功過。』」

「爲什麼那麼少人成功，其中一個原因是，很多人不願意走過失敗。不過，有一個方法可以讓你比較容易經歷失敗。」

「那是什麼？」年輕人迫不及待地問。

「每次試驗都去分析它。我的意思是，當人們失敗的時候，都會把焦點放在他們做錯了什麼，這會使他們對自己覺得沮喪，然後因此就失去信心，也沒有勇氣再嘗試一次。成功的人會把焦點放在他們做對了什麼，所以如果他們沒有做到預期的結果，他們會問自己：『到目前爲止，我至少做對了……』。」

「我不太明白你的意思。」

「好，我們拿電腦銷售員來說，他拿起電話打給一個顧客先自我介紹，然後問顧客要不要買一台電腦，顧客說不要，然後就結束了對話。到目前爲止，他做對了什麼？他打了電話，至少知道這個顧客不需要電腦。」

「好！他再試一次，打給另一個顧客，這一次，換另外一個問法。他問這個顧客，是否有興趣知道一些可以用在辦公室裡的最新電腦技術。這一次顧客說他有興趣，可是沒時間去研究它。這次，電腦銷售員做對了什麼？他問了不同的問題，然後知道顧客有興趣，但是沒時間。」

「好！再試一次，他繼續打給第三個顧客，這次他這麼問：『你有沒有興趣給我五分鐘時間，我將展示給您，如何節省百分之五十的辦公室開銷？』這個顧客很忙，可是有點興趣想知道如何節省開銷，在下班之前花個五分鐘應該不會有什麼損失，所以他就訂了個時間出來。這個銷售員成功地得到一段時間，而且有機會展示他的商品。」

「不管我們是要賣東西或創造財富，對自己問這樣的問題，可以使我們的持續力增強。」

年輕人很快地記下一些重點，艾吉先生繼續說：「我曾經認爲，生命都是早就被命運注定了的，不論是不是已經寫在星象上頭。可是現在我很堅定的認爲，我們都有創造自己命運的力量。」

「我這一生學過最具鼓舞作用的事，就是：我們永遠比發生在身上的事件還要巨大。不管發生什麼，只要我們堅守石頭切割工人的精神，一個斧頭一個斧頭，不斷地敲下去，我們就會成功。」

艾吉先生伸手從口袋中拿出一張紙條，「我每天都帶著這張紙，提醒我繼續堅持下去。」他說著把紙條遞給年輕人。

年輕人打開紙條，看到上面寫了一首詩：

別放棄！

當你做錯了事情，
當你總是在走艱苦的上坡路，
當你的存款很低，可是債務很高，
當你想要微笑，可是必須嘆息，

當你的期望總是無法達成，
假如需要的話，休息一下——可是絕不能放棄！
人生充滿了變數與意外，
我們都曾經學到，
所有失敗者都該學到，
當你眼看就要勝利，可是卻跌倒，
別放棄！雖然走得慢，可是你可能會走到。
成功是失敗的另一面，
你永遠不知道你有多接近，
它可能很近，可是看起來很遠，
所以當你尚未走到，事情愈來愈糟，
假如需要的話，休息一下——可是絕不能放棄！

這天晚上，年輕人花了很長的時間，想著自己的人生。回想過去這些年來，他發現自己完全沒有持續力這種質地，每當事情變得困難了，或有了一點阻礙，他馬上就會放棄，然後找別的試試。跟艾吉先生談過之後，他突然明白，如果他要成功，他得改變這項弱點，學習石頭切割工人的精神。不管有什麼障礙物擋在路上，他都要堅持下去，不斷地堅持下去，直到成功了爲止。

他把筆記本拿出來，把今天做的筆記重新看一遍：

財富的第六個祕密——持續的力量

成功通常不是一次努力的結果，而是許多努力的累積。

成功者和不能成功的人，差別不在於天賦，而在於持續力。

當你的行動沒有達到預期的結果時，永遠這麼問自己：「到目前爲止，我做對了什麼？」這樣才有再試一次的勇氣。

如果你能學習石頭切割工人的精神，持續，再持續，永遠不斷地持續做下去，並且從每次的經驗中學習，你必定會獲得最後的成功。

祕密七

控制開銷的力量

年輕人名單上的第七個人，是個叫做茱蒂・歐門的女人。年輕人在第二天早上打電話過去確定下午的約會。

歐門女士的辦公室設在自己位於城郊的家中，她是個強壯的黑人，個子只比年輕人矮一點，外表看起來大約四十幾歲。她其實是個有魅力的女性，暗褐色的眼睛，深棕色長卷髮，穿著亮紅色大毛衣，配上黑色緊身褲。

歐門女士的辦公室在房子的後側，是個明亮而視野寬闊的房間，角落擺了一張大橡木桌，搭配一張高椅背橡木椅，桌上有一台個人電腦，兩支電話和一排檔案。桌子左側是一個法式窗戶，向外敞開一片花園，和遠方的一排石塊砌成的弧形房舍，花園草坪上種著幾棵楊柳樹，最特別的是，花園盡頭有一條小溪潺潺流過。

「這景觀眞是太美了！」年輕人讚嘆地說：「妳工作的時候可以看到這麼棒的風景實在很棒。」

歐門女士笑著說：「謝謝！的確是很棒。我一直夢想能夠在家工作，然後可以一邊欣賞美景。當然，在家工作的主要好處就是可以多花一點時間陪家人，而不需要花大量的時間在擁擠的交通中來來去去。我知道很多人每天都要花三個小時的時間往返於工作地點和家裡，你能想像嗎？這太可怕了！這樣每個禮拜要多花十五個小時上班，也就是兩個工作天呢！」

「時間，是世上最珍貴的財富，甚至比金錢還重要，因爲時間一失去，就永遠不會再回來。」

歐門女士示意年輕人在一張扶手椅上坐下，她自己也在他對面坐下。她說：「所以你今天來是想了解有關財富的祕密？」

年輕人點點頭說：「是的！妳第一次聽到有關財富的祕密是在什麼時候？」

「嗯……我想想，我第一次聽到是在十年前，那時我的情況跟現在截然不同：那時，我剛剛跟我的第一任丈夫分開，而我眼前是一堆債務，我欠了好幾個人的錢，總共負債五十多萬，而房屋貸款因爲沒有繳錢，銀行於是尋求法律途徑要查封我的房子，法院限我一個月之內繳出積欠的款項，否則我將會失去所有的財產。」

「我的天啊！」年輕人叫了起來，「那妳是怎麼度過來的？」

「那天的情形我記得非常清楚，」歐門女士說：「我坐在法院門口的一張椅子上哭，腦子裡面亂哄哄的，沒了主意，因爲這種情況看起來眞是一點希望也沒有。然後，我感覺到一隻溫暖的手搭在我肩上，我抬頭看見一個矮小的中國老人坐在我身旁，他穿著一身剪裁合身的西裝，我想他應該是法院的官員。他問我需不需要他幫忙，我只能謝謝他，並告訴他說，他幫不了我的忙。他跟我說了很多，可是我差不多都不記得了，只有一句話一直留在我腦海中，他提到一個解決問題的黃金定律：『當妳認爲妳已經耗盡了所有的可能性時，記得一件事——妳其實還有辦法的！』」

年輕人記得那老人也是這麼告訴他的，他微笑著。

「中國老人說到有關『財富的祕密』，當然，我以前從來沒聽過這些，可是對老人說的事情存有一點好奇。這也是第一次我聽到有人說，我們可以掌握自己的命運。從前人們總是告訴我說，人生有甘有苦，你的成功與失敗其實都是命定的。可是這個老人卻告訴我相反的事，他說，我們不但可以掌握自己的人生，我們還擁有創造財富的力量。」

「最後，老人在離開之前給了我一張小紙條，他說這可以幫我解決問題。當我看到紙條的時候，我完全糊塗了，因爲上面什麼也沒寫，只有一排人名和電話。」

「我知道這種感覺。」年輕人笑著說。

「老實說，我當時並沒有抱太大的希望。」歐門女士說：「不過，我還是跟紙條上的所有人都聯繫上了。雖然我並不確定那些財富的祕密對我有用，但是他們卻都有著不同的成功經驗。我試著照學來的東西去實踐，漸漸地，我的人生開始有了改變。」

年輕人打開他的筆記本，開始記錄。他寫完之後抬起頭對歐門女士說：「那你的人生到底有什麼改變呢？」

「首先，我比較快樂了，因爲我感到對自己的人生有更多的掌握能力。然後，出乎我意料之外的，三年之內我不但淸償了所有的債務，還有了一點點積蓄，足夠讓我開始自己的小事業。」

「妳認爲哪一個祕密是妳改變的關鍵？」年輕人問道。

「所有的祕密對我都很重要，」歐門女士回答道：「但是現在回想起來，的確有一個祕密影響特別大，那就是『控制開銷的力量』。」

「控制開銷？」年輕人重複說著，「妳是說預算嗎？」

「類似，對！」歐門女士回答道。

「預算怎麼能夠幫助妳創造財富呢？」年輕人懷疑地問。

「第一，你要記得，財富並不是指你能賺多少錢，而是你賺的錢能夠讓你過得多好。」歐門女士解釋道。

「這有什麼差別？」年輕人說：「你賺的錢愈多，就能負擔愈多的東西，你的生活當然也愈好了，這是一定的嘛！」

「這倒不盡然。」歐門女士認眞地說：「通常你會發現，賺得愈多就花得愈多，所付出的犧牲也愈多。舉例來說，你的薪資愈高，可能需要花在工作的時間就愈長，相對的，就愈少時間給自己的家人。如果你賺了許多的錢，一個禮拜卻抽不出幾個小時來陪伴孩子，你認為這樣叫做富有嗎？」

年輕人抹抹額頭說：「是！我懂你的意思了。」

「財富指的是你生活品質的程度，而非你賺錢的多寡，」歐門女士解釋道：「要體會富有的滋味，並不需要靠著上億的錢財，而是去過那種你眞正想過的生活！」

歐門女士繼續說：「因此，如果你要擁有財富，第一件事得先學會如何依自己的意思去生活，也就是如何控制你的開銷。賺五百塊，花四百塊，會帶給你滿足；如果賺五百塊，卻花了六百塊，那生活就悲慘了。我的意思是說，當你的開銷大於收入的時候，就表示你將會有麻煩了。」

「我了解你的意思了。」年輕人說：「開銷低於收入的生活，可以避免債務的發生和累積，可是，這並不能幫你增加收入啊！對吧？」

「當然可以啊！」歐門女士說：「控制開銷並不是表示說，你一定得在收入之內活得快樂。它是創造更多收入的必要部分。」

「是嗎？」年輕人問道：「在哪方面呢？」

「所有的人要累積財富，並維持住財富，都需要持續的累積收入。這你同意嗎？」

年輕人點點頭。歐門女士繼續說：「不論你有多少財產，如果你沒有持續的收入的話，這些財產就可能愈來愈少。而創造持續的收入唯一的方法就是，要嘛賺更多的錢，要嘛讓某一部分的錢替你賺錢。」

「你是說存錢或投資？」年輕人問。

「是的。如果你定期存錢，或者作明智的投資，你的錢就可能幫你賺進利息。」

「可是，你得先有足夠的錢可以存起來或投資啊！」年輕人辯解道：「我是說，就拿我來說吧，我的錢付帳單都不夠了，更別說去存起來或投資了。」

「相信我，你可以做到的。」歐門女士肯定地說：「不過，當然啦！你得有個承諾才行。你必須開始對自己說：『我的一部分收入是我的。』」

「別開玩笑了，我的所有收入都是我的。」年輕人說。

「你只是這麼說而已，卻很少這麼作，所以現在你的收入都不是眞的屬於你，它們都是要付帳單的。」

「嗯……話是這麼說沒錯，可是……」年輕人有些結巴地說。

「很多人——我就曾經是其中之一，總覺得一生都在被債務追著跑，辛苦地工作只是爲了負擔一堆永遠繳不完的帳單和貸款。」歐門女士繼續說：「然而，這就是因爲他們從來不把收入留下來給自己。如果你想開始創造財富，你必須開始給自己一部分的收入，用這一部分的錢去投資，或存起來，創造一項眞正的收入。」

「可是我不覺得我可以存下多少錢。」年輕人堅持。

「那就是你沒有理智地去控制預算。」歐門女士解釋道：「我確定，你一定是沒有努力想去存錢或投資。」

「可能吧！因爲這說起來容易，做起來可就不簡單了。」

「我所能告訴你的就是，曾經對我有效的方法。無論如何，從省下百分之十的收入開始做起。不管你賺多少錢，把開銷控制在百分之九十之內。相信我，這比你想像中來得容易。你得訓練自己這樣做，讓它成爲習慣。這意味著短期內，你可能必須放棄一些生活上比較奢侈的花費，但是長期來說，這樣做是值得的。」

「我給你看個東西。」歐門女士說：「我們做個假設，假設你想每個禮拜至少兩百塊，這樣一年就有一萬塊，然後你把這些錢拿去定存，每年可以有百分之八的利息。二十五年之後，你不但存下了二十五萬，利息的累積還會讓你的總存款可以達到七十八萬

九千五百塊！」

「眞的嗎？」年輕人驚叫起來：「這怎麼可能呢？」

「利上加利啊！」歐門女士解釋說：「第一年，你的利息是一萬塊的百分之八；可是第二年，你的利息就變成兩萬零八百塊的百分之八了。這表示，你每年的利息都會累加到你的本金裡面去，這種利上加利的方式可以使你的存款累積得比較快。」

「那麼通貨膨脹呢？」年輕人問道：「如果通貨膨脹已經超過百分之八了，可是你的利息還是百分之八，那錢不是愈存愈少嗎？」

「沒錯，你完全正確！」歐門女士回答道：「雖然眞正的利息通常會比通貨膨脹來得高，但是如果你每年都存同樣數目的錢，扣掉通貨膨脹之後，你的存款的確會愈來愈不值錢。所以，其實應該用你的收入的百分比來計算存款的數目，因為你的收入應該會隨著通貨膨脹而逐年增加，而存款數目也應該逐年增加才行。不過我舉這個例子的用意，是在於讓你了解控制預算和定期存款、投資的重要性。」

「當然！還有一點需要留意的，就是當你在存錢或投資時，你必須對這方面有一些基本的知識，或者，找一個了解這方面知識的人，譬如會計師或財務顧問。你必須知道你所選擇的投資方式，或存款方式是最適合你的。這依你的收入狀況、婚姻狀況、稅務狀況，和你是否有不同的投資階段……等等因素，而有一些彈性。」

「不過重點還是，控制開銷、永遠留下一部分錢以供投資理財，這樣你才可能用現有的錢去創造未來的財富。並且，愈早開始控制開銷愈好，十年的延遲可能造成很大的差別。這是爲什麼從年輕時開始存錢是很重要的。」

「這是當然的。可是一個人從二十歲開始存錢，跟三十歲才開始存錢，差別應該不大吧！」年輕人說。

「嗯，你仔細想想，」歐門女士說：「如果有一個人，從二十九歲開始，每年存一千元，並且一直持續到六十五歲；而另外一個人從十九歲開始存錢，也是每年一千元，但是他存到二十九歲。假設他們使用同一種定存方式，都是年利率百分之八。到了六十五歲時，哪一個人戶頭裡的錢會比較多？」

「當然是那個二十九歲開始存錢的人囉！雖然他起步比較晚，可是他持續存了三十六年，而另一個人只存了十年，第一個人總共存入的錢是另一個的將近四倍，他擁有的存款當然比較多。」

歐門女士笑了笑說：「如果你會算的話，讓我告訴你，事實上在六十五歲的時候，第一個人總共存了三萬六千塊，而他的本利總和將會是二十萬兩千塊；但是另一個從十九歲存到二十九歲的人，他總共存了一萬塊，雖然他只存了十年，可是當他六十五歲的時候，本利總和將會累積到二十四萬九千九百塊！」

「是嗎？」年輕人大叫：「差十年會有這麼大的差別嗎？」

「數字是不會說謊的。不是嗎？」歐門女士說。

年輕人屏住呼吸，他很快地意識到，自己最好趕快開始存錢。可是他還是不敢確定，如何才能把錢存下來。

「我承認控制開銷和定期存錢很重要，理論上聽起來也似乎不難，可是實際做起來會怎麼樣呢？你是怎麼做的？」

「當我第一次聽到控制開銷的重要時，我也是抱著很存疑的態度，尤其是，我還有好幾個債主。不過我知道，如果要繼續活下去，我就得這麼做，我必須試著一方面留下百分之十的收入，以作為將來投資用，另一方面還要把債務清掉。」

「你怎麼能夠同時又還錢、又存錢呢？」年輕人不解地問。

「我去找每個債權人，跟他們解釋我的財務困難，然後承諾按月分期償還債務。他們知道我不可能一次就把錢全還給他們，但是至少靠著分期付款，他們還是有可能拿回他們的錢，所以就同意我用這個方式還債。」

「然後我開始做預算。我把收入的百分之七十當生活費，百分之二十還債，百分之十留給自己做投資用。這樣，我既慢慢地還了錢，又可以開始存一點錢，我覺得很快樂、滿足。當然！這一點也不容易。我得削減一些奢侈的花費，譬如，我自己做三明治帶到公司當午餐，我選擇便宜的商店買菜，晚上也很少出去玩樂，衣服也只挑打折的時候買。」

「但是，當我有了預算之後，我工作得更起勁了。幾年之後，我不但償清了所有的債務，還累積了一點資本，剛好夠我在家開始我的小事業。其實，就是控制開銷刺激我創業的。」

「怎麼說呢？」年輕人問。

「嗯，你可以想像，我當時的生活預算實在很緊，所以我經常在一些拍賣場所買到非常便宜的東西。有一天，我正把一件拍賣會買來的便宜貨展示給朋友看的時候，腦子裡突然閃出一個念頭。我朋友問我說，要怎樣才能知道拍賣會在哪裡舉行，我就突然想，可能有很多人都對拍賣會有興趣，可是卻很少人像我這樣，對於什麼時候在什麼地方有拍賣會瞭若指掌。」

「所以，我就開始每個月整理出一份拍賣快訊，把各地的拍賣細節都列出來。我出了一些小投資在地方報紙上，如果有人要訂閱的話，只需花一點訂閱費，就可以定期收到快訊。結果反應相當熱烈！」

「之後我覺得，這應該推廣到全國各地去，所以又在其他全國性的報紙登了廣告，很快地，來自全國各地的訂閱單不斷地進來。」

「這眞是太棒了！」年輕人高興地說。「是啊！的確是！而這些都要感謝我的控制開銷。如果我沒有控制開銷的話，我就不可能有錢來創業；而如果不是我有財務困難的經驗，我的事業也不會成功。你知道嗎，超過八成的創業者會在創業一年內失敗，因爲他們投資過於迅速，而花費無法控制。」

年輕人顯然沒聽過這個說法，他聳聳肩。

「可是，更重要的是，」歐門女士繼續說：「控制開銷，除了讓我的事業站起來之外，我更因此爲自己的未來創造了財富。」

「妳眞的認爲有這麼重要？」

「絕對的！」歐門女士回答道：「我並不是說你應該過得像個清教徒一樣，完全否認生活中享受的部分，可是如果財富對你來說是非常重要的，那麼有些享受是得犧牲一下了。我的意思是說，你只能把錢花在那些你認爲需要的事物上，千萬別累積出一些你無法償還的債務。」

「我認識一個做室內裝潢的人，收入很低，跟他太太和四個孩子租住在一間很簡單的公寓裡，他借了十萬塊要作創業基金，結果他把這些錢花在帶老婆孩子出國去狄斯奈樂園玩六個禮拜。當他們從佛羅里達回來之後，他連幫孩子買雙新鞋子的錢也出不起。他的家人從此都沒有好日子過，而他爲了彌補這個財務破洞，幾乎把自己葬送在無盡的工作上。」

「你看看，他因爲沒有學會控制開銷的重要性，而必須付出很大的代價。很多人都錯誤地以爲自己的人生是控制在宿命、運氣或機緣上。事實卻是，如果我們所處的狀況不如預期，該被責備的只有自己，而不是任何人。」

「這是我所學到最重要的一個課題。很多人以爲自己的命運早就被寫在星相書上，誰也改變不了。其實錯了！你的命運是你自己寫成的，你每天的生活累積成你的命運。人們經常把自己的問題怪罪在經濟啦、政府啦、父母啦，甚至天氣上頭。卻不知道，唯一該對你的生活負責的，只有你自己，也只有你自己有力量去改變它。我們的思想和行爲形成我們的人生課程，而財富的祕密則告訴我們，如何使人生的課程更有意義，同時，創造出你夢想的終站。」

年輕人在歐門女士說話的時候，一直仔細地做著筆記，他抬起頭說：「你的意思是說，控制開銷不會在一夜之間就創造出財富，但是會在未來形成源源不絕的財富，是嗎？」

「完全正確！」歐門女士說：「而且每個人都可以做到。首先，它讓你不會陷入不必要的債務之中；第二，它能夠讓你的金錢爲你工作。」

「可是你得等一段時間才能開始有所收穫，」年輕人說：「我承認控制開銷和定期

存款對人生的晚年是有幫助的。可是它怎樣幫助你創造現在的財富，或在短期可見的未來內創造出財富呢？」

「如果你要財富源源不斷，你得去建構它。控制開銷不能讓你一夜之間或一年之內致富，但是它所建構的是你未來的財富。它確保你能夠更好地照顧你的家人，使你遠離債務，甚至到最後，你可能是那少於十分之一，能夠在晚年財務自主的人的其中一個。只要每個禮拜存下百分之十的收入，你就可以慢慢地，但是絕對可以累積出足夠創造更多財富的資產。」

「不過你一定要注意短期的投資方式。」歐門女士警告說：「有高風險性的投資是很危險的。你寧願小心一點，也不要造成大悔恨！在你的生命中，你將有很多次機會必須冒一點險，這是很可能的，但是，衡量風險！不要做投機的冒險。」

年輕人寫完筆記抬起頭來說：「不過當你累積到很多的財富的時候，控制開銷就不再那麼重要了吧！」

「你會發現，沒有了控制開銷的觀念，花錢如流水啊！快得很。」歐門女士答道：「他們會花更多的錢在房子上，買更好的車，安排更貴的假期，買更好的衣服，去更貴的餐廳——除非他們意識到控制自己的開銷。當然也的確有一些例子，這些人不須太擔心花費的多寡，但是大部分的人都不是這類的人，甚至很多千萬富翁也一樣。」

「其實，爲什麼很多中了大獎的人最後都會一文不值，也就是因爲他們沒有控制開銷的關係。他們花錢，沒有考慮到未來地花錢。記住！財富就是創造一個持續收入的狀況。如果你沒有創造出這個持續的收入，你的金錢很快就會乾枯，就像一個沒有河流流入的湖。所以，沒有了控制開銷的力量，你就無法創造，也無法維持住源源不絕的財富。」

年輕人回到家，又把這天和歐門女士的談話記錄拿出來看：

財富的第七個祕密——控制開銷的力量

財富並非你能賺多少錢，而是你能用這些錢過什麼樣的生活。

控制開銷幫助你活得更快樂滿足，同時，也幫助你創造更多的收入。

任何人想要永保財富常在，就必須去創造出持續不斷的收入。

你的一部分收入是屬於自己的。留下收入的百分之十以供投資，如此才能開始爲未來創造出財富。

讓你的金錢爲你工作，而不要總是爲金錢工作。

祕密八

誠實的力量

在這個城市中，很少有人沒有聽過阿尼斯特・亨利。這是一個專門銷售有品質家具的平價連鎖店。他們的特色在於：如果你要買值得信賴的產品，但是不考慮品牌，那麼，阿尼斯特・亨利將是最好的選擇。這裡童叟無欺，你不會被騙；所有產品都設計簡單又便宜；同時，貨物售出，保證可以無條件退還。這個連鎖店的創辦人兼老闆叫做亨利・布魯克，他也就是年輕人名單上的第八個人。

當年輕人步入他的辦公室，布魯克先生馬上從椅子上起身，熱情地迎向年輕人。布魯克先生身材矮小，臉型圓圓胖胖的，五十四歲的他戴著一副黑色細邊眼鏡，這使得眼睛在他圓圓的臉孔上，顯得更加小巧晶亮。

年輕人很簡捷地告訴布魯克先生有關他跟中國老人相遇的經過。

「太棒了！」布魯克先生聲如洪鐘地喊著：「這麼說，你想要成爲富有的人囉！」

「是的！」年輕人承認。

「到目前爲止，你覺得財富的祕密怎麼樣？」

「非常有意思！」年輕人回答道：「那你覺得呢？」

「我得從三十年前開始談起，」布魯克先生說：「那時我才二十幾歲，一天到晚想賺錢，賺很多錢。我不在乎如何得到，因爲我夢想在四十歲生日那天成爲一個億萬富翁。而這就是我最大的問題。」

「爲什麼？」年輕人不解地問：「我以爲明確的目標是創造財富的基本元素呢！」

「它是啊！」布魯克先生回答：「可是我並不是說，我的目標是成爲億萬富翁——如果是這樣的話就好了，我的問題是，我不在乎怎樣達到目的。我太過於夢想著成爲有錢人，可是我卻忽略了財富的祕密中，一個很重要祕密，就是——誠實的力量。」

「你知道聖經裡面曾問到，如果一個人得到了全世界，可是失去了靈魂，他會怎麼樣呢？我保證沒有一句比較眞實的答案曾經被寫下來。世上沒有比一個失去誠實、廉正和自尊的人更窮的人了。不管你有多少錢，你都不會感到富有，而你所有的積蓄都是短暫的，如果你不廉正誠實的話。用不實和欺騙來獲得財富，就等於用沙去蓋房子。它不會長久的。」

「我記得我的第一份工作是在一個賣窗戶的公司。我們的推銷方式是去敲人家的房門，然後說可以幫他們免費檢查窗戶。很自然地，我們一定會推銷自己的產品，我們提供便宜一半的價錢幫他們裝新窗戶，條件是，他們的房子要讓我們用在宣傳品上。通常換窗戶連工資總共需要二十萬元，我們就會說，現在只要花十萬元就可以了，只要他的窗戶讓我們在安裝前和安裝後各拍一些照片。」

「這生意很好做，」布魯克先生說：「我發現自己很有天分，人們經我一推銷，很容易就會同意在合約上簽字。我每接成一個案子可以抽百分之二十的佣金，你可以想見，我簡直賺翻了，我差不多一個禮拜就可以賺超過八萬。」

「可是有一天事情改觀了，我敲了一家人的房門，出來應門的是個中國老人。他讓我進去，我就依照慣例推銷窗戶，我介紹完之後，他問我說：『如果我買了新的窗戶，誰是受惠者？你還是我？』我回答說：『最好是我們兩個都受惠。』

然後他就看著我說：『你眞的認爲我需要你的窗戶嗎？以你的專業眼光來看，我原來的這個窗戶眞的不適合嗎？』」

「這老人有點怪怪的，我不知道是什麼，可是就覺得他讓我覺得不太舒服。我沒辦法騙他，這也是我做這份工作以來第一次說實話。我站起來要離開，老人從椅子上起身，握著我的手，謝謝我的誠實。他說他可以感覺到我渴望過好日子，並問我想不想知道有

闞過好日子的更好的方法。」

「我當然很好奇，所以就留下來聽他怎麼說。我以爲他知道什麼賺錢的好方法，結果沒想到他告訴我的竟然是財富的祕密。他給我一個名單，說這些人可以幫我解釋更多的細節。所以我就跟名單上的人聯絡，約他們見面，就這樣，我聽到更多的祕訣。」

「這些祕密使我對人生的態度整個改觀，我的生活也因此改變了。直到兩年之後，我的收入竟然比當時成長了四倍。」

「你是怎麼做的？」年輕人問。

「我開始在一個市場的攤子上賣小型的家庭用品。兩年之內，我開設了自己的小店面，再三年，我有了三十家以上的連鎖店，又過了兩年，我的年收入已經達到千萬以上。」

「你確定這樣的成功都是因爲那些財富的祕密嗎？」年輕人又問。

「這是不用懷疑的。」布魯克先生說：「而對我影響最大的祕密恐怕就是『誠實的力量』了。」

「誠實？」年輕人不解地說。

「是的！誠實正直是做生意的原則。」

「眞的嗎？誠實使你成功？」年輕人問。

「沒錯！誠實是成功的基本要素，同時它也可以爲你的人生創造財富。我告訴你爲

什麼。首先，一個人如果做生意不誠實的話，他很難對自己有好的感覺，如果你不能對自己有好的感覺，那不管你做什麼，都很難保持持續的動力。」

「其次，不管我們做什麼，最後的結果都會回到自己身上來。你一定聽過『風水輪流轉』吧？」

「當然聽過。」

「這是眞的。這是生命的基本法則。印度教稱爲『因果』；聖經裡叫做『審判』——你怎麼播種，就會怎麼收成。不管我們把它叫做什麼名稱，它都是人類無法逃避的法則。我們的所作所爲、我們說的話、甚至我們的思想，都會像回力棒一樣，最後又回到我們自己身上。」

「你是說，如果你騙人，以後也會被騙？」年輕人說。

「完全正確。當然不是說被你騙的那個人，會回來騙你，而是說你會遭受相同的待遇。」

年輕人想起自己的工作，他也曾經有幾次不誠實的經驗——迅速浮現在他腦海中的經驗是，有一次他並沒有眞的生病，可是他騙老闆說他生病了，藉機請了假沒去上班。他知道這種行爲不對，可是爲什麼其他人都可以說這種謊，他就不行？

「如果別人都在做一些不誠實的事，你會怎麼樣呢？」年輕人於是問道。

「別人怎麼做是別人的事，」布魯克先生答道：「他們也逃不過因果輪迴。所以，用別人的所作所爲來評定自己的行爲是件很傻的事。」

「更何況，」布魯克先生繼續說：「欺騙和不實會一直跟隨著我們，直到曝光爲止。這一天，你所建構的所有東西，就會如磚塊般全部傾倒下來。」

「可是事實上，大部分的有錢人幾乎都不是個好傢伙，不是嗎？」年輕人說。

「不見得。這樣的說法，和說所有的窮人都有罪一樣是很荒謬的。事實上，在貧窮的地方才更容易看到罪惡，高犯罪率的地方通常都是最貧窮的地方。」

「這是爲什麼呢？」年輕人問。

「因爲貧窮和匱乏經常是犯罪的藉口。只有誠實和無欺才能創造眞正的財富。」

「可是在我的經驗裡，大多數生意人都會說謊、欺騙。」

「這聽起來，你恐怕是跟錯誤的人一起做生意。」

「可是你怎麼判斷什麼是對，什麼是錯呢？尤其當你的競爭者都不誠實的時候。」年輕人反問。

「最簡單的方法就是，當你要計畫或行動之前，先問自己一些問題。第一個問題是：『這合法嗎？』如果是不合法的事，你就可能會遇到麻煩。第二個問題是：『這道不道德？』」

「這有什麼好擔心的呢?」年輕人說:「如果這是合法的,你就不會碰到任何麻煩了,不是嗎?」

「對警察來說,這想法是絕對沒錯。」布魯克先生答道:「但是記住,若要人不知,除非己莫爲。如果你做了什麼不道德的事,最後一定會被揭發,到時候,大家都知道你的所作所爲,你會有什麼感受?只要打開報紙,你就可以看到一件不道德的行爲如何徹底地毀掉一個人。」

年輕人點頭同意。

「第三個問題則是:『這會使我對自己感到驕傲嗎?』如果你對自己的行爲不覺得自豪,那麼就表示你做錯了。第四個問題是:『我樂意被家人知道我的所作所爲嗎?』如果你的母親知道了,她會感到驕傲嗎?如果你的作爲會讓家人感到羞愧,這表示你作的是不對的事。」

「最後一個問題是:『我會因爲做了這樣的事,而尊敬自己嗎?』如果你做了某件事是違背自己的原則的,你將會因此失去自尊。你很難跟一個自己不尊重的人生活在一起,尤其當這個人是你自己的時候。」

「說了半天,其實最根本的原則很簡單,如果你不希望別人對你說,或做什麼,你就不應該對別人說,或做同樣的事。也就是『己所不欲,勿施於人』的道理。」

年輕人把所有的重點都記錄在筆記本上，他抬起頭對布魯克先生說：「所以你的意思是，這些問題只要一個答案是否定的，不管它對你有多大的益處，你都不能去做。是這樣吧？」

「答對了！太多人因為要賺錢和追求財富，而忽略了自己的原則，以及一些道德上的考量。事實上，這樣將會對自己造成重大的傷害。」

「謝謝你告訴我這些，」年輕人站起身來準備離去，「你的這番話值得我回去細細的思考。不過我還有最後一個問題，那個中國老人還住在原來的那個地址嗎？」

「我不確定他是不是曾經住在那裡？」布魯克先生說。

「這是什麼意思？你不是去過他家嗎？」

「對！不過幾個月之後，我又回去找那個中國老人，我想要謝謝他，並告訴他說，我的生活有了很重大的改變。可是這次來應門的卻是一對更老的夫婦，他們說他們住在這裡超過二十年了，他們從來沒聽過什麼中國老人。我還問了一些鄰居，可是沒有人看過他。」

這天晚上，年輕人坐在床上讀著自己當天所作的筆記，上面寫著：

財富的第八個祕密——誠實的力量

一個人有了全世界，可是卻失去了靈魂，他還擁有什麼呢？

我們的所作所爲、言語和思想，就像回力棒，最後都會回到我們自己身上來。當你用欺瞞、不實的方法得到財富時，這意味著——財富終會像磚塊般傾倒下來。它不會長久的！

當你考慮要做某項計畫或行動時，先問自己幾個問題：

它合法嗎？

它道不道德？

它會令我對自己感到驕傲嗎？

我會希望家人知道我的所作所爲嗎？

我會因爲做了這件事，而對自己感到尊敬嗎？

祕密九

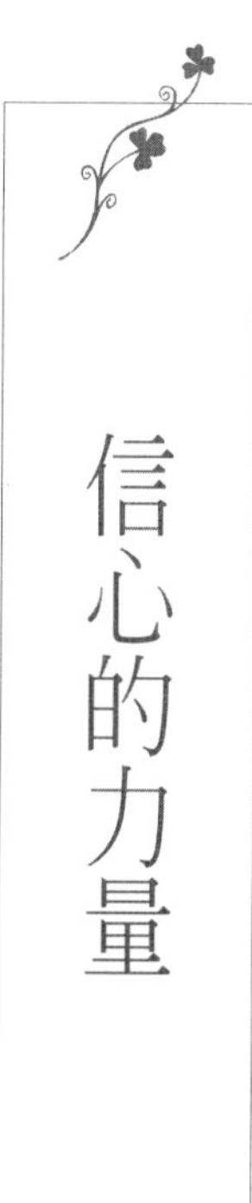

信心的力量

這天，年輕人起得比平常早。他腦子仍有許多困惑，他知道財富的祕密對之前那些人都有很大的幫助，可是對他是否會有幫助呢？他一直無法確定這一點。他對自己的事業已經有了一些想法了，可是萬一失敗了呢？如果他到最後淪落得比現在還慘呢？他整晚都在想這個問題，醒來之後還是完全沒有答案。他從來就不善於做個好抉擇，錯誤的決定將會影響他的下半輩子。他希望下一個人能夠在這方面對他有些幫助。

除了有點禿頭，和六十幾歲的年紀之外，賽門•路易士其實還保持著很年輕的感覺。路易士說，他以定期運動和享受戶外活動來讓自己保有年輕的感覺。他的外表一看就像個十足的成功企業家，衣著整潔完美——深灰色剪裁高雅的全套西裝，配上紅色變形蟲圖案的領帶，以及同色系的手帕。

路易士先生從一個市郊的小保險經紀公司起家，到如今，他的公司在這個行業中不但居於領先地位，直到去年爲止，他公司的營業額甚至比對手高出十倍之多。然而，如同年輕人所猜測的，路易士先生的成功並非平步青雲。事實上直到他六十歲生日爲止，之前他一直有嚴重的財務問題。就在五年前，他居然還只是住在貧窮區域的一間只有一個房間的舊公寓裡，因爲負擔不起辦公室租金，只能租用公寓四樓一個空房子的廚房權充辦公場所。

但是如今，坐在年輕人對面的這個人，已然是全國最大的保險經紀公司的負責人。年輕人對於他如何在短時間之內建立起自己的財富感到相當好奇。

「這一切都要從五年前開始談起，」路易士先生解釋說：「我正坐在被我當成辦公室的廚房裡，想著如何才能改善目前的窘境。我已經快要滿六十歲了，身上不但沒有存款，還有一堆負債，而別人這時候可能都在考慮要舒舒服服地退休了。」

「我正讀著一篇時代雜誌上的文章，上面寫著，不到百分之八的男人，和少於百分之二的女人，能夠在六十五歲之前擁有獨立的財務；而能夠被稱之爲富有的人更是少於百分之一。這實在很令人沮喪。我的狀況看起來簡直毫無希望，我坐在那兒，把頭放在緊握著的雙手上，祈禱著發生個什麼事，好幫助我度過困境。」

「突然，我聽到一個聲音說：『別擔心！事情總會好轉的。』我抬起頭，看見一個東方老人站在房裡對我微笑著。他問我爲什麼在廚房中工作，我解釋說，日子實在太艱苦了。他點點頭，對我說：『艱苦的日子不會一直持續下去，但是只有堅強的人能活下去！』」

「我們開始聊了起來，沒有多久，他就提起了財富祕密的事。我以前從來沒有聽過這碼子事，可是老人說的每句話聽起來又都似乎頗有道理。在他離開之前，他給我一張紙條，上面寫了十個人名和他們的電話號碼，然後告訴我說，如果我想改變人生，並且想開始創造財富，我應該跟這些人聯繫。」

「不用說，我當然沒有放棄這個機會。我跟名單上的所有人聯繫上，之後，奇蹟似乎眞的發生了——我的人生的確開始改變了。這簡直是太不可思議了，我幾乎不敢相信這個事實。而這些都要感謝那些財富的祕密。」

「你所得到的幫助是在哪一方面？」年輕人問。

「他們告訴我說，我必須爲自己目前的處境負責，而只有我有能力去改變它。在這些祕密中，我認爲其中一個對我意義特別重大，尤其當我開始對未來失去希望和信心的時候，那就是『信心的力量』。」

「信心？」年輕人問道：「信心跟財富有什麼關係呢？」

「當然有關係。」路易士答道：「人生的所有事都從信心開始。除非有信心，否則

我們無法達成夢想、無法開創事業也無法創造未來。一旦讓懷疑佔領我們的內心，停止嘗試和放棄就會跟著來了。」

「當我遇到中國老人的時候，我正試著想出改善事業的方法。我唯一想到，就是去參加全國財稅報紙上的一個廣告活動。唯一的問題是有點冒險，因爲那並不便宜，而且也不能保證一定有效。可是，如果它有效的話，那回收可就相當高了。」

「那你做了什麼？」年輕人問道。

「什麼也沒做。」路易士先生回答：「我只是不停地想：『萬一不行的話怎麼辦？』我會因此完全毀了，因爲我得跟銀行借一筆錢來做這個廣告活動，所以萬一沒效的話，我就得花上五年的時間還債。再說，我有什麼理由認爲它會成功呢？我以前從來沒有成功過，那我如何確定這一次就會成功呢？」

「然後，我遇到了名單上的其中一個人，他告訴我說，當你猶豫、懷疑的時候，你只有一個問題可以問自己，那就是：『如果你知道自己不能失敗，你會怎麼做？』當然，我知道，如果我確定我不能失敗的話，我會去銀行把錢借出來，開始著手這個廣告活動。然後那個人就說：『這就是你的答案。當你知道不能失敗，就去做你必須做的事。』那個人於是寫了一張紙條給我，裡面只有一個句子，可是卻讓我留下了很深刻的印象。這句子就是：『要勇敢，強大的力量將會助你一臂之力。』

「勇敢！我以前從來沒有勇敢過。我總是習慣讓害怕和懷疑阻撓在行動之前。事實上，我想這是爲什麼我一直不能把事業做好的原因，我總是在必須行動的時候，被心中的疑慮和害怕阻擋了我的脚步。」

年輕人很能夠體會路易士先生說的話，他知道自己在面對重要抉擇的時候，總是有拖延的傾向——一種導致無法事業成功的特質。可是他又能怎麼辦呢？

「你知道，」路易士先生繼續說：「我終其一生都在聽人們說，去嘗試了而失敗，總比連試都沒試要來得好。但是，在我的經驗裡，我相信許多人眞正相信的卻是，最好別去嘗試，嘗試的時候最好成功，沒有人會希望試了然後得到失敗。」

「許多人都害怕失敗，然而事實卻是，你會失敗的眞正原因正是從不嘗試。倘若你眞去試試看，你不會完全失敗，因爲至少你會從經驗中學東西。很多人因爲害怕失敗而沒有機會創造出自己的財富，因爲他們從不冒險。然而，人生就是一場歷險記，不是嗎？我給你看個東西。」路易士先生說著拿出一首詩：

冒　險

笑，讓自己看起來像個傻子；
哭泣，讓自己顯得多愁善感；

向別人伸出雙手，會讓自己捲入不可知的漩渦；
暴露感情，等於揭露真我；
在群眾面前展現想法、夢想，就等著被遺棄；
去愛，卻得冒著一廂情願的險；
活著，也得冒著死亡的險；
期待，有可能落空；
但，冒險是必要的，因為人生最大的危險就是從來不冒險。
一個不冒險的人，將一事無成、一無所有，
最後也就什麼也不是了。
人們可以不要痛苦、折磨和悲傷，
但是不能不學習、感覺、改變、成長、愛和生活。
戴著枷鎖的人，是個沒有自由的奴隸。
只有冒險的人才能擁有真正的自由。

「如果要冒險，就必須有信心，是嗎？」年輕人說。

「是的！」路易士先生說道：「我並不是說你凡事都要抱著賭博的心態，漫無目標的冒險行爲是非常愚蠢的，而且也不能帶來持久的財富。我的意思是爲你所相信的任務去冒一點險，而這危險是經過衡量、評估過的。爲你的目標訂定出可被執行的行動計畫，這時就不要再擔心失敗了。」

「如果你要改變生活，就必須改變自己，而你得相信自己有做改變的能力。所有的改變都帶有一些不確定的因素，這是導致風險的原因，但是除非你有勇氣走出第一步，否則你永遠也踏不出第二個步伐。」

「是，可是你如何確定自己做了正確的決定呢？」年輕人問道。

「如果你懷疑的話，跟著你的直覺和決心走——即使它可能不太合邏輯或有點荒謬的。決心是引導你走向夢想的道路，所以信心是非常重要的。一旦你有了信心，你將會開始看見奇蹟的發生。」

「那信心要從哪裡來呢？」年輕人問道：「我從來沒有宗教信仰，也不曾眞的禱告，我該從哪裡開始呢？」

「你不需要有什麼特別的宗教信仰。你只要有一顆開放的心胸，無論你要求什麼，上天會給你眷顧的。信心可以學習，也可以被創造。有人告訴我說，當我要加強信心的時候，我只要記得『表現得跟眞的一樣！』就行了。表現得好像你將會成功的樣子、表現得好像你有能力達成目標的樣子、表現得好像不管做什麼事，你都會安然度過的樣子。

當你企圖做一件事情時，表現得好像你不能失敗的樣子，那就沒有什麼可以阻擋你，你可以勇往直前朝目標前進了。」

「表現得好像眞的一樣，」年輕人一面念著，一面記在筆記本上。

「只有這樣你才有機會嘗到成功的滋味，然後漸漸的，你的信心就愈來愈強了。你也可以對自己不斷地覆誦，因爲這會影響你的潛意識，使你的信心增強。當你一直重複著某樣東西時，它就會變成你潛意識的一部分。舉例來說，我經常對自己不停地說：『上帝的財富將會流進我體內，滿足我的每一個需要和慾望。』、『沒有什麼能夠阻止或延遲財富來到我的生命中。』、『只要我堅持，我就可以得到我要的。』以及『不管我要什麼，都可以在最好的時刻和最好的地方得到它。』」

「我會每天都對自己重複說好幾遍，甚至把這些用卡片寫下來，然後放在皮夾裡隨身攜帶，這樣我就可以經常看到它，提醒我自己。」路易士繼續說：「老實講，我這輩子學過最重要的一課就是，你如果有信心，你就可以得到你要的所有東西，絕對是所有的東西啊！」

「謝謝你跟我分享這些，」年輕人起身準備告辭了，「你眞的幫我理清很多東西。」

「我很高興能幫你的忙，這……」路易士先生說著遞給年輕人一張小卡片，他說：「你可能會覺得有幫助。」

卡片上寫著：

「靠近邊緣」他說。

他們說：「我們會怕。」

「靠近邊緣」他說。

於是，

他們來到邊緣，

他把他們推下去……

而他們飛了起來。

這天晚上，年輕人在上床前又把筆記拿出來看，他今天記錄的是：

財富的第九個祕密——信心的力量

當你猶豫、懷疑的時候，你只有一個問題可以問自己：「如果你知道自己不能失敗，你會怎麼做？」。而當你知道自己不能失敗時，就去做你必須做的事。要勇敢，強大的力量將會助你一臂之力。

記得「表現得跟眞的一樣」，你就會成功。

相信你的直覺，跟著你的決心。

用不斷的覆誦來創造你的自信心（不管什麼事，只要你重複得夠多次，它就會變成你潛意識的一部分）。

看完了自己的筆記，年輕人站起來走向窗邊，他知道自己應該做什麼。他一定要勇敢，要有信心，要有行動。

祕密十

寬厚的力量

年輕人對於這些財富的祕密感到很興奮，他第一次感覺到他有創造財富的可能性。現在，他經常對自己覆誦一些積極正面的建議，讓他的潛意識信仰增強，他長久以來所希望得到的，包括財務的、專業知識的和情緒上的目標，他都一一寫出來，然後練習創造意象，使自己可以看到他達成目標時的樣子。

他最大的夢想是成爲一名作家，可是他不只要寫書，還要寫一些讓別人讀起來會有所收穫的書。當然，他還有別的夢想，他想要擁有一間獨棟的房子，有自己的花園，就像他每天早晨在公園看到房子一樣，並且想要擁有足夠的財富，讓他足以供養他自己和一個家庭。

他以這些夢想爲目標，寫下一個行動計畫的細節，他還做了一個預算控制計畫。他通知了幾個債權人，告訴他們自己目前的財務狀況，雖然他沒有能力馬上還淸所有的債務，可是他承諾每月分期付款直到償完債務爲止。他把百分之二十的每月收入提撥出來供作淸償債務之用，而所有的債務人也都很樂意接受這樣的分期付款方式，因爲年輕人願意以開放誠實的心胸面對問題，而不像其他許多人一樣，只是避不見面，卻毫無誠意。

他還把收入的百分之十存下來，供來將來投資用。這樣下來，他確實必須節衣縮食，減少一些無謂的開銷。不過這都只是一點小小的犧牲，因爲這些犧牲都只是爲了要替自己的未來創造更多的財富。

他明白，如果想在人生中創造源源不絕的財富，就必須誠誠實實地面對每一件事，他還記得布魯克先生說的話，「人生就像個回力棒，不管你丟出去什麼東西，它最後都會回到你自己身上。」

爲了要增加自己的專業知識，他把晚上的時間都安排了上寫作課程和企管課程。現在，跟名單上大部分的人見面談過之後，他終於有信心，相信這些財富的祕密對他們都有效，當然對年輕人也會有效的。他知道，不論他想得到什麼、相信什麼，他都一定可以達到目的。

現在名單上只剩下一個人了，年輕人自然非常期待見到他，因爲他急於想知道財富的最後一個祕密是什麼。

吉爾佛列・李佛的住處位於市中心最豪華地區的一棟雙拼四層建築，這一帶的住宅沿著一排林蔭而建，是高學歷和有錢人居住的高級住宅區。年輕人在這最近幾個禮拜之內，連續拜訪了好幾處漂亮的建築，不過李佛先生的住處算是最高級的，這是一幢豪華的十八世紀白色建築物。

房子內部看起來就像〈室內設計雜誌〉裡面的照片一樣，看得出來是由專業的設計師所特別設計的，裝潢講究，家具看起來都像骨董一樣。

一名僕人在門口迎接年輕人，並把他引領到起居間。這個房間有三面書牆，書籍滿滿地從地板排列到天花板，第四個牆面則安置了一個傳統的大壁爐，微小的火燄正暖暖地燒著。壁爐上掛著一幅非常漂亮的油畫：手指殘缺的一雙手交握著，彷彿向天祈禱的姿勢。

此時，房門打開了，一個滿頭白髮，眼睛湛藍的長者出現了。他親切地和年輕人握手，並自我介紹。

「你剛剛正在看這幅畫，是嗎？」李佛先生看著畫說。

「是的，」年輕人說：「我對藝術不怎麼在行，不過這幅畫似乎隱藏著什麼……」

「它的背後有個很美的故事，」李佛先生說：「這是一個眞實的故事。大約五百年前，在德國紐倫堡附近的一個小村莊裡，一個有十八個小孩的家庭。父親叫做亞伯契・

杜爾，是個金匠，他一天要花十八個小時工作，才能養活他的所有孩子。其中有兩個小孩很有藝術天分，他們也都夢想著有一天能成爲一名藝術家，可是他們很清楚，父親的經濟能力無法讓他們去紐倫堡的藝術學院就讀。所以這兩個小孩就約定，要以擲銅板來做決定，輸的人要留在家鄉的礦區工作，賺來的錢還必須資助另一個去藝術學院就讀。然後四年之後，一個從藝術學校畢業，兩兄弟再交換，換另一個去讀書，然後先畢業的必須賺錢提供學費——不管是賣畫，還是到礦區去工作。」

「擲銅板的結果，弟弟贏了，於是他就到紐倫堡去念書，哥哥亞伯特就在礦區工作。弟弟的才華果然很被肯定，很快地，四年後他畢業了。他回到家鄉，慶祝晚宴結束之後，他對著親愛的哥哥舉起酒杯，他說：『亞伯特，沒有你的犧牲，我就不可能成功，』他說了一些感謝的話，最後他說：『現在，亞伯特，我親愛的哥哥，現在輪到你了，你可以到紐倫堡去，去追求你的夢想，我會照顧你的。』」

「全家人都爲亞伯特的犧牲，和他即將前往紐倫堡尋夢而舉杯慶祝時，亞伯特開始哭了，他淚流滿面，一直重複念著：『不……不！不……。』整個房間都安靜下來，亞伯特抹去眼淚，哽咽地說：『已經太遲了。我不能到紐倫堡去。看！』他說著舉起他那雙畸形、有關節炎的手，他的手因爲長年在礦區工作，每個關節都扭曲變形了，他說：『我連舉起酒杯都痛苦無比，更別說要握住畫筆了。對我來說，已經太遲了。』」

「亞伯特成為一個很有名的畫家，他的很多作品被全世界的美術館和博物館所收藏。可是，他永遠不能忘記，他的成功是來自於哥哥的犧牲。為了永久地紀念他的哥哥，他創作了這幅畫。你很難找到一幅畫，藏有這麼多的愛、痛苦和眼淚。他把哥哥手上的每一寸——每一個疤痕、每一分痛楚，都如實地複製下來。這雙哥哥的手反映出藝術家的愧疚和罪惡感，他似乎在祈禱謝恩……，同時，也在乞求寬恕。」

「我把這幅畫掛在這裡，是因為我認為，這是我這輩子所學到最重要的一課——許多人都在默默地幫助我們成功。如果有人拒絕看見這項事實，那麼，不論他有多少錢、多少部車，或擁有多少財產，他將永遠也不會感到富足……除非他學會了這最後的祕密——寬厚的祕密。」

「寬厚？」年輕人喃喃自語。

「是的！」李佛先生肯定地說：「寬厚是創造財富的基本元素之一。當然啦！如果你只在乎為自己和家人累積錢財，你可以絲毫沒有仁厚之心。果眞如此的時候，我相信你將永遠也無法體會到眞正源源不絕的財富。記得！財富不只是金錢和財產，它更是你生活的質地。」

「可是寬厚跟生活品質有什麼關係呢？」年輕人問。

「你曾經不為任何動機、理由替別人做一些事情嗎？你幫助他們只因為你有能力做到？這可以是很簡單的，譬如協助老人過馬路或幫助迷路的陌生人。」年輕人點點頭。

「你做這些事時，心裡有何感受呢？」李佛先生問道：「你會不會覺得很快樂，爲自己能夠做一點小改變而感到高興？」

「當然會！」

「那如果你經過馬路，卻忽視旁人的需要協助，你又會有什麼感覺呢？」

「我可能會覺得愧疚吧。」年輕人承認。

「這就對了！所以你只要實際地練習寬厚，你就會開始覺得自己很不錯，並且感覺到自己對這個社會有貢獻。最後，在潛意識裡，你就會相信自己是值得更多回報的。」

「這也許會讓你感覺自己很不錯，可是這卻不能幫你創造財富啊！」年輕人說。

「你聽過一個宗教的專門說法『奉獻』嗎？」李佛先生說。

「有。是不是指教友把一些所得捐給教會？」

「對！就是這個。不過這原來在宗教上的意義就是，人們把所得的某個百分比的錢拿出來給需要的人，通常是百分之十。現在不只是有錢的人，而是大家都把錢拿出來奉獻，包括貢獻者和需求者。」

「很多神學家在討論奉獻的緣由，有的人猜測說，這就跟抽稅的道理一樣；有的人則認爲這是最早的社會福利。但是很多人忽略的考量點卻是，某種經驗的獲得其實更甚於金錢的付出。」

「你是說付出者對自己覺得不錯的感覺？」年輕人問。

「是，這也算。不過，還有因爲透過付出，我們其實也是獲利者。因爲，不論我們做什麼，最後都會回到我們自己身上來。這就像生命中的因果輪迴，意思就是這樣，隨便你怎麼稱呼。你不但因爲付出反而有所回收，甚至，這個回饋還是多方面的。」

「很多年前，我曾經爲了生計而奔波勞碌。我爲了自己的事業而超時工作，可是不管我怎麼做，就是沒辦法突破生活的瓶頸。直到我遇到……」

「一個中國老人。」年輕人接著說。

「還會有誰呢？」李佛先生微笑著說：「從他身上我學到了財富的祕密，特別是寬厚的力量。我也曾經爲此掙扎、辯解過，因爲我無法把錢從口袋裡送出去。可是中國老人堅持，寬厚對自己一點也沒有損失，反而是通向財富的道路。」

「很自然地，我對他說的話抱著存疑的態度，直到我遇到另一個人，他對我說，當他把所得的十分之一拿出去幫助需要的人的時候，他發現自己的財富卻開始逐漸增加。我到那時才漸漸相信這番說法。所以我也決定試試看，出乎意料之外的，這麼做竟然眞的有效。我對自己愈來愈滿意，工作起來也衝勁十足……而我的收入卻眞的逐漸增加了。」

「到目前爲止，我幾乎可以斷定，寬厚的力量對我的人生有著最重大的影響力和意義。今天，我有許多的財富：我除了擁有這棟房子之外，在巴貝多群島還有一間別莊，另外，在瑞士還有一棟滑雪莊園，我開一台皇家路寶古董車，總資產超過四億。」

「而你眞的認爲是寬厚的力量幫助了你？」年輕人問。

「不必懷疑！當然這不是唯一的力量，所有財富的祕密都是功臣之一，但是當我開始把盈餘的十分之一送出去之後，我便開始感到富足，而同時，我的收入也的確慢慢增加了，機會和訂單源源不斷地進來。你可以說這一切都是巧合，可是你會發現，很多人都有類似的故事。」

年輕人埋頭抄下一些重點。李佛先生繼續說：「財富有點像是肥料，把它灑出去，它就會幫助生長，漸漸地，你就會更豐富。付出你的財富，跟需要的人一起分享，金錢就會變成一種福祉，然後從各個方面回饋到你自己身上。」

「不過你得先有能力才行，你必須自己先富足，然後才能開始幫助別人，不是嗎？」年輕人堅持。

「很多人會同意你的說法，」李佛先生說：「可是人生的規則並不是這樣的。你認爲賺一百萬給十萬，會比賺一萬塊，給一千塊來得容易嗎？」

「嗯……可能不會。」年輕人咬著下唇，想了想說。

「如果你把這個付出當作一個習慣，你會發現，你在潛意識裡將會感到富足——就是比實際擁有的還要多的感覺。這樣你的人生就會流進一股源源不絕的財富。這都是來自這幅畫。」李佛先生指著壁爐上方的油畫說：「我們無法獨自成功，不論你是什麼人，來自什麼地方，一定會有人在你身旁協助你成功或致富。所以，讓這樣的規則循環下去是非常重要的。」

當晚，年輕人重新整理他的筆記：

財富的第十個祕密——寬厚的力量

沒有旁人的協助，或不願幫助他人，人生就很難富足、圓滿。

幫助別人，我們就等於幫助自己。

試著把十分之一的收入送給需要的人，你將會多方面地得到回饋。

把付出當作一種習慣，你的人生會因此流進一股源源不絕的財富。

尾聲

他輕輕地關上身後的大門，避免吵醒沈睡中的妻子和孩子們。黎明之前，天還是暗的，他穿著運動夾克往公園方向走去。自從他遇到那個神祕的中國老人以來，他就養成了這種固定的習慣。

他走著走著，腦中浮現出那個他們初相見的早晨。五年的時光裡，發生了許多事。到現在他還是感到不可置信，他眞的很難相信這些發生在他生命中的改變。

遇到中國老人之後的那一年，年輕人把債務和所得做了一個分配，並額外地存下百分之十的收入，已備將來投資使用。

六個月之後，他辭掉了當時的工作，在家裡成立自己的小工作室，他發行一份小刊物，專門提供在家工作的各項資訊。當他第一次想自己創業的時候，他發現很難找到這方面的相關參考資料。他想到，在家工作的人口愈來愈多，可是資訊卻很少。於是他擬出一個計畫，除了對這個範疇做個調查之外，還要發行一份工作指南。內容包括電腦的運用、稅法問題、法律方面的事務，以及其他在家工作所需注意的各項內容。

這份刊物的發行還算成功。十八個月之後，他完成了自己的第一本書，而接下來的三年內，他又陸續出了六本書，其中有五本還上了暢銷書的排行榜。

這個時候，他和一個美麗的女子相遇了，他們戀愛，然後結婚，這個美麗的女子現在是他兩個孩子的母親。如果有人問他的話，他會說家庭是他人生中眞正的財富。其他都是次要的，即使沒有現在那些金錢、沒有今天的房子、沒有其他所有的財物，他還是會認爲自己是個富有的人。「畢竟，」他說，「家庭所給我的愛、幸福和快樂，是用金錢也買不到的。」

人們有時候會問他說，他是如何做到的。而那些當他落魄時就認識他的朋友們對此更是好奇。他遇到什麼幸運的事嗎？中了彩券？他告訴朋友們有關跟中國老人相遇的事，以及財富的祕密。很少人相信他說的故事，不過還是有一些人聽了他的話，試著改變自己的觀念和態度。這些人後來不但漸漸地收入增加了，最重要的是，他們告訴年輕人，他們和他一樣，竟發現了比金錢更有價值的東西，不是黃金、不是鑽石，而是對人生的不同態度——不久前，他們才在感嘆自己是環境的犧牲者，如今，他們卻成了自己命運的操控者。知道自己有能力幫助他人，對年輕人來說，這是世上最棒的感覺。任何經驗過這種幫助人快活感覺的人，都會覺得自己是最富有的。

每天早晨，他來到公園的時候，都希望能夠再見到中國老人，他要告訴老人，自從

遇見他，並學了財富的祕密之後，他的生命起了多麼重大的變化。他要感謝他爲他所作的一切。但是，今天早晨就跟過去的每個早晨一樣，他沒有看到中國老人的影子。

太陽升起了，當他回家時，天空呈現出一片清澈的藍。他拾起早報，在廚房把水壺放在爐子上準備替妻子煮一杯茶。突然，電話鈴聲響了，他嚇了一跳。早晨七點鐘，有誰會這麼早打電話來呢？

他拿起話筒，一個男人的聲音說：「對不起，我的名字是亞諾‧班克斯，很抱歉這麼早打電話給你，可是我剛剛碰到一個中國老人，他給我你的名字和電話，他說你可以告訴我一些有關……」

「財富的祕密。」年輕人接下去說。

「是的。財富的祕密！」話筒另一端說。

「當然！我非常樂意！」年輕人的聲音忍不住流瀉出一股歡欣快樂。

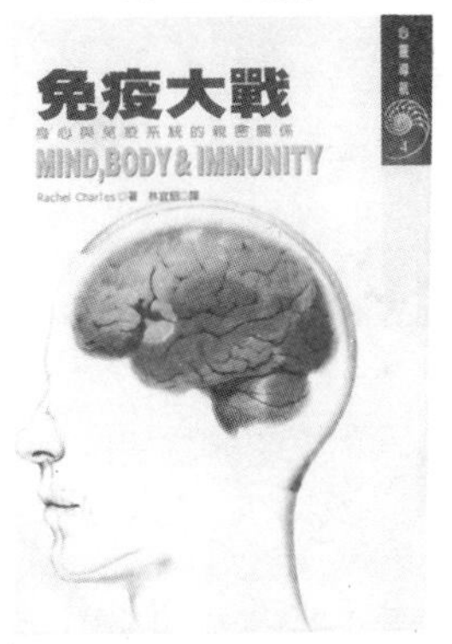

免疫大戰
MIND,BODY & IMMUNITY

大地的召喚

The Sound of the Earth

Hart Sprager 著

洪誠政譯

人生中的每一件事、每一件遭遇、每一次經驗，

都是一項覺醒的呼喚，只是我們睡著了。

沈睡中的我們聽不到這些呼喚；

或是，我們的分別心使我們特別重視某些人、

某些事物及經驗，

而忽略了其他面向的價值。

傾聽那神祕的聲音，真正的聲音，

就在你心中。

心靈導航 6

定價 350 元

規格 15 × 21 公分

獄中書簡

致親愛的奧爾嘉

Václav Havel ; Letters to Olga

Václav Havel(捷克總統)著

李勇輝、張勇進、鄭鏡彤、陳生洛 譯

從受苦受難者的視角看待世界歷史的重大事件……

我們必須明白

對於從思想和行為上探索世界而言，

個人苦難是一支比幸運更有效的鑰匙。

這本書和哈維爾的其他作品有所不同

在這些書信中

您可以看到人性最內在的自省與觀照

感受到那思想激動人心的螺旋。

Literary1

定價 320 元

規格 15 × 21 公分

國家圖書館出版品預行編目資料

人生的四大祕密／Adam J. Jackson 著；周思芸
譯. –初版. –臺北縣新店市；探索文化，民 86
面；　公分. –
譯自：The Secrets of Abundant Wealth
The Secrets of Abundant Love
The Secrets of Abundant Happiness
The Secrets of Abundant Health
ISBN 957-615-081-7
1.生活指導
177.2　　　87005908

ISBN　957-615-081-7

人生的四大祕密

作　者／Adam J. Jackson
譯　者／周思芸
社　長／劉秋鳳
編　輯／許玉鈴・吳麗菁・劉佳怡
美　編／徐于捷
業務部／蘇宏浩（主任）・徐華谷
出版者／探索文化事業有限公司
地　址／台北市基隆路一段一八〇號六樓
電　話／二七六一三一一五
傳　真／二七六三二六五八
E-Mail／dos123@ms8.hinet.net
郵撥帳號／一九一七一四九二　探索文化事業有限公司
登記證／行政院新聞局局版臺業字地六四三〇號
初　版／中華民國八十七年七月
再　版／中華民國八十八年十月
定　價／三五〇元

探索叢書第三百四十六本　

請依此虛線撕下

廣　告　回　信
臺灣北區郵政管理局登記證
北台字第10692號

110

台北市基隆路一段180號6樓

探索文化事業有限公司　啓

請依實線對摺後裝訂寄回・謝謝！

請依此虛線撕下

探索文化書友卡

謝謝您購買本書，這是本公司出版的「探索文化系列」之一，爲了使往後的出書更臻完善，並加強對讀者的服務，請您詳塡本卡各欄，投入郵筒，寄回給我們（免貼郵票，我們將隨時爲您提供最新的出版訊息。）

書友姓名：＿＿＿＿＿＿＿＿＿＿

您的個人資料：

性別：□男　□女　年齡：＿＿＿＿

職業：□製造業　□銷售業　□資訊業　□大衆傳播業　□服務業　□交通業　□貿易　□廣告業　□醫護人口　□建築業　□自由業　□軍警　□公　□教　□學生　□家庭主婦　□其他＿＿＿＿

地址：＿＿＿＿＿＿＿＿＿＿＿＿＿＿＿＿

＿＿＿＿＿＿＿＿＿＿＿＿＿＿＿＿

電話：＿＿＿＿＿＿＿＿＿＿＿＿＿＿＿＿

您購買的書籍名稱：＿＿＿＿＿＿＿＿＿＿

購買本書的方式：

□＿＿＿＿市（縣）＿＿＿＿書店　□劃撥　□贈送

□展覽、演講活動，名稱＿＿＿＿□其他＿＿＿＿

您從何處得知本書消息？

□逛書店　□報紙廣告　□報紙、雜誌介紹　□親友推薦

□廣告信函　□廣播節目　□其他＿＿＿＿

您對本書的建議是：＿＿＿＿＿＿＿＿＿＿

＿＿＿＿＿＿＿＿＿＿＿＿＿＿＿＿

您是否曾購買本系列的其他書籍？

□是　□書名：＿＿＿＿＿＿＿＿＿＿

＿＿＿＿＿＿＿＿＿＿

□否

塡寫日期：＿＿＿＿＿＿＿＿＿＿